▲ 1985 年雪天里

1997 年在王府井

▼ 小说集《王府井万花筒》（1987年）装帧设计

刘心武

王府井万花筒

装帧设计 张卫

刘心武

湖南文艺出版社

▼ 小说集《王府井万花筒》（1987年）装帧设计

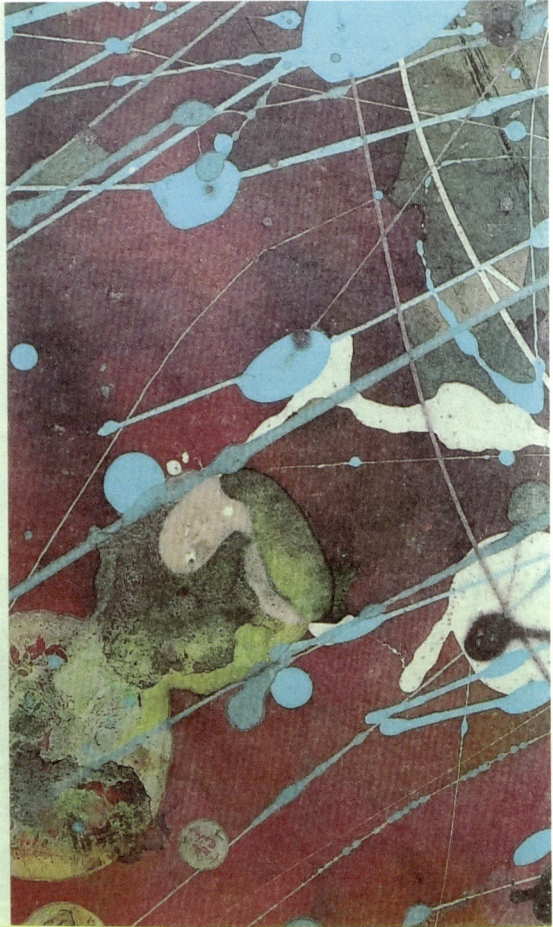

現代中国文学選集 10

劉心武（りゅうしんぶ）

王府井万華鏡（ワンフーチン）・他

松井博光＋野間宏［監修］廣野行雄＋柴

現代中国文学選集

徳間書店
定価●2600円［本体2524円］

「北京の銀座」などと日本人が勝手に名付けたりしている王府井大街。

日本製の時計・カメラ・テレビ・洗濯機はじめヨーロッパ製・アメリカ製・香港製のありとあらゆる商品であふれるこの大商店街。そこには中国人のたくましい熱気が渦巻いているのだが……。

▲ 《王府井万花筒》日译本封面

刘心武文存7

[1958—2010]

中篇小说　第二卷

公共汽车咏叹调

刘心武◎著

江苏人民出版社

图书在版编目（CIP）数据

公共汽车咏叹调／刘心武著． —南京：江苏人民
出版社，2012.11

（刘心武文存；7. 中篇小说. 第2卷）

ISBN 978-7-214-08016-5

Ⅰ.①公 … Ⅱ.①刘… Ⅲ.①中篇小说-小说集-中
国-当代 Ⅳ.①I247.5

中国版本图书馆CIP数据核字（2012）第038570号

书　　　　名	公共汽车咏叹调
著　　　　者	刘心武
责 任 编 辑	刘　焱
统 筹 编 辑	李　丹
特 约 编 辑	朱　鸿
文 字 校 对	陈晓丹　郭慧红
装 帧 设 计	门乃婷工作室
出 版 发 行	凤凰出版传媒股份有限公司
	江苏人民出版社
出版社地址	南京湖南路1号A楼　邮编：210009
出版社网址	http://www.book-wind.com
经　　　　销	凤凰出版传媒股份有限公司
印　　　　刷	三河市金元印装有限公司
开　　　　本	700毫米×1000毫米　1/16
印　　　　张	22.5
字　　　　数	353千字
彩　　　　插	4
版　　　　次	2012年11月第1版　2012年11月第1次印刷
标 准 书 号	ISBN 978-7-214-08016-5
定　　　　价	46.00元

（江苏人民出版社图书凡印装错误可向本社调换）

《刘心武文存》出版说明

《刘心武文存》收录刘心武自 1958 年 16 岁至 2010 年 68 岁公开发表的文字约 900 万字。《文存》共 40 卷，按文章门类收录，计有长篇小说 5 卷、中篇小说 4 卷、短篇小说 5 卷、小小说 1 卷、儿童文学 1 卷、建筑评论 2 卷、《红楼梦》研究 4 卷、散文随笔 11 卷、杂文 1 卷、海外游记 1 卷、多品种（图文交融文本、报告文学、诗歌、剧本、足球评论、译述）1 卷、创作谈 1 卷、理论批评 1 卷、早期（1958 年至 1976 年）作品 1 卷、自述 1 卷。因跨越时间达半个世纪以上，收录定有遗漏，但其此期间的主要作品，相信均已收入。

《刘心武文存》各卷均附有《刘心武文学活动大事记》及《刘心武著作书目》，可备检索。

编辑出版《刘心武文存》的目的，意在供各方面人士阅读欣赏、分析研究、批评批判、收藏保存。

刘心武文存

07

———

目录

木变石戒指

一

长途汽车在一个小镇停了下来。司机和旅客都要在这里吃午饭。

我匆匆在小摊上吃了碗素面，便在小镇唯一的街道上游逛起来。

这小镇自然不是我的目的地。我回省城时将取另外一条路径。看来我一生也许只路过这小镇一次。正因为如此，我觉得应当抓紧时间逛逛。司机宣布车子在这里停留半个小时，那么，逛完这唯一的一条街道该完全来得及。

据说这是一个古老的小镇。但沿街新房子不少。百货商店很像样子。甚至有一家冷饮店。老式的房子虽然陈旧，但看上去也不过几十年的历史，称不上什么文物。

忽然，一座黑漆木构院门进入了我的视线，仔细一望，那院中房屋的屋脊、檐板、女墙，都颇有点明代建筑的风味；走近去，门敞着，天井中好一株紫薇，光溜溜的树干上鼓出几处木瘤，繁密的枝条树叶中，怒放着簇簇粉紫的花束。这显然是当年镇上首屈一指的乡绅的宅院。没想到经历过那么多社会变动的风雨，它仍旧保持着当年的风貌。

我好奇地迈进了院门。当我走近那株紫薇时，从厅堂里迎出来一位老先生，此公虽然穿着今天大家常见的衣装，但那气度做派，不知怎的，让我不由得联想到当年私塾里的塾师。

他语气极其斯文地询问了我，我也语气极为谦恭地询问了他。

我自报的身份，引出了他高昂的热情。而他对那宅院的说明，也引出了我浓厚的兴趣。

可恰在这时，街上传来司机按喇叭的声音，催乘客上车了。我不能误车，赶紧告辞。

长途汽车开过那座不同寻常的院落时，一瞥之中，我发现那位老先生竟立在门口，彬彬有礼地向我微微招手，我便也忙挥手作答。

二

老先生传递给了我这样的信息：那宅子是当今一位名人的故居。现在乡政府已经设法迁走其中的住户，拨款加以修葺，并由他暂且担负看管任务。在县政府中，有两种意见。一种意见是：那位当今名人是本县的骄傲，应将其故居辟为纪念馆；另一种意见是：他固然对国家贡献很大，甚至国际上也有一定的影响，但似乎还没有伟大到应将其故居辟为纪念馆的地步——不过，持后一种意见的同志也主张将那座院落加以认真保护，因为那建筑本身具有文物价值，且随着农村文化水平的提高和对精神生活的需求增加，那座院落可发展为乡中的一处图书馆和博物馆。

三

从省城出发时便一直天阴。汽车离开那用午膳的小镇后，外面下起雨来。车开了十多分钟后，雨渐次变大。又开了十来分钟，汽车竟在另一个小镇停下。开始，大家以为汽车出了什么毛病，后来才搞清楚，原来是前面河桥上出了事故——一辆卡车和一辆拖拉机相撞，交通堵塞。没有两三个小时，是无法通车的。

外面下着雨，旅客们大都不愿下车等候，宁愿挤在车里，或看书报杂志，或聊天解闷，以熬过那段难耐的时间。

我便同旁边一位本地干部聊了起来。那干部40多岁，看去相当精明强干。我问起那座名人的故居，"怎么一直保护得那么好？"

他说："是呀。'文革'当中，也只是初期'破四旧'时，受了点轻微的冲击。它的主人是保护对象，宅子当然也就成了保护对象嘛。"

我问："他老家还有他的亲属吗？"

他说："他几十年前就离家出走了，家里的直系亲属几十年里外出的外出，病死的病死，剩在县里的好像一个全无。"

我问："直系亲属没有了，旁系的总还有吧？"

他笑了："那就太多了。算起来，镇上怕有一半是他的亲戚，我们这里把这种情况叫'转转亲'，论起来，我也能算他的远亲呢，不过，我比他高两辈，他该叫我舅公呢！哈……"

车窗外的雨略小了些，有的乘客耐不住寂寞，下车寻乐趣去了；附近几个小棚摊下的小贩便向他们倾销茶叶蛋，有的还提着小篮到车窗外向我们兜售。我买了四个茶叶蛋，递给身边的旅伴两个。

旅伴道了谢，吃了那两个蛋，仿佛要报答我似的，向我提供一个信息，说："对了，你问他的直系亲属……我想起来还有那么一位，不过，她的身份很难确定，要说亲，那是很亲的；要说不亲嘛，那她就连旁系的旁系也算不上……她，就是他的原配！"

"原配？"我被这新信息冲击得兴奋起来。当然，这种兴奋是一种无聊中的好奇感。

四

"原配"，又写作"元配"。这个称谓真有意思。

它并不等同于"前妻"。

我读过一篇很长的介绍那位名人的报告文学。文章里用极生动的笔触描绘了半个世纪以前，他怎样毅然逃脱了封建家庭的羁绊，投向新时代的进步潮流。

父母给他包办了婚姻。据文章所写，当他被强迫着同那位新娘子拜堂时，他惶恐地望着那块红得像血的盖头——他觉得自己正面临着一场屠杀。在洞房里，盖头终于被揭开了。呈现在他面前的不仅是一张陌生的面孔，而且是一个陌生的灵魂，然而最令他汗毛孔发炸的还是她那双"三寸金莲"。他不仅坚拒与她同床，并且在第二天凌晨，越墙逃跑了。他逃回了省城。他那时正在省城上中学。估计家里将来人追索，他在学友的支持下，逃到了省外，投奔他那位思想开明，家产殷实的叔父，以此掀开了他那波澜壮阔的人生中关键的一页……文章没有交代这位名人是否同那位原配履行了离婚手续。他大约给家里写过决绝的信，那相当于休书。实际上这种包办婚姻是不合法的，他同她既无所谓结合，也就无所谓离异。但在人生的途程上，他和她命运的轨迹，毕竟有过那样一次隆重的交叉：她被盛妆浓抹被花轿运进了那座宅院，同他面对着大红喜幛和杯口般粗的龙凤花烛，被傧相们摆弄着拜过堂，送进了溢满红光的洞房，同坐过一张覆着绣花帐幔的宁式雕花木床……

仅仅一夜，便决定了她的身份——人们把她叫做他的"原配"。

五

我随口问道："那原配后来怎么样呢？"

旅伴不经意地回答："怎么样？没怎么样。她就住在那宅子里，一过就是几十年，半个世纪还多吧。"

我问："她没回娘家去吗？"

"没有。解放前，她没脸回娘家。解放后，好像她娘家也没剩下什么直系亲属了。她就一直留在婆家，当媳妇，守活寡。听说公婆倒不拿她当外人，处得还不错。"

"她现在还住在那个宅子里吗？"

"好像已经死了吧？像一根蜡一样，点完了，也就灭了。"

旅伴说着隔窗发现了什么熟人，便撂下这个可有可无的话题，离席下车。同那熟人叙旧去了。

车上所剩旅客已然不多，何时开车更觉渺茫。不知为什么，那不经意中引出的话题，竟不能从我脑中消散。

我不觉忆起自己所知的关于那位名人的经历。他的足迹不仅遍及全国，更远及海外，他既出入过都会洋场，也深入过深山大泽，他从多次的大惊大险中获得过斗争幸福，也从罗曼蒂克中享受到足够的人生乐趣，而最令人羡慕和钦佩的，是他半个世纪中，基本上与时代的潮流共进。他从封建地主家庭中获得了受教育的机会，而在帝国主义兴办的教会学校中，他又获得了优于封建意识的资产阶级思想，当他凭借着资产阶级民主思想同封建家庭决裂以后，在时代潮流的激荡下，他又接触了先进的无产阶级革命理论——马克思列宁主义，于是他投身于革命营垒，并在激烈复杂的斗争中渐渐改变了资产阶级自由主义的世界观，形成了无产阶级世界观……他如今不仅是学者、名流、许多人的崇拜对象，更是社会活动家、官员、国际上瞩目的人物，截取他生涯中的一个片段，便足以构成一部情节奇谲、高潮迭起、激动人心的艺术作品。据说已有一家电视台正着手准备录制歌颂他的电视剧。只是在究竟用他的真名实姓，还是给主人公另取一个与他姓名相谐的假名这个细节上，尚未最后敲定。

在同一个时间流程中，他的原配却始终守着那样一座古老的宅院，过着毫无价值、毫无乐趣的平庸生活。仔细想来，那并不是她个人选择的结果，她不能掌握自己的命运。

也许是处于那样一种阴雨的天气、半空的车厢、漫长的等待，百无聊赖的处境……我竟奢侈地任自己的思绪围绕着那原配转悠起来。

诚然，她是没有价值的。倘若把那名人比做一颗天上的星，那么，她便是地上的一粒砂。

六

司机来宣布了一个坏消息。我们当天肯定走不成了。但车所停靠的小镇上那家小小的旅舍，住不下我们这么多人。一部分得由他送回用午膳的那个小镇去住宿。

我作出了返回第一个小镇的抉择。

仿佛鬼使神差，在那小镇的旅店中定下铺位，存好行李，我便租了把红油纸伞，冒着粗大的雨丝，走到了那个宅院。

我敲开了已经关闭的黑漆大门。开门的那位老先生见到我真是惊喜交集。他把我迎到里面，听完我的解释，热情地说："既然如此，你何不干脆到这里来住？这里比旅店干净多了。我们也可促膝谈心，消此雨夜。"

原来那宅子中只住着他一人。算是管理员吧。他迫不及待地将堂屋建筑的特点指给我看："你看这梁柱，比清代以后的肥大多了，檐枋用的自然弯曲的木材，大雅若俗，不似清以后那般强力规整，反显拘束。你再看这柱础，是典型的明鼓镜式……"

那宅子前后竟有五进之多，后面还有一个有待修整复原的花园。当然，每一进的天井都不很大，而且越往后天井越小，最后一进的天井看去只有6平方米左右。在路过最后一个天井时，他将一间厢房指给我看："这便是幺先生的原配住的地方。她20岁住进这间厢房，72岁死在这房里的宁式床上。"

我渐渐熟悉了这里的人们对那位名人的称呼：幺先生。他是这所宅子的老主人的最小的一个儿子，当时上下都称他为幺少爷，后来又类推把"幺先生"作为他的代称。

我觉得那所宅子有两种互相矛盾的气味：一种是霉味，不是一般的霉味，而是一种朽木霉透了的气味；另一种是刨花和油漆的气味。两种气息交融在一起，吸入肺里，令我产生一种怪异的感觉。

管理员老先生占据着头一进堂屋边的一个套间，里面有两张单人床，铺盖、床单、枕头和蚊帐看上去确实都比旅店干净，他告诉我，他自己的家就在镇子那一头上，招赘进了一个女婿，又生了两个外孙，老伴乐得当外婆，他却嫌家里热闹得看不下书，所以搬到这里来住。屋里两张床一张是他的，一张是公家的——以备同他换班的值夜者使用。他说这晚愿将自己的床让给我，他去睡那张公家的——这自然是一种极为友好的表示。

我应允了他，打伞返回旅店，去退掉铺位、取出行李。

七

听说我要到他称之为"大黑门"的地方住,那年轻的营业员睁圆了眼睛望着我,仿佛我是一个怪物。

我也惊异地望着他。他留着女式的长发,上唇留着胡子,并且脖子上还挂着一条金闪闪的项链,下头坠着一个造型蹩脚的银色十字架。我还注意到他手上戴着个方戒面的戒指。而尤其令人惊异的是,他身上穿着一件港式"T恤"。上头用英文印着"玛丽,别吻我"的字样。我没想到在远离省城的小镇上,竟也有这般模样的摩登青年!

我试图使他理解,我换到那里去住,是为了搜集那位他应引以为荣的前辈同乡的材料;可是他竟听不懂我的意思,因为他似乎对那位前辈同乡的大名并不熟悉,直到我说出"幺先生"这个称谓,他才恍然大悟,却向我掷出了一个极为粗鄙的问题:"他不是发了大财了吗? 你写文章捧他,他给你多少钱?"

我觉得他简直不可理喻。不过我不想把关系搞得太僵,说不定我今后还要同这家旅店,同他打交道。于是我对他说:"我对幺先生本人的兴趣倒并不大。我这回主要是想了解一下他的原配的情况……"

他听不懂"原配"这个词语代表着什么。

倒是恰好走来的一位胖大嫂,听懂了我的意思,便插进来问我:"幺先生那原配? 有什么好了解的? 活着像只影子,没声没息。死了谁记挂她? 你不提我都把她忘了。"

真是兜头一瓢冷水。

八

去"大黑门"以前,我先到镇上一家饭馆用晚膳。

也许是因为镇上陡然增添了许多旅客,饭馆的生意格外兴隆,放眼望去,几乎没有一张空桌。

我找到角落里的一张方桌,那张桌子只有一个顾客。看样子他是个当地的酒客，他只买了一盘烧腊，饮着一杯白酒。他显然已到古稀之年，瘦长的脸上满布皱纹，肩膀有些拱曲，但他牙口还好，给我印象最深的是他那双眼睛，一般老人到这个年纪眼睛早已混浊，但他那一双包围在细琐纹路中的眼睛，却还相当清亮，尤其是当他微微仰头饮酒时，电灯光射进他的眼里，竟反射出一种矍铄的光彩来。

我照例要了一碗素面。面很烫，而且搁了过量的辣油，我吃得很慢。趁那老头眼光同我相接，我主动搭话说："老大爷是本地人？"

他点了点头。

我告诉他为何在此滞留，并把话题引到了"幺先生"身上。我问："您年轻的时候，自然见过幺先生？"

他开口答言："见过。我是他家佃户。"

我顺势往下问："那您自然见过幺先生的原配？"

他抬起头来，两只眼睛盯着我，仿佛我这问题很使他意外。

我望着他，等待他的回答。

他想了想。也许有几秒钟，也许竟有一分钟，才回答我："那我没见过。"答完便闷头喝他的酒。

我一边吃面一边想：奇怪。幺先生不到20岁就离乡了，从此再没回来，他倒见过；那幺先生的原配一直在这小镇里住了几十年，他倒从未见过，这可能吗？难道那位妇女在解放后的三十几年里，也大门不出、二门不迈？

显然，不是没见过，而是没兴致谈论这个人。

一个人存在了几十年，周围的人竟视而不见、听而不闻，连进行一点原始回忆的兴致也没有，这该多么可悲。

我吃完面，一抬头对面的老头已然消失，桌上剩着多半盘烧腊和一只空酒杯。

九

"大黑门"里的老先生对我真好。

我一迈进他那间屋，便看见屋中的办公桌上已经堆了一堆花生米，并且搁了一瓶上好的白酒，摆了两只酒杯。

"交个朋友嘛，"他搓着双手，诚恳地说，"我姓口天吴，名如瑾，'如来佛'的'如'，'周公瑾'的'瑾'，你就叫我老吴吧。"

"哪里，"我忙投桃报李地说，"您比我年长多了，您直呼我名字吧，我只管您叫吴老伯。"

我们坐下来喝酒。各坐一把藤椅。酒味香醇，花生米粒大而香脆。窗外的雨又由小而大。淅淅沥沥地正助谈兴。

吴老伯且不容我询问我所感兴趣的，他不断向我打听"外部世界"的信息。原来他是一个年纪虽大却怀着孩童般求知欲的入世之人。我原以为这寺庙般的"大黑门"里，只能住着一位隐士呢。

吴老伯原是镇里小学的语文教师。他的足迹至今尚未出过县境，但听他的谈吐，他的见识颇广，原来他好读书，近年来更热心地阅读各类报纸杂志、收听广播、收看电视……他大概是如今小镇上吸收信息量最多的人。

正当他还要细问我车子在北京的立体交叉桥上究竟该怎么行驶时，我忍不住扭转话题说："哎呀，我都讲累了。吴老伯，我歇一歇再跟您讲吧。倒是该由您给我讲讲么先生的事了！"

吴老伯显然对这个话题并无很高的兴致。他吃了一粒花生米，呷了一口酒，耸耸眉毛说："么先生的事，许多文章已经讲得很充分了，我倒真没多少好补充的，他只在这镇上读过三年私塾。十多岁就到县城上洋学堂去了。后来再到省城上教会中学。再后来一逃婚，便从此'黄鹤一去不复返，此地空余黄鹤楼'。他在家乡真没留下多少事迹。县里不是有主张把这个宅院办成纪念馆的吗？我也想方设法去搜求过他的事迹和遗物，虽不无所得，但意义都十分有限。"说着他打开抽屉，取出一册线装墨迹，搁到桌上，用手指头捻了捻册边，告诉我说："他那原配死后，从她那住房里倒是找到了这么一本墨迹，不过并非么先生的日记、笔记，不过那是他练字时抄录的一些现成的唐诗……"他又呷了一口酒，大概是"酒后吐真言"吧，他两颊绯红地对我说："我热心于管理这所宅子，倒并不着眼于它是么先生的故居，实在这宅子是一所难得的明代民居，本身就是一组珍贵的文物……"说着他又拉开抽屉，把么先生的那册墨迹装了进去，清了清嗓子，大概是想再详细地给我讲讲这座宅子的文物价值。

我却更关注与这所宅子有关系的人，特别是那原配。于是赶忙问："在这宅子里住得最久的，怕就是幺先生的原配吧？"

他说："当然。这宅子直到土改的时候，还住满幺先生的家族。但后来别的人都先去了……"

我不免问："幺先生家里，土改的时候得划成地主吧？"

他说："那个自然。不过，幺先生的父亲，一来因为养了革命的儿子，二来本身自抗战时候起又有种种进步的表现，所以划成了开明士绅，没挨过什么斗争。幺先生的母亲自然随丈夫算。幺先生的大哥、二哥早也离家，一个在上海成了民族资本家，一个老早就投奔了延安，成了老革命。这且不去说他，土改时留在家里的有三哥三嫂，这二位都跟鄙人同事，一位在小学里教算术，一位在小学里按风琴教唱歌，当然没划地主成分，他们子女还小，自然更不算；幺先生的四哥是个呆子，吃饭穿衣勉强可以自理，别的一概不懂，成分也没有划；幺先生还有个姑姑，当时也住在这个宅子里，她算带发修行，吃斋念经，土改时也没算她地主，后来她还当过省佛教协会的理事，按说最该划地主的是在他家当管家的二娘，这二娘是幺先生母亲的胞妹，同他姑姑一样也是个老处女，收租讨债一类的事都由她出面，不过，她在解放前夕得猩红热死掉了；结果他家的地主成分，真正落实的还是幺先生的原配……"

听到这里，我吃了一惊："怎么，单她算地主？"

他说："可不，其实她在那个大家庭里地位最低，完全主不了事。她就是伺候公婆，每天给公公炖银耳汤，给婆婆捶腰腿……还要不停地为他们绣寿幛一类的东西。"说到这儿，他又抚慰似的告诉我，"解放后虽把她划成了地主，倒没怎么难为她。后来凡镇里召集地富反坏右五类分子训话，她便从幺先生家出去，往角落里静静地一站。镇上历届的领导倒都注意把她同别的五类分子区别开来。后来虽说阶级斗争的弦越绷越紧，对她的态度倒越来越松。召集五类分子训话、批斗，她去了，还悄悄让她回家去待着。'文革'刚闹起来那阵，也不知怎么传来个消息，说幺先生让造反派给贴了大字报，眼看就要揪出来示众，镇上中学的红卫兵闻风而动，闯进了这座宅子，把她当'反革命修正主义的臭婆娘'给斗了一顿，但正当'红卫兵'们要来破坏这座宅院，并把她拉出去游街时，又传来了消息，说是中央首长保了幺先生，不让冲击他，给他贴的大字报都揭下来了，于是'红卫兵'就没再来这个宅子里闹，幺先生的原配她也便照样静悄悄地在这宅子里住了下去……"

我喝了一口酒，问："那原配，解放后她靠什么生活呢？"

吴老伯说："那她倒真是自食其力。她是包皮蛋的能手。皮蛋你们叫松花蛋吧？她自己养鸭子，包了松花蛋，提到供销社去卖。镇上也常有人提着鸭蛋去找她，请她包，给她一点钱。她真可算荆钗布裙、粗茶淡饭，过着深居简出的生活。"

我又问："那幺先生家里别的人死的死、走的走，空出的房子谁来住呢？"

吴老伯笑了："你怕有空房子没人来住吗？陆续搬进来好多家人，大都是镇上机关的干部，还有一些有门路的人；宅子一解放就整个算房管所的了，不过，听说倒一直没收过幺先生亲属们的房租……"

我有点故意地问："那收不收幺先生原配的房租呢？幺先生同她毫无血缘关系，又从来不曾承认她是他的妻子，难道她也算一位亲属么？"

吴老伯一愣。他似乎从未从这个角度考虑过这个问题。想了一想，他笑笑说："是呀。细论起来，我同幺先生还多少有些血缘关系呢。我们是五服外的远亲，他该叫我表弟。他那原配，论道理，论法律，实在不能算他的什么亲属。不过，奇怪么？也不奇怪——从历届的镇党委，到'文革'中的革委会，到镇上的所有的人，也无论左、中、右，心理上倒都一直把她看成同幺先生有着亲属关系的人，而且就是幺先生他们那个家族，看来也并不都同幺先生一个态度，幺先生是一刀两断，他们至少是藕断丝连……对了，'文革'当中，幺先生大哥一家在上海遭遇很不好，两个女儿都让下乡插队，她们本来大概该去安徽，后来不知用什么法子都弄到了这里来，她们都管幺先生的原配叫姊姊，那原配也真把她们当亲侄女待，那一阵不是幺先生的名字又重新在报纸广播里出现了吗？所以尽管幺先生原配成分不好，倒比镇里的红五类们更显得安全。那两个侄女儿因此不仅得到了她生活上无微不至的照顾，也通过她间接地得到了一种政治上的保护……那几年按说是解放后最阴暗的岁月，可幺先生的原配倒常在街上露面，人也仿佛胖了点，脸上也似乎有了点红晕；后来'四人帮'倒台了，两个侄女儿回上海了，她倒又仿佛缩了回去，瘦了回去……唉，她这人的命运真跟众人不一样啊……"

讲到这里，忽然电灯灭了。窗外的雨声一下子袭进窗内，声音格外撩人思绪。

吴老伯点上一支蜡烛，习以为常地说："一个月里总有几夜如此。弄不好要下半夜来电，我们还是只管对酌夜谈吧！"

我凝望着摇曳的蜡烛，心里有一种说不出的滋味。这时我意识到，我对那位幺先生的原配的命运所产生的关注，已经超出了一般好奇心的范畴。

十

我在烛光中想象着幺先生那原配的身形面容，可她模糊得如同雨中的风景。

我不由问："那原配，她什么长相呢？"

吴老伯笑了："你怎么连这个都关心起来。唉，让我想想……她实在是貌不出众。丑也不能算丑，可实在一点不俊，平常得很。对了，要说特征，那她那双脚可真小得可以，像端午节包得最秀气的粽子……你们哪里知道，旧社会里，封建脑筋的人，偏认为女人小脚裹得越小越尖越美。那幺先生的原配把脚裹得那么小，一定吃了不少苦头——我就亲眼见过我母亲给我大姐裹脚，真像上刑一般——可是等到她那脚骨弯曲团缩成了那模样，没法再改变时，时代却前进了，美丑的观念完全改变了……据说幺先生临逃走以前跟他母亲说过：倘若她是一双天足，也许我还能勉强接受，可是她现在这么一副模样，我看一眼便要作十日呕！结果他没有呕到第二日，就逃走了……"

我眼前似乎晃动着一个穿旧式服装的妇女，面容平板无光，但双脚颤颤巍巍地在泥泞的村路上留下了一行粽子般的足迹……

吴老伯继续对我说："那幺先生的原配死去以后，你猜我女儿怎么说？她说：'谢天谢地，可又少了一双给我们中国妇女丢人的小脚！'她可不像你这样，似乎对那小脚老太婆还有几分同情，她觉得那小脚老太婆死得太好了……"

我便说："我对她的同情岂止几分。就按半个世纪算吧，50 年，600 个月，18250 多天，她可怎么熬啊！你想想吧，在这 18200 多天里，幺先生有多么丰富、多么曲折、多么了不起的经历！而她呢，竟一辈子没有走出过这个小镇……"

吴老伯忽然激动地截断我的话说："哪里哪里！她足迹所到，比我还远呢！她是进过京的！"

我大吃一惊："她进过京？"

吴老伯端起酒杯，劝我与他同饮一杯，并且说："你听谁说的她没出过这个小镇？干掉这杯，你且听我向你细细道来，她是如何进京的……"

十一

幺先生的父亲，解放后第二年就病故了。幺先生的母亲不久被上海的大儿子接了去。幺先生的原配进京去寻幺先生，就在那以后不久。

谁也不清楚幺先生的原配究竟是怎么想的。她好像也没跟镇上的有关部门打招呼，突然就搭长途汽车去了省城。也不知道她这好比从古井里头钻出去的人物，怎么竟又在省城买了进京的火车票，一火车坐到了北京城。

据说她在北京前门火车站下了火车，就去找穿制服的民警。她把手探进怀里，曲曲折折地取出来一个手帕包儿，打开了一层，又一层，取出一样东西，递到那民警手里。民警以为递给他的是一个信封，或者是一张路条，常有人那样向他们问路，可这回他接到手里的，却是一层叠起来的《人民日报》。民警莫名其妙。后来才弄明白，原来这个小脚女人是要他帮她找报纸上登的那张照片里的那个人。不消说，那个人就是幺先生。照片印得很清晰，幺先生显得十分英俊潇洒，而且旁边的消息里把他当时的职务也说得清清楚楚。民警便问："你是他的什么人呀？"她说："我是他的原配。"民警将信将疑，把她带到派出所去，请她暂且休息。然后民警就帮她打电话联系，打来打去，也真联系上了。

后来就来了辆小轿车，小轿车里下来一位年轻的女干部，她把幺先生的原配接走了，还跟派出所的民警道了谢。

小轿车开到了一处地方，有好大的花坛，开着五颜六色的花朵，有好高的楼房，净是亮闪闪的玻璃窗子；那女干部就把她带进了楼去，把她一直带进一间宽敞的屋子里，屋子里有席梦思床，有成套的沙发，地上铺着地毯，还有带台灯的书桌，好大的电风扇……大屋子里还套着小屋子，小屋子里的墙壁、地面都是雪白的瓷砖镶砌的，有好大的白瓷澡盆，还有冲水灵便的马桶。原来那是一处设备齐全的招待所，本来是只接待高级干部的。

那女干部在小轿车里就给幺先生的原配做上了工作，到了招待所，更是温言款语地给她解释，对她劝告……

原来，电话接通以后，幺先生同他的爱人都吃了一惊。幺先生的这位爱人不光长得相貌出众，而且多才多艺，她自然绝不是一双小脚，也不是一双普通的天足——她是在舞台上表演过跳舞的；他们夫妇两人怎么具体商量的，不清楚，但是他们最后形成的决定是坚决的——他们不承认同这位所谓的原配有任何亲友关系，因此他们不仅不允许她到他们家里去，而且也不想同她见面，但出于人道的考虑，他们委托幺先生下面的一位女干部，来对这位闯进京城的小脚妇女待之以礼、喻之以法，并责成那女干部在一周之内，将她劝回老家去。

那女干部接受的任务可谓艰巨。她连续几天陪那幺先生的原配吃饭、睡觉，还让司机开着小轿车送她们去北海公园、天坛公园、故宫博物院游览，在这过程当中，她以水滴石穿、绳锯木断的精神，正过去反过来，暗喻明说，点点滴滴，接连不断地向幺先生的原配灌输新婚姻法；据说那位女干部几天里足足瘦了3斤，总算让幺先生的原配死了心。

幺先生的原配那几天里也茶饭无心。带她到名胜古迹里去，她也是木木呆呆地只想着要达到她的目的。最后那女干部要带她去逛颐和园，她拒绝了。她答应过两天就返回去。但她还提出来，希望临走前能单独同幺先生见一见，哪怕只见喝一杯茶的工夫。女干部把她这最后的愿望转达上去了，回答是不必见面，哪怕是只喝一杯茶的工夫的一面，也不见。

幺先生的原配上京时，带去了一篮子皮蛋，她知道幺先生最喜欢吃家乡的皮蛋。她选的都是她最有把握的上等皮蛋。临上火车时，她还追问那女干部，是不是把她那一篮子皮蛋送到了幺先生手里，还问幺先生是不是爱吃，那女干部当时不忍心告诉她，幺先生和他的爱人连那篮皮蛋也拒绝了，他们让那女干部把那一篮子皮蛋捐献给了招待所的食堂，所以当幺先生的原配上火车离京以后，那个招待所食堂的酒菜拼盘名声大振——拼盘里最出色的就是里层墨绿发亮、外层红紫透明的皮蛋瓣。

幺先生的原配就这样回到了小镇上。从此她死心塌地安分守己地在小镇上过她那毫无趣味的生活，一直到有一天人们发现她死在她的那张古老的木床上。

十二

蜡烛摇曳，把我同吴老伯的影子投射到屋墙上，变幻出许多古怪的形象。

也许我是有点醉意了。我忽然无端地笑了起来。我觉得胸口发闷，有一种即使不择手段也要尽情发泄的冲动。

我笑完了，便指着吴老伯说："你真是蒲松龄第二，编故事编得这么圆。你连本县以外都没去过，怎么能知道发生在北京的时事？"

吴老伯认真地解释说："演绎的成分不敢说没有，但材料来源是绝对可靠的——小女'文革'串联时去北京，住的那个招待站恰由那位女干部主持，小女从她那里听来，回来学舌给我，我现在又讲给了你，你细想一下，事情不是也只能如此这般吗？"

我细想了一下，也确乎只能如此这般。倘若我是幺先生，我肯定也是不愿见她的，哪怕只见喝一杯茶的工夫。

我问："她70出头就死了，在老太太里可不能算高寿的。她是得什么病死的呢？"

吴老伯说："她死的是有点突然。所以发现她死了以后，人们还有一种猜测，说她是吞戒指自尽的……"

"吞戒指自尽的？"

"对。有人就那么揣测。这也难怪。你知道'文革'刚起来的时候，'红卫兵'抄过她家，小女那时候也跟着'造反'参与其事。结果从她屋里抄出一只硬木首饰匣，里头有项链、手镯、耳坠、戒指、发簪什么的……"说着吴老伯又拉开抽屉，找出一张清单来，递到我手中。

"你看，这就是幺先生原配的笔迹。她原也是粗通文墨的。这是一张收条。

不是刚抄了、斗了她没几天，又传来消息，说幺先生受到保护了吗？自然就不再斗她了，也把抄去的首饰匣还给了她，她便根据'红卫兵'要求留下了这一纸收据。平心而论，'文革'初期，我们小镇上的'红卫兵'还真是煞有介事，执行起'三大纪律八项注意'来，确实不打折扣的。为表示他们决不贪污，所以他们送还那首饰匣时，非要幺先生的原配开这收条不可。你看那收条上开列的种种首饰，最后一款，喏，这里——不是开着'木变石戒指一只'吗？那些人后来猜测她吞进肚里去的正是这只戒指……"

"什么是木变石戒指？"我问。

吴老伯把那张字据收回去，缓缓地告诉我说："木变石，就是树木的化石，也算一种珍贵的材料吧。据说木变石也分很多种成色，要看是什么木变的，年头古到什么程度，花纹好到什么程度……我究竟是一个穷生，从没亲近过首饰，所以也无从细加解释。总之，那首饰匣中就有那么一只戒指，木变石的戒面，镶在金戒环上。据目击过那只戒指的小女说，那是只比较粗大的戒指，又据她说，幺先生的原配在收回匣首饰时，曾经说过，那只木变石戒指是幺先生戴过的。幺先生的原配突然死去以后，她因为没有继承人，所以她遗留下的全部东西，无论贵重的，还是破烂不值钱的，便都成了公产。我参加了验收她遗产的工作。打开她的首饰匣以后，对照我们当时掌握的这张收据，我们发现别的首饰样样完好，唯独少了那只木变石戒指……所以就流传开了她吞戒指自杀的说法……"

我听得出神，不由得说："她也真可能是吞了那只戒指，她活着多无味啊！"

吴老伯却缓缓地摇着头："我一直不那么认为。50多年她都熬过来了，凭什么突然自寻短见？况且镇上的医生来看过她的尸体，判断她是自然死亡，多半是死于突发的肠套叠。其实她究竟为何而死，跟大家都没有什么关系，所以终于也没有解剖她的尸体查证这件事，就那么把她送去火化了。依我想，那只木变石戒指，也许是她自己弄丢了吧……现在她那匣首饰，还有屋里的旧式家具，线装书，和一些幺先生祖传的瓷器，我们都当做文物，打算陆续陈列出来，供大家参观。"

十三

不知不觉，凝在瓷盘中的蜡烛只剩下拇指般高，并且流出了一大摊烛泪。

"啊，实在是太晚了，你我都有了八分醉意，我看我们还是睡一觉吧。"吴老伯站了起来，走进他身后的床帐中，只见他望着残烛吟了一句"蜡烛有心还惜别，替人垂泪到天明"，便倒身睡下了。不一会儿就传来他轻微的鼾声。

我却依旧坐在藤椅上，听着窗外密促的雨声，望着那流泪的红烛，全无一点睡意。

百无聊赖中，我忽然想翻翻幺先生少年时代的那一册唐诗抄，于是我挪到吴老伯坐过的藤椅上，拉开抽屉，取出了那线装的抄本。

幺先生早在少年时代，就练就了一笔飘逸的颜楷。只见他抄录的头两首唐诗是：

十年磨一剑，霜刃未曾试。
今日把示君，谁有不平事？

日出扶桑一丈高，人间万事细如毛。
野夫怒见不平处，磨损胸中万古刀。

第一首五绝我记得是贾岛的，第二首七绝我怎么也想不出那诗人是谁。

再往下看，幺先生所抄录的都是这类刚劲之作，柔媚秾丽的几乎一首没有。又如：

昨夜秋风入汉关，朔云边月满西山。
更催飞将追骄虏，莫遣沙场匹马还。

海畔风吹冻泥裂，梧桐叶落枝梢折。
横笛闻声不见人，红旗直上天山雪。

可惜那给幺先生写长篇报告文学的作家，以及那打算将幺先生形象搬上电视屏幕的剧组，都不曾见到过这册唐诗抄，对于富有想象力的作家和艺术家们来说，一个年轻有为、胸怀壮志的青年幺先生形象，从这"借他人之酒，浇自己块垒"的墨迹中，不是呼之欲出了吗？

幺先生没有将那一厚册抄满，抄至杨炯那首以"宁为百夫长，胜作一书生"作结的《从军行》，便突然中辍了，后面是许多的空白……不过，怎么搞的？在那一叠空白之后，却又有一首接一首的唐诗抄，开头的一首是：

> 纱窗日落渐黄昏，静屋无人见泪痕。
> 寂寞空庭春欲晚，梨花满地不开门。

这不是刘方平的《春怨》么？其情调与前面所抄的迥异。而且，抄录的字迹也大变，远非前面的功力可比，还出现了别字，我记得这首诗第二句开首两字应是"金屋"而非"静屋"。

这显然是另外一个人所抄，此人所抄的全是这种内容与情调的：

> 草色青青柳色黄，桃花历乱李花香。
> 东风不为吹愁去，春日偏能惹恨长。

> 月落星稀天欲明，孤灯未灭梦难成。
> 披衣更向门前望，不念朝来鹊喜声。

啊，我明白了！这后面的诗抄，一定是幺先生原配所为。看，这字迹与那张收条上的字迹如出一辙嘛……我翻到最后一首，抄的是：

> 孤灯照不寐，风雨满西林。
> 多少心中事，书灰到夜深。

我记得原诗第三句应是"多少关心事"。嗯，这不一定是笔误，这很可能是一种有意的改动，以更符合抄诗者的境遇心绪。看来前面那首刘方平的《春怨》的第二句，她把"金屋"改为"静屋"也属同一用意。

在窗外雨声、屋内孤烛的陪伴下，翻阅着幺先生原配抄录的唐诗，我对这个本来与我绝无关系并且已然消逝的妇女充满悲悯，原来她并非麻木不仁，她也同别的人——比如那存在价值远远凌驾于她之上的幺先生一样，有她独特的内心活动……

当她活着时，在春寒料峭的傍晚，在雨雪交织的冬夜，她面对着将灭未灭的火盆，用那拨火的棍儿，在燃尽的灰上都书写了些什么呢？她的心中，究竟都想着些什么呢？

十四

我确实是喝醉了。有些人的醉态，不过是倒头一睡，吴老伯便是一例。有些人酒醉之后，却会做出许多别人和自己都意料不到的举动。我轻易不喝酒，喝酒也轻易不醉，但一旦醉了，思绪便往往活泼得如同奔突的野马，而且往往会产生出一些类似梦游的行动。

那晚便是如此。我不知不觉端起蜡碟，走出了下榻的那间屋子，又在一种事后追忆不清的思绪中，用那残蜡照路，在那所阴森的旧宅中游荡起来。最后我推开了一扇门扉，那里面正是吴老伯曾指点给我的幺先生原配的住处。我迈过门槛走了进去。摆动着手中的蜡碟，睁大眼睛观赏着。那真是一间"洞房"——令人恍若置身于幽暗阴湿的山洞。屋里零碎的东西一定都收到别处去了，只剩下几件粗笨然而结实的家具，其中最触目惊心的就是那张宁式床，活像是什么巨兽的骨架。然而我发现墙上却挂着几个大镜框，把蜡碟高高举起，便能看出挂的是已经发黄的照片。正面墙上是并排的两张像。镜框是长方的，人像却呈竖长的椭圆形。我本能地猜到那两张并排的人像是幺先生的双亲。侧面墙上是一张少年的人头像，穿着当年时兴的中山式学生装，竖起的领口直顶到下巴，我认出那正是幺先生的面影……

忽然有人唤我，并且感到一只手落到了我的肩上，我全身耸动地一惊，顿时酒醒。扭身一看，是吴老伯。他手里握着好大一个手电筒。

吴老伯把我领回了原来那间屋。

"你把我吓了一大跳。"我说。

"倒是你先把我吓了一大跳。"吴老伯说，"我尿胀，起来方便，忽然发现你不见了，又听见里院有响动声，还以为是钻进了贼娃呢！你怎么跑到那间屋里去了？"

我喝着吴老伯沏出的酽茶，并不解释，只是问："那屋里怎么没挂张幺先生原配的像？"

吴老伯试着拉了拉灯绳，电灯亮了。不知什么时候已经恢复了供电。我吹灭了蜡烛，沐浴在灿烂的电光中，思绪不那么晦暗杂乱了。

吴老伯回答我的问题说："怎么能挂她的像呢？没有她的份儿。就是以后在这里面开辟关于幺先生的展览室，也只能是展出幺先生本人在各个时期的留影，此外，出现三四张有幺先生爱人的镜头，以及给幺先生父母一人一张的位置……再说，幺先生的原配活了一辈子，好像也从未照过一张像……"

我说："可她这人毕竟存在过啊，而且存在了那么久。"

吴老伯说："莫说她现在已经不存在了，就是还存在，也只好当她不存在——记得前几年，还是'四人帮'在台上那个时候吧，有个洋人，女的，看样子年岁不大，不知她怎么得到允许，由有关部门的人陪着，来了我们镇上；她能说中国话，怪腔怪调的；她说她到镇上来，目的之一便是寻访幺先生的故居，她好像是打算写一本书，书里有一段要专门写幺先生，因为幺先生曾经去过她那个国家，在那边很有影响……为了接待她，我们镇足足准备了三天，那就不去细说了。我要告诉你的，就是为了防备那洋人知道幺先生故居里还住着个原配，在洋人到来的前一天，就由镇上来人把幺先生的原配弄走了，把她那间屋子锁了起来，直到小轿车把洋人送出老远了，才把幺先生的原配送了回来……"

我不禁问："这又何必呢？"

吴老伯说："为贤者讳嘛。一个国际上那么知名的人物，家乡里还有个小脚老太婆的原配，让洋人知道了，不是丢脸吗？"

我默然了。

十五

下半夜我睡了一觉。一睁眼，已然是满屋金晃晃的阳光了。

依依不舍地告别了好心的吴老伯，我忙去赶汽车。

天大晴。小镇脱去了灰暗的衣裳。而且这天正逢集期，小镇整条街道两边，像变戏法似的出现了一个接一个的摊棚，展现出琳琅满目的货物，这就使小镇简直成了个花团锦簇的世界。熙熙攘攘的人群，穿梭在摊棚之间，人们个个脸上展现着开朗欢快的面容，年轻人打扮得尽管稍嫌土气，但那气派却是直追省城的时髦标准，再加上欢腾喧嚣的声浪，使我的心境一下子转为明爽轻快。

头天的种种见闻，真恍若一场苦涩的梦。

我走向长途汽车站，一问，我原来搭乘的那辆汽车，半小时前已然开走了。不过，凭我的票，还可以搭乘中午从省城开来的下一班车。

倒也好，我还可以逛逛这热闹的集市。

我拣了一个看上去相当干净的摊子，打算先吃一点东西。摊主是个胖胖的姑娘，烫着发，穿着一件红花的衬衫，系着雪白的围裙，一见我便笑嘻嘻地说："同志，你是大地方来的吧？"

我问："你怎么见得？"

她说："我一眼就看出来了。你吃点什么？"

我说："来碗素面吧！"

她说："先吃碗凉粉吧！包你爱吃。先吃碗凉的，再吃碗热的，心里就安逸了。"

我表示同意，她便麻利地为我拌起凉粉来，一边拌一边又说："凉粉里配一只皮蛋，那才好吃哩！"

我笑了："你倒真能推销！"

她说："你要舍不得花钱，我请你就是。"说着真的剥了一只皮蛋，切成几瓣，兑进了凉粉里。

我吃那凉粉，确实好吃。

她问我："怎么样？"

我说："好吃是好吃。不过，凉粉里放皮蛋，倒是头一回领教。这算是你们镇子上的风味食品吗？"

她说："算吧，其实也才时兴几年，以往，只有幺先生他们家里这么吃。"

她一提幺先生，昨晚阴雨烛兴中的所闻所见，所思所感，倏地又涌回了我的心头。我想起吴老伯说过，那幺先生的原配是最擅长包皮蛋的。

姑娘见我发愣，便道歉似的说："啊，同志你怕不知道幺先生，幺先生就是……"

我忙说："我知道，我昨晚上就投宿在你们幺先生的故居里，我还知道他有个原配呢——就是吞木变石戒指死掉的那个……"

"你听了谁的胡说？"姑娘扬声抗议，"没有那么回事！幺外婆她才不会自尽呢！她是得了急病，自己走不出屋，别人又不知道，耽误了治疗，才死的……"

"你叫她幺外婆——你是她的亲戚么？"我问。

"我不是她亲戚，不过我叫她幺外婆，我们一群年轻人都叫她幺外婆。"姑娘有点激动地说，"镇子上就有那么些人，瞧不起她，净乱说她。就算她划过地主成分，她也没作过什么恶呀！何况 5 年前她就摘了帽子。她怎么会自尽呢？摘帽子以后，她心情特别好。我们一群待业的姑娘，搞起了皮蛋生产，她来当指导，待我们可好了，她把几十年包皮蛋的经验，没有保留地全传给我们了，所以我们包的皮蛋，供销社最爱要不说，远近几个县的饭店、宾馆也来人找我们订货，就是在省城里头，也开始有了名声……你现在吃的就是我们照幺外婆的路数包的皮蛋，说良心话，好不好吃？这凉粉的作料，也不同一般吧？也是她教我们拌的！你不是要吃素面吗？素面跟素面也不一样，按幺外婆教我们的下法、煮法、捞法弄出来的，就是比别人的好吃，不信要再试！"

我听了她这番话，才意识到这不是她一个人经营的食品摊，大概她们一群姑娘组织了一个什么联社，既成批生产皮蛋，也逢集设摊卖凉粉、面条……我注意到她胸前佩戴着一枚团徽。可能她还是个经理。不知怎么我忽然想起昨天下午在旅店中见着的那个当营业员的小伙子，他所佩戴的却是十字架。从幺先生的原配到这年轻的女经理，从十字架到共青团的团徽，我从这些对比度很大的事物中，感受到我们正处于一个新旧交叠、多色并存的时空之中。

姑娘的生意很好。我身边的条凳上不一会儿已经坐满人。她对每一个顾客都招呼得很周到，服务态度堪称优秀。不过，对坐在最边上的一位老头，她的口吻似乎过于随便："你又来了！我不卖酒，你还是到馆子里去要盘烧腊，喝你的酒吧！这皮蛋凉粉你就那么吃个没够！"老头只是等着她递过去拌好的凉粉，并不回答。我朝那边瞥了一眼，只觉得那老头似乎在哪里见过，但究竟是在哪里见过呢？一时想不起来。

姑娘把盛好的面条端给我。面条整齐地叠在碗里，面汤上浮着油星和细碎的葱花，看上去很有食欲。

"你吃吃看。"姑娘自信地说，"跟别处的素面比一比，看是不是不一般？"

我端起碗，呷了口汤，称赞说："素面汤倒比鸡汤还爽口。"

她笑了："同志，你是个写文章的吧？"

我问："你怎么见得？"

她指指说："你那右手中间指头上，好大一个茧子，那不是写文章让钢笔磨出来的吗？再有，你说话的口气也像。"

我只得点头承认。

她手里一边忙着，嘴里却还在同我聊天："同志你写写我们镇子吧！"

我便说："是要写。昨天我听人说起你们幺外婆的事，我还冒出个想法，想写写她哩！"

尽管她对那幺先生的原配印象很好，可听到我这么说，还是有点吃惊："写她？"

我说："对。她是封建制度的牺牲品。她真可怜。她一辈子没享受过人生的乐趣——我指的是爱情，还有真正的天伦之乐，以及诚挚的友谊什么的……"

姑娘听到"爱情"这个字眼，面庞不禁微微有点发红。她问我："你写她以往的事儿？大家都说，她以往是个最没用的人……"

我说："她那时候的确没用。没用的人也是可以写的。苏联大作家高尔基知道吧？他写过一本小说，就叫《没用人的一生》。他写的其实是个沙俄的小特务，严格来说，不是没用，而是有罪……不过，幺先生的原配情形不一样，她吃过剥削饭，但没有什么罪恶……当然，我怎么好跟高尔基相比？人家是文豪。我的意思不过是，最没价值的人也是可以写的，问题在于站在什么立场上，从什么角度去写……"

姑娘问："你们写小说，总要编的吧？三分实，七分虚，对不？"

我说："要从生活出发，可也的确离不开虚构。比如我要想主题集中一点，把幺先生那原配的悲剧写足，我就可以写成她吞了那木变石戒指自尽……"

我们又随口讨论了一阵。后来我把面吃完了，她的摊上生意还是那么好，弄得她越发忙碌，我便付了钱、道了谢，离去了。

十六

省城里中午开来的长途汽车就要开车了，我正打算进车门上车，忽然有个人把我叫住："同志，慢走几步！"

我扭头一看，是个老头，认出来了，是和我同坐过一条长板凳，在那姑娘的摊上吃过皮蛋凉粉的老头。我也想起来了：昨天晚上在饭馆里，跟我坐在一桌，我吃面他喝酒，说过几句话的，也是他。

他不像集市上的许多土著老头那样，头上缠绕厚厚的白布头箍，这说明他不是农民；但他也不像吴老伯那么白净斯文，而且一双大手上暴着结实的青筋，这说明他也不是当地的知识分子；我估计他是个镇子上粗通文墨的手艺人。

我愣愣地望着他："什么事？"

"你跟我来！"

我随他拐进一条巷子，又在巷子里拐了两个弯，尽管集市上的音响听得仍很真切，但应当说他已经把我带到了一个僻处。那是一户人家的院墙外。巷子那边是一丛颇为茂密的竹林。

我莫名其妙。手里紧紧攥住我的旅行包提手，瞪着他问："你有什么事？"

他脸上的表情似乎比我还要紧张。嗫嚅了一阵，他才直愣愣地问我："你真要写文章吗？"

我反问他："什么文章？"

他说："写她的。"

我没明白:"谁?"

他便说:"幺先生的原配呀。"

我顿生疑窦:"你是谁? 这跟你有什么关系?"

他的脸变得很白,额上还冒着汗,低着头,不说话了。

我催他:"你是怎么回事? 你有什么话要跟我说? 你快说!"

他抬起头来,望望我,眼光晃到竹林那边,费劲地说:"写文章的事,我不懂。我只想,文章是不好乱写的。最好莫写。要写,千万别那样写。都说她没用场,说她守活寡,说她没得着过男人的情爱,活得像块木头,死得像池塘的水泡儿,一破,就无影无踪,没人念她……她苦了一辈子,屈了一辈子,不该再有人那么写文章咒她……"

我心里一动,产生出一种不寻常的预感。

"我……我要给你看样东西。"那老头说完这句话,便掀开外褂下摆,从腰带上系的荷包里,珍重地取出一样东西来,展开掌心,送到我眼前,让我看。

那是一只戒指。

"这戒面是木变石的。这就是……她那只木变石戒指。"

我呆呆地望着那只托在他掌心中的木变石戒指,久久说不出话来。

响起了一下接一下的汽车喇叭声。一定是在催我快去上车。

1984 年夏写于青岛

公共汽车咏叹调

都会的血液

气恼。凡是公共汽车的乘客都难免气恼。

死等,死不来车。终于来车,轰隆隆从站前一掠而过。动不动竖起"区间"、"快车"的小牌子。好容易跑拢车门,偏"咣啷"猛然关上。总算挤了上去,售票员从后面推你搡你,就仿佛对付一袋土豆。来劲儿时,查票近于刁难,没劲头时,你要买票他还懒得卖给你……

终点站上,停着好多辆车。为什么一辆也不发?

淤成一团的乘客个个心急火燎。

站上有间小屋,是车队的调度室。一位乘客闯进去,质问道:"怎么还不发车?"

没有人理他。

调度员拉长着脸,在一张表格上填写着什么。几个也不知是司机还是售票员的年轻人坐在长椅上,管自互相聊天。

那乘客提高嗓门,再问一次。

几个声音同时响起:"你等着去呗!""现在没车!"

终于有一辆车开拢站前。人们争先恐后地往上挤。

忽听售票员宣布:"西单不停!去西单的甭上!"

西单是大站,为什么不停?

乱哄哄。有人想退下去,再等一趟西单停的,但游移之中,车已起动。

车驶出站后,乘客们开始纷纷呼吁:"西单干吗不停?""我们都去西单!""快车也得快得有道理，西单不停算怎么回事？"

前面那位烫发描眉的售票员撇着嘴说："甭跟我嚷，你们跟司机说去！"

真有几个人去跟司机说。或恳求的口吻，或激动的语气。

原来快车省停有一定的随机性。调度员的安排并非圣旨。

司机嚷了一声："一站西单啦！"

售票员便也呼应了一声："头站西单！"

车有 17 米长，分前后两截，塞得满满的，有人没听见，有人没听清，有人没听。

调度员对乘客闯入调度室大声质问早已习惯。

她懒得回答。甚至懒得抬眼望一下质问者的模样。

小小的调度室，是乘客们所不了解的另一世界。

调度室的一面墙上，是木制的大幅人事调配表。车队的每个成员都有一个木牌，名字写在木牌上。木牌按出勤安排，挂到大表上。总有若干木牌被另挂在一侧，那是病假和缺勤栏。

是的，难怪乘客们眼睛出火——站里明明有车，为什么不发？

非高峰时间，只出一半的车。停驶车的司机下班回家了，车没人开，自然不能发出去。高峰期也可能有车停在那儿开不了，因为司机出勤不足。

出勤不足，这是调度员管不了的事。

调度员打着哈欠，填写着表格。表格上有一栏是"正点率"。她尽在那一格里打叉叉。

车行不能正点，怪路；有的马路至今还是清朝走轿子的宽度。怪车多；如今北京机动车已达 30 万辆，自行车已过 500 万辆。怪红灯。怪事故。怪预料不到的种种情况。

谁了解一个调度员的工作？她连续工作 24 个小时，然后再连续休息 24 个小时，这叫"隔日勤"。车队除了调度室，还有几间活动房，其中有一间是收了末班车后，给调度员睡觉的，行话叫"住站"。

因为路上受阻，那一头终点站的车开不过来。半天不来，一来一串。她能让那一串车再像糖葫芦般地开出去么？她得让那些车甩开距离，所以得发"快车"

得发"区间"。她自有她的道理,所以她对质问者拉长着脸。她让那辆车西单不停,为的是让它快些开往东单,好缓和东单站的淤积形势。她将另调一辆车空驶西单,装走西单站上所有焦躁的乘客。

乘客天天不理解。她天天这么干。

"也不知那些调度是怎么搞的?!"乘客们常常怨恨地说。

至少这个调度员蒙受着一定的冤屈。她不是故意要让乘客们难受。她已经结婚。她同婆婆有矛盾。她的孩子有点佝偻症。她爱人在工厂里跟车间主任关系搞不好。她还没买上洗衣机。她身上穿的那件格子呢的外套不慎掉上了一个大油点。听说有一种"洗油净"特灵,她还没有买到。她还很想买一双白颜色的坡跟皮鞋。头发刺痒,该洗头了。她很想买一套"华姿系列化妆品"。可是谁愿意知道她这一切呢?

"你们是怎么搞的?怎么还不发车?"

她眼皮也不抬。她填着那张表。

那辆车在西单停靠了。

许多乘客如释重负地涌下车去。许多乘客如获至宝地涌上车来。

可车没开。

有两个小伙子,是从车上下来的。他们气冲冲绕过车头,闯到驾驶室边,一个拽开门就骂:"你他妈的工会大楼干吗不停?!"一个竟伸出手去要拽司机:"有你这么开车的吗?!你下来!"

工会大楼是前一站。发车时本是说工会大楼停西单不停的。

司机韩冬生原以为自己是做好事,没想到遭到这样的突然袭击。

韩冬生个子不高,但精壮苗实。他眉眼粗,汗毛重,一望也不是个好惹的。

他顿时火冒三丈。大家伙一个劲儿嚷:"西单停!""西单停!"他才前一站不停停西单的。他心想你们非工会大楼下车干吗刚才不嚷嚷?真是谁心善谁吃亏。他觉着自己真是亏透了。前一阵大北窑那儿修路,车堵得厉害,车一停能停半拉钟头。常有忍耐不住的乘客跑过来求他:"师傅,开门让我们下吧!"不在站上不能开门,这是制度。他本可以置之不理。可他心软,好几次都把门开了，让想下去的下去。这回他又心软，"我们都到西单下！"一片嚷声，他本是将就大家伙，没想到倒惹出了麻烦来。瞧这二位那个横劲，怎么着？找碴儿打架吗？他满脸溅朱地指着他们叫嚷起来："你们想怎么着？嘿你们要敢拽我你就直拽，这车我今儿个还真不开了，车撂这儿开不了你们负责！"

底下两个小伙子倒没真拽，但跳着脚骂个没完。

韩冬生气得浑身哆嗦。他转过身来，朝着车厢呼喊："嘿你们说说，是不是刚才车上都嚷着要我西单停车？！你们给证明证明！"

只有前面的售票员夏小丽呼应他："可不是吗！都嚷着要西单停，真西单停了又来捣乱！"

车上的乘客竟没有一个应声作证的。

韩冬生大受刺激。他又转身冲着车下的二位对吵起来。他甚至想跳下去同他们扭打一番。

西单站那里形成了淤塞。后面来车了，因为这车堵着，开不动。很快淤上了一长串。十字路口的交通民警一时顾不上这里，一边指挥着车辆一边干着急。一些过往的行人驻足围观。一些骑自行车的人停车围观。

这里是西长安街。前面就是电报大楼。街上挂着一串串小彩旗。街心车如流水。

事情还在恶性发展。

车上的乘客没有应声作证。

这并不奇怪。

嚷嚷着要西单下车的，早已都下去了。

听见了"西单下！""停西单！"嚷声，尚未下车的乘客，一时还没有反应过来。这类事，实在并非罕见。能不介入就不要介入。

车上主要是些才从西单站涌上的乘客。他们感到不快，可对事情的来龙去脉实在摸不着头脑。只好皱眉忍耐着。

交通警走过来了。还有治安联防的人员。

车下两个寻衅的小伙子走开了。

韩冬生还是不开车。他豁出去了。他冲车厢里嚷："这车不开了！下车！都下去！"

交通警走拢车前。问韩冬生怎么回事儿。

韩冬生气咻咻地望着两个挑衅者消失的地方，赌气地说："你们逮不着流氓你们就罚我吧！今儿个我还真不干了！"他掏出印着红1、黄2、蓝3、绿4的一叠"北京市机动车驾驶员违章记录证"来，一下子递到交通警手里。

那本是他胸兜中最宝贵的东西，最怕被交通警缴去的。

交通警很冷静，把四张卡片都还给了韩冬生，对他说："你先把车开走吧！"

韩冬生把胳膊抱在胸前，两眼直愣愣地望着电报大楼的大钟，梗着脖子宣布："我这车出毛病了，开不了了！"

交通警见一时解决不了他的问题，便先去疏导淤在这车后面的其他车辆。治安联防的人员劝散了围观的人们。原先被韩冬生这辆车挡住的车陆续绕过它开了出去。

韩冬生再次转身对着车厢里嚷："这车坏了，不走了！下车！都下去！"

有10多个人下去了，多数人不动。特别是坐在座位上的人。挤车而能得到座位，难。哪怕这座位即将作废，他们也舍不得决弃。再说他们等待惯了。许多原来不能实现的事通过耐心等待都能等到。还有一些人从开着的门朝上登。夏小丽对他们尖声嚷着："不走了不走了，下去下去！"可仍有人坚持登车。他们觉得无论如何先登上去总是好的，下一辆什么时候才能来呢？眼前哪怕是可能落空的机会也该抓住，它总比一个圆满但还没有影儿的机会实在。

有一个人拿钱找夏小丽买票，夏小丽不耐烦地说："不卖了不卖了，你买哪门子的票？"

"我起点站上的。"那人解释着。

"甭买了甭买了。"夏小丽依旧摇头撇嘴。

连续几辆出租汽车从街心驶过。

韩冬生望着出租汽车顶上安装的有TAXI字样的顶灯，心里更不是滋味。

他把那顶灯叫成"坟头"。"那些顶着坟头的家伙"，他这么称呼出租汽车司机。

他从羡慕他们，到嫉妒他们。

韩冬生今年31岁。他父亲是一家饭馆的"白案"。那不是有名的饭馆，是一条胡同口上的一家最不起眼的小饭馆。他母亲是家庭妇女。两个妹妹也在饭馆，一个是给"红案"切菜备料的，一个是端盘儿的。他弟弟是全家的骄傲，因为在西郊一所大学里工作，尽管是在大学修建队当瓦工。大学里曾给每位教师配置一部《辞海》缩印本，本来行政部门的干部以及工人不一定需要那么厚的一大块纸砖，但福利均等的不成文规则使他弟弟也领到了一部。他弟弟立即倒手转卖，便得了40块钱。韩冬生在弟弟面前原来并不觉得寒碜。这类事多了，心里便堵上了冰坨——我们公司怎么一年才发两双手套？

韩冬生赶上了最后一茬"上山下乡"。他哪知道后来中学毕业生用不着"上山下乡"了。在村里种地的时候，他常常一边抹着汗水一边幻想：什么时候能当个工人就好了！后来真有了这么个机会，房山的一个小煤矿招工，他欢天喜地地去了。去了才知道当矿工比种地还苦。于是他幻想哪一天能调回城里就好了！1979年还真遇上了难得的机会，父亲的一个"把兄弟"在公共汽车公司的一个车队上当队长，靠这个"后门"，他转到城里公共汽车公司来了，临调走的时候，矿上让他在一张纸上按手印，那上头写着他自愿从四级工降为二级工。他没犹豫，蘸着大红的油墨按了。他在公共汽车公司是二级工从头干起。先卖了两年票，后来才学了开车，当了司机。头两年他还算安心。可这一年多来他心上长毛了。

关键是出租汽车的勃兴。

原来北京市的出租汽车不过1000多辆，也没怎么听说过出租汽车司机发财的事儿；如今北京市的出租汽车过1万辆了，到处流传着出租汽车司机挣大把钞票的故事。

整个公共汽车和电车公司，才1万名司机。如今出租汽车司机的数目，已经赶过他们了。

出租汽车事业还在迅速发展。最大的一家首都汽车公司，车辆数目已过3000。就是同属一个北京市公共交通总公司管的北京出租汽车公司，车辆数目也已达到1800辆。其他各种名目的出租汽车公司已经超过100家，什么翔远、安乐、渔阳、远东、京深、友谊、广达……还有叫香格里拉的，瞧人家那抖劲儿！

解放初，是蹬三轮的仰头望着公共汽车司机，羡慕个贼死；如今，是公共汽车司机低头望着出租汽车的司机，嫉妒得牙痒。

韩冬生其实还不算牙痒得最厉害的。

每天天还没亮，韩冬生就从床上爬起来。

他住在北京一条古老的胡同里的一个小杂院里。

他住的那间小南房只有十多平米。家具很简单。自己打制的酒柜上有一个闹钟，结婚时候买的，近二年已经不能闹了，他也没去修，因为不用钟闹，他一到三点半过后准能猛地醒来。

他和爱人、孩子睡同一张床。那是一张目前已经不时兴的木板双人床。孩子已经4岁。他们是回民。回民托儿所比重点大学还难进，他们没门路，孩子托不进去。这样的苦恼他有一大堆。比如他和爱人都仍在精力最旺盛的阶段，性生活的要求都很强。可是在一个已经会说话的孩子身边做爱，孩子的一阵梦呓，一阵磨牙，都使他们既败兴又自卑。但这类的苦恼再深再重，也还比较容易恢复心理平衡。同院不少家的住房情况也差不多。最让他梗在心里化不开的，还是这样一个问题：同是握方向盘，为什么人家就能握出租汽车的，而我却只能握公共汽车的？

从洗脸、刷牙开始，两种方向盘所带来的差距便萦回在他的心头。不到四点，他已经出了胡同，他乘上203路夜班环行车，来到景山前门。

每天凌晨三点半至四点之间，许多辆公共汽车公司的接班车汇聚在景山前门那里，众多的司、售员纷纷在那里转换去往自己车队的接班车，情景蔚为壮观。可惜几乎百分之九十九的乘客都无缘目睹这一景象。

在接班车上，韩冬生同熟识的司机最经常的话题，就是谁谁谁走了什么什么路子，调到出租汽车上去了，这类的信息常像火红的煤球般烫伤着他的心灵。他觉得不公正。被调去开出租车的多半是场里头头们的儿女或其他亲友。他一一记住了他们的名字和准确的亲属关系，达到睡梦中摇醒过来也能脱口而出的程度。

到了场里或总站，做准备工作的时候，他往往心里更加别扭。他想到如今的出租车越换越漂亮，越舒适。有空调，冬不冷夏不热。有录音机，随时能听个《血疑》主题歌什么的。后头放个香座，还有摇头狗什么的，前头挂串塑料葡萄，或者粽子香袋什么的。车里永远不会臭烘烘。不爱拉的还能推掉。虽说规定了一定比例，让上缴外币兑换券，自己终究能捞到一些。跑完了车子能开家门口停着，省多少事儿，还能用它拉拉关系，好处多了去！

逢到冬天，在场里给公共汽车灌热水，尤其是热水溅到手上烫得钻心的时候，他就更生动更具体地想象着出租小轿车里种种令人艳羡的景象。

在街上开着车，他脑子里流动着种种杂念，那最难压抑下去的，也还是"我怎么就不能调去开那出租汽车呢？"

像韩冬生这样的司机，工资待遇的确低。公共电、汽车公司的一万名司机的平均工资仅仅 50 元。开中间带转盘和摺棚的大车有一天 6 毛钱的"斗儿费"，加上公里费、节油费以及奖金，一月不缺勤不出岔儿能有 70 元左右，这样一个月总共能有 120 元左右。

韩冬生家里的温饱成问题吗？

现在全北京每一个市民的温饱大概都不成问题了。

问题是谁也想过上更宽裕更舒适的日子。

以往北京市民们见了面，总是问："吃了吗？"

吃饭曾经是头等重要的大问题。

如今北京市民们见了面，倘是一段时间没遇上过，常问的是："家里买彩电了吗？"

黑白电视早已不稀奇。不问那个。

"买彩电了吗？"

还要接着问："多少吋的？"还要接着问："什么牌儿的？"

说是牡丹、昆仑、金星、孔雀……什么的，对方会忍不住地摇头："您不买个日本的？"

说是福日，"啊，打日本进的流水线攒的，还行。"说是东芝、松下、三洋、索尼、夏普，"嗬，真棒。原装的吗？什么路子买下的？"

这就是时下北京市民的典型心理状态。

韩冬生一家也未能免俗。

他家的那本经还有特别难念之处。

他岳父年纪不算太大，但已偏瘫了十多年。

他爱人秦淑惠，在跟他搞对象的时候跟他一五一十交代清楚了。

岳父不仅偏瘫，行动不便，脾气还很古怪。

　　岳父现在住在他们隔壁一间更小的不怎么见光的屋子里。岳父床边有个大箱子，旧得看不出漆色，据说是樟木的，可韩冬生从未闻见过樟木的味儿。那箱子谁也不让动，就连小外孙京京摸摸，他也要嘴角一抽一抽地制止。

　　院里的老住户们之间流传着这位老头的许多奇闻轶事。他现在是个退休的七级工。偏瘫了，人已经不成形状。但据说退回30多年，他是个风流倜傥的京剧票友。唱起《白门楼》来，风姿不让叶盛兰。他有过红火的时候。他有他的个人秘密。他的履历可以查清，他的心路历程别人永远不能知晓。如今他那逝去的甜蜜和神密的隐私都浓缩在了那口樟木箱子里。据传那里头有三四十年代北京戏园子的所有戏单和说明书，还有无数当年的京剧小报，以及若干他自己和别人的照片。盛传那些照片里有梅兰芳、筱翠花、荀慧生、言慧珠、梁小鸾等从一流到三流的名伶亲笔签名的戏装和便装照。"文革""破四旧"时他已成为最普通的工人，没有"红卫兵"抄他的家。他的樟木箱里所塞满的东西如今更具有文物价值。中国戏曲研究院的人倘若知道，一定会兴奋不已，并采取相应行动，可是有关的传言并不能流出他们那条窄窄的胡同。韩冬生听到这一切时只是一笑。他甚至有些失望。他原期望那樟木箱里有点元宝金条之类的东西，最不济也该有些金银首饰。

　　韩冬生不懂京剧，并且不喜欢一切戏曲。

　　他也不爱看书。在他家屋里甚至找不到一本印刷物。

　　他模模糊糊知道有个梅兰芳。不过他更熟悉和崇拜山口百惠与程琳。

　　他没有挑剔秦淑惠的家庭。秦淑惠母亲早故，剩下个父亲又是这种情况。他还是同意和秦淑惠结婚。回民找回民不好找。差不多也就行了。

　　秦淑惠家住房比韩冬生家总算宽敞一点。他就入赘了。他们过得也还不错。

　　自从生了京京以后，秦淑惠一直没去上班。她是一家羊毛衫厂的工人。现在算是"吃劳保"。一月只有30多块钱。这真够恼人的。可她有什么法子呢？孩子入不上托儿所，父亲又是那么个情况。原先父亲还能凑合着自己下点方便面吃，如今端碗都端不稳了。特别糟心的是老头最近常有大小便失禁的情况。她一个人得洗一老一小两个人的裤子。真够呛！也曾考虑过雇个保姆，但算来算去，还是不如自己"吃劳保"待在家里合算。"我雇我自个儿吧！"想通了，她倒也快快活活。

　　韩冬生有回开车开到日坛路，猛刹车，跳下车去揪住一个乱骑自行车的人吼了一通。表面上是因为那人违反交通规则妨碍了他行车，实际上是韩冬生头天下午窝了一肚子火，憋了十多个小时，总得借个碴儿撒放出去。头天下午淑惠领着京京出去买菜的工夫，岳父突然大便失禁了，呼哧带喘臭作一团。韩冬生能不管吗？管是管了，心里头别扭。他想，我上午在马路上伺候乘客，下午回到家还得伺候病人，可我家连台彩电都没混上，我怎么这么倒霉？

韩冬生心里偶尔会升起这样的念头："他怎么还不……呢？"但他总能自觉地立即把它压抑下去。

岳父有时候精神稍好，能含着漱口水似的说话。这种时候他可能会叫过韩冬生去：

"给我买两包烟来！"

岳父哆哆嗦嗦地递给韩冬生一块钱。韩冬生默默地去了。岳父有一笔不算太少的退休金，但他并不把那钱交给他们打伙用。每月领到钱后，他只交上15块伙食费，此外，就全留在自己身边。他嗜好抽烟、喝茶，没香烟没茶叶了，便掏钱让小两口去给他买。碰上身体状况处于最佳状态，他兴许会蹭到街上去站站，然后给京京带回一点零食来。他们就是这么个经济关系。

韩冬生买回了一包四毛四分钱的"翡翠"和一包四毛七分钱的"红梅"，老头只认这两个牌子，剩下的九分钢镚儿，韩冬生全数随烟交了上去，而岳父也就颤颤巍巍地收下。

望着岳父不住痉挛的颜面，韩冬生又可怜起老爷子来。他心里升起这样的念头："谁也难免有这么一天哪……"

将心比心是人类的一种优美素质。

人心隔肚皮。理解别人的心思很不容易。

但应当有理解别人的愿望。

难。

难得普遍地产生这种愿望。

生活：网。

乘客们从一个网结流向另一个网结，借助于公共汽车时，他们的心灵或处于暂时的麻木状态，或沉浸于自我的思绪。对于他们来说，"公共汽车司机"和"公共汽车售票员"是两个抽象的概念，尽管面对着活生生的司机和售票员，他们也很难产生出如下的心绪：那些人各有各的名字，各有各的来历，各有各的生活道路，各有各的家庭，各有各的喜怒哀乐，生死歌哭……

乘客们的这种心态无可厚非。

当乘客们受制于公共汽车司机和售票员时，他们是无辜的。

当韩冬生在西单气恼而执拗地轰乘客们下车时，那满车的乘客便都是无辜的受害者。

来坐公共汽车的，谁也不容易。

当韩冬生和夏小丽他们往下轰乘客们时，有几位乘客的心灵最受伤害。

其中就有那位递过钱去要买票，而遭夏小丽拒绝的人。他是国家机关的一位技术干部。

韩冬生觉得自己比出租汽车司机挣得少，委屈，这位干部实际上挣得比他还少。

单看固定工资，这位四十岁出头的干部是比韩冬生拿得多。但韩冬生他们加上补助和奖金，能拿到一百二三十元，这位已经开始谢顶的干部却是干拿一份工资，额外的附加收入一年也不过一百多元。

韩冬生他们还能开辟第二财源。

韩冬生的同事里，有的经常泡病号。其实没有什么病。他们是同什么什么公司挂了钩，给人家到广州一类的地方接车去了。他们日夜兼程地从那边把车给人家开回来，或一周或半月，人家给他们一笔报酬。最多一次能拿到 600 元。

韩冬生胆子小。秦淑惠也不让他那么干。秦淑惠头两年从街道上揽了糊纸盒的活儿。是糊装西装套服的那种漂亮的纸盒。糊一个大的能挣三分六厘钱。糊一个小的能挣两分四厘钱。韩冬生成年上早班。天不亮出去，中午一点半回到家里，吃过午饭，略事休息，他便帮秦淑惠糊那纸盒。

他们能从下午一直糊到吃晚饭，吃完晚饭一边看电视一边继续糊。韩冬生糊到九点来钟先睡。秦淑惠最来劲的时候能糊到十一点去。

最多一天能糊出二百多个来。

一月到头，把纸盒交上去，除了扣除百分之十的管理费，以及扣除糨糊钱和耗损费外，最多一月能挣到 80 块钱。

那位平时骑自行车上班，偶尔才坐公共汽车的中年干部，可是一点这类的第二财源也没有。他和他那也当机关干部的妻子都没有开辟第二职业的魄力。客观条件也不具备。都说机关干部分房子占便宜。也不尽然。不过总的来说，确比公共汽车司机或售票员或然率高一点。那位干部前些时确实分到了一个两居室的单元。但说来韩冬生他们可能不信，那干部家里家具非常寒酸。他们也想添置点家用电器，一台十二吋的黑白电视看了多年，暂不作更新之想，算有一件了吧，最急需的洗衣机他们就还没有买。要买个双缸的，他们就还得再攒一阵钱才能办到。

韩冬生家里除了一台十四吋昆仑牌黑白电视机外，已经迎进了一台广东中山县出产的威力牌双缸洗衣机。秦淑惠特为它扯了两米花色艳丽的平绒布，不用时盖在上面，标志着它在他们家中目前所享有的荣耀地位。

韩冬生真不该觉得自己是天底下最倒霉的人，他在西单遇上点麻烦就这么不管不顾地对待工作，对待乘客，实在并不占理。

但乘客们也该知道他的家庭悲欢。

买那台双缸洗衣机对他们家来说是一桩大事。钱是用两双手辛辛苦苦糊纸盒子糊出来的。可是从百货商店运到家里，刚使两回就出了毛病。

气得不行。立即再去借平板三轮，运回百货商店，要求调换。

人家让他们先搁那儿，得研究研究，看究竟是机器本身有毛病，还是他们使用不当。韩冬生急了，跟人家吵。吵也没用。就像公共汽车上的乘客同他吵架一样。没用。权力，尽管是小小的权力，在人家手里。

洗衣机放在那儿了。韩冬生第二天早上开车心绪不宁。经常猛刹车。乘客们被弄得东倒西歪。没有哪个乘客知道，这除了惯性作用以外，还有司机本人的心理作用，而这竟又同一台搁在百货商店仓库里的待查洗衣机有关。

不细述了。韩冬生和秦淑惠四出四进，到百货商店换了三次，最后才得到现在稳定地覆盖着碎花平绒布的这一台。这一台真可爱，开动起来一点毛病也没有。

可是他们生活中的小悲欢仍在细波回澜般地展开着。

有一天韩冬生回到家，只见秦淑惠坐在床边上抹眼泪。

这是怎么了？

原来是有人给他们"下了蛆"。说他们是双职工，没权利领纸盒子到家里来糊。

于是人家不再发给他们那样的纸盒糊了。

韩冬生对出租汽车司机们眼红。没想到也有人对他们两口子眼红。

韩冬生生气得不行。怎么着？八十块钱的外快挣得容易吗？有时候为了赶上交活的时限，得帮秦淑惠一直糊到半夜，第二天开车都迷迷糊糊的，万一出了事儿，自己吊销执照，坐班房，老婆孩子不得喝西北风去？

韩冬生忿忿地想：把我们挣的那八十块钱，拿出来跟你们劈分吗？有那么个理儿吗？

其实韩冬生这时候也该想一想，人家出租汽车的司机就那么轻松吗？不错，是挣得多，可开车的时间，不也比开公共汽车长吗？有时候一天有十六个、十八个小时都在跑车，最少也得跑十二个小时，容易吗？难道就该把他们多挣的钱，拿出来跟开公共汽车的劈分吗？这就合理了吗？

眼睛都朝比自己挣得多的人看，越看越眼红。

红眼病。这是目前中国人最常见、最多发、最普遍的心理症状。

失去了糊纸盒的财路，韩冬生秦淑惠便另辟蹊径。秦淑惠不知怎么的认识了邮局的人，于是他们从今年开始趸报纸卖。

趸来的报纸，《北京晚报》卖一张能挣四厘，《大千世界》和《球迷》合起来平均一张能挣五厘。他们每回趸三百份《北京晚报》二百份《大千世界》和《球迷》，他们坚韧地几厘几厘地积累他们的财富。

韩冬生如今每天下午去卖报纸。一天能挣两块多钱。当秦淑惠每天点着挣来的钱——净是钢镚儿和皱皱巴巴的分票儿——她总是知足常乐地说："把一天的饭钱挣出来了！"

中国是个以烹饪技术著称于世的国家。

但中国一般民众的三餐饮食仍旧相当俭朴。

北京一般小市民宁愿牙缝里省一点，攒出钱来置"大件儿"。

眼下北京市民衡量一个家庭富裕程度的标准，主要不再是吃得怎么样，也不是穿得如何讲究，甚至也远不是有没有组合家具或壁灯吊灯，现在主要是看拥有家用电器及高档耐用消费品的数量和质量。

有所谓"八大件"的说法。按其重要性，彩电稳定地排在第一位，其余的在各人心目中次序略有差异，它们是：电冰箱、洗衣机、缝纫机、录音机、照相机、摩托车和录像机。

为了向"八大件"进军，韩冬生一家在吃上非常节俭。他每天早上不吃东西就去上班，跑车跑到八点多的时候，他在终点站附近的回民小吃店买四根油条，就着热茶水啃。天天如是。中午全家等他回来一块儿吃。他家中午饭全院知名。一年三百六十五天，天天吃炸酱面。秦淑惠每三天炸一次酱，油搁得比较慷慨，但里面只有鸡蛋和虾米皮，并没有羊肉末。自从羊肉涨到一块九毛钱一斤以后，他们一月只买一次，每次只买一斤来吃。晚上一般吃米饭、炒菜。菜是哪样便宜了吃哪样。这一阵子柿子椒便宜了，一角六分钱一斤，秦淑惠就天天买两斤来炒着吃。

那位要买票反倒遭到拒绝的干部当然不知道。

使他所乘那辆公共汽车搁浅的司机，便来自这样的一个家庭。

夏小丽拒绝卖给他票，使他非常难堪，也使他非常气愤。

他愤然说："你怎么不卖？我坐了国家的车，我就该买票，不能让国家吃亏！"他固执地押着胳膊，把一毛钱递到夏小丽面前。

夏小丽竟越发粗暴地把他那拿钱的手推开，仰着脸，两眼眯成两条缝儿，下巴颏抖动着，嘴里像吐葡萄皮儿似的一连串地说："得了吧得了吧得了吧……"

她不仅拒绝售票，还拒绝接受那位干部的正确道理，使周围的乘客难以再保持沉默。

一位花白头发的女乘客忍不住对她说："你这样可不对……"

夏小丽没等她说完便又尖声地截断她说："我不对我不对我不对……不对又怎么着？！"

那眼睛瞪成一对鼓鼓的豆荚。

另一位戴眼镜的知识分子也实在看不过去，激动得有点结巴地批评她说："你你……这是什么态度？你你……怎么能这么工作？"

"就这态度！我还不想干呢！"

夏小丽的回答斩钉截铁。

真所谓"一波未平，一波又起"。这车更崴泥了。可怜满车乘客心！

夏小丽原是远郊区的一个高中毕业生。她父母都是那边工厂的普通工人。她上的那所学校是所谓"非重点"学校。全校高中毕业生里只有三个人考上了大学。她高中毕业时适逢北京市公共交通总公司招聘售票员。她是自愿来应聘的。

谁知经济改革的迅速进展，使所谓个体户活跃起来。破产或并无大赚的个体户人们很少顾及，到处传说着个体户暴发的消息。也不都是夸张。夏小丽的一个同班同学，如今是母校那一带的"糖葫芦王"，他通过从家庭车间里生产出的糖葫芦，垄断了那一片地区的糖葫芦批发业。存折上究竟有多大数目，不得而知；"八大件"置全了，可是有目共睹。夏小丽就被请到他家看过录像。对比之下，夏小丽越来越后悔当初为什么非来当这售票员。早知道的话不如在家耗一耗，耗到能领个体营业执照时，也领它一个大干一番。夏小丽觉得自己也不是个玩不转的人。

夏小丽在穿戴上原不怎么讲究。可如今刺激她的时髦事物实在太多。刚觉着"华姿系列化妆品"新鲜，电视上又推出了"威娜宝系列化妆品"的广告。刚置备了眉笔，百货商场化妆品柜台里又出现了睫毛夹子。最近北京街头陆续出现了港式的发廊，里头尽是打广州请来的有手艺的美容师，什么"小巴黎"、"秋子"、"新浪潮"、"迷你"……光理发廊的名字就让人心里头怦怦乱跳。看过几次时装展览，她懂得了什么是"国际流行色"，什么是"X 型"、"H 型"、"A 型"服装。光东长安街高台阶上的丽都百货商店里，就有那么多五光十色的真假首饰。刚买上一双细高跟皮鞋，人家就告诉说如今最新潮的女鞋倒是平跟的。

乘客们真该理解和谅解夏小丽的心思。

她虽不是如花似玉，到底正当青春。爱美是可贵的素质。万不可对之轻蔑。

问题是她越来越不乐意当售票员。公司发了工作服，蓝色，黄纽扣上的图案是方向盘，她嫌难看。料子很次。车队队长说值 48 块钱。她拿到信托商行估过价，人家只给开 9 块钱。她不按规定穿那工作服售票。她总按自己的心愿打扮自己，坐到那售票台上去。

她嫉妒那些比她打扮得好的女乘客。尤其外地来的女乘客。

有一回外地一位女乘客问她："同志，到颐和园在哪儿换车？"

她斜眼睨着那位女乘客。女乘客的西装套服材料高级，剪裁得也好，耳垂上的耳夹闪闪发光，不知是纯金还是包金……嗬，瞧那派份儿，敢情头一回来北京，口音透着"怯"，颐和园都没见识过。夏小丽撇撇嘴，傲慢地说："这车不去颐和园！哪儿换你下去问去！"

对方很伤心。人家头一回来北京。车子刚开过天安门。人家打车上望见天安门广场心里热乎乎的。人家觉得这是首都。首都应当处处、人人都比外地强。人家兴冲冲地要去游颐和园。人家家里的人还等着她回去讲述首都的风光。人家不过问一声怎么转车，首都的这位售票员就给人家一对卫生球眼珠，一句透心凉的冷话！

人家不能不提意见："同志你怎么这么说话？"

"我怎么说话啦？"夏小丽振振有辞地说，"这叫北京话！你懂吗？告诉你这车不去颐和园，你啰嗦什么？"

对方激动了："你这是什么态度？"

"就这态度！"夏小丽把头一转，"受不了这态度你坐小出租去呀！有能耐你坐专车去！"

人家气得要哭。游颐和园的兴致全给冲没了。

时常有乘客想：为什么汽车公司不对夏小丽这样的司、售员采取严厉措施，比如说，他们屡教不改，便加以开除？

有的乘客给公司打电话、写信，正式提出了这样的建议。

提出这类建议并不奇怪。头两年电影、电视剧里不净是这类的改革故事吗？新上任的改革家，铁腕人物，第一招就是对那些调皮捣蛋的人物实行"炒鱿鱼"。你不好好干？你改不改？你还捣乱？好，请你卷铺盖卷，滚蛋！

夏小丽那样的司售员却不但不怕这一招，甚而巴不得你给他们来这一招。

在公共电、汽车的一万名司机里，已经有四分之一的人打了正式请调报告。有的人甚至要求离职。有的管你批准不批准，他就不上班，自己另辟财路去了。

售票员中也有一些这样的人。夏小丽就曾经闹过退职。不批准，她就把气往乘客身上撒，她经常懒得卖票。目前公司的规定是票款达不到指标不影响奖金，超过指标才能有额外奖励，数目也有限。夏小丽跑的那条线坐车的净是有月票的，买零票的不多，反正也超不了指标，所以她懒得卖票。

夏小丽不但不怕除名，她还自己除过自己的名。

头几个月，她忽然失踪了。老不来上班，车队干部去她家找她。她父母只是说："我们也不知道她哪儿去了呀！""许是到沈阳她姑那儿去了吧！"其实她就在北京。那个"糖葫芦王"帮忙，给她联系到一个外贸单位，当了接待室的接待员，负责给外商端茶递水。虽说是临时工，挣的不比售票员多，但实物油水非售票员可比，而且夏小丽觉得既体面又轻省。

车队终于找到了她，给那个单位说清楚，她是擅离职守的，于是人家辞掉了她。

夏小丽在这之后有一天来到了调度室。她穿着当接待员时候人家发给她的工作服，那是多么鲜亮的一身套服啊！她还戴着港式的蔚蓝色项链，耳垂上缀着雪花形的耳饰，脚上穿的是一双罕见的淡蓝色的人造革新款式高跟鞋。

简直是"衣锦还乡"的气派！

连韩冬生走进调度室，同她久别重逢，脑中也丝毫没有她犯了什么错误的意识。他只是乐呵呵地望着她说："嗬，鸟枪换炮啦！"

夏小丽被一群女售票员围着。有的用手捻她套服的料子，有的在问她那头发是哪家发廊里做的，是九块钱还是十二块钱的工钱，有的皱着鼻子凑拢她闻着她身上的香水味儿。夏小丽得意洋洋地用一条脚掌握着平衡，因为她脱下了一只鞋，正让另一个姑娘试穿，那试穿者脸儿涨得红红的，心里翻腾着微妙而汹涌的思绪。

"嘿！"她招呼韩冬生说，"吃陈皮梅！"

她买来一包陈皮梅，摊在了调度桌上，让大家随便抓着吃。

韩冬生吃了一颗。

"人家外商都时兴吃这个，没人吃那奶糖！"她宣谕着自己获得的人生经验。

调度员也吃着陈皮梅。她一边嚼着一边问夏小丽："嘿，我说你打算哪天来上班啊？"

夏小丽恩赐似的说："那就明天吧！"

处分？除名？从总公司到车队的头头们心里都明白，与其用处分和开除来吓唬这类司机和售票员，莫若随时随地提醒他们，他们将永远被该公司雇用。因为该公司目前已经有三分之一的司机、售票员因待遇问题打了请调报告，出勤率一直保不住。公司对付这些人的办法只能防止他们自行脱离，一旦有人自行脱离，他们就要像找回夏小丽那样找回他们来。他们不被除名就办不下个体户执照，也不能被别的单位正式录用，因而到头来还得认命，该开车开车，该售票售票。

　　都会的血液。

　　流通不畅。

　　胆固醇过高？血栓？还是毛细管溢血？

　　中国啊中国，北京啊北京。你在艰难中发展！

　　人太多。人挤人。可又没有立体化的公共交通结构，来疏散世界上最稠密的人流。

　　国外许多大城市的公共交通起码有三个层面。一是地下的地铁，二是高架铁路上的电气火车，第三才是地面上的公共电、汽车。

　　其中起主要作用的一般是地铁。

　　例如法国巴黎，它那蛛网般的地铁超过 190 公里，沿途有 370 多个车站，平均每天运载旅客 400 万人次，在公共交通总运载量中远居首位。

　　而北京目前只有两条尚不能沟通的地铁线路，统共只有 39.5 公里长，两边合起来统共也才 29 个车站。北京全年公共交通载客达 30 多亿人次，地铁只有 1 亿多人次，仅占总运载量的 3.2%。

　　北京并无高架铁路，载客的负荷，自然主要压在了地面上的公共电、汽车上。目前北京的公共电、汽车已设 158 条路线，有 4009 辆车在这些线上跑，运载总长度是 1866 公里，每天客运量大约是 856 万人次。巴黎在 1980 年，其公共汽车（尚不包括有轨电车）已设 219 条路线，有 3992 辆车在这些线上跑，运载总长度是 2339.9 公里，而每天客运量仅约 208 万人次。北京公共电、汽车的定员标准是每平方米最多装载 9 人，实际上高峰时已达每平方米装载 13 人，而巴黎公共汽车的定员标准是每平方米最多装载 6 人，但由于他们的满载率不足 70%，所以实际上常常是每平方米仅有三四人。怪不得北京的公共汽车常常是挤成黑压压的一团，而巴黎的公共汽车上很少有人站着。

　　但巴黎再好，是人家的！

　　临渊羡鱼，莫若退而结网。

　　结网的人不少。

北京市公共交通总公司的干部们，他们何尝不愿意发展壮大首都的公共交通事业，何尝不愿意提高整个系统的服务质量呢？

总公司还有个城市公共交通研究所，几十个收入甚至比韩冬生还少的科研人员，目前仍挤在一幢屋顶漏雨的旧楼中，兢兢业业地搞着科研，整理着情报资料。

北京市市政府的市政管理委员会，说实在的也在作出最大的努力，来缓解公共交通中出现的纠结成团的问题。有的领导干部晚上确实常为这方面的头痛事半宿半宿地失眠。骂他们官僚主义是容易的，你换到他们那个位置上去试试，你能保证你一上台，北京市公共交通就立即面貌一新吗？难。

具体的困难就不去说它了。难就难在究竟怎么确定我国城市公共交通的性质。

公共交通系统，究竟应当确定为自负盈亏或基本自给的企业单位呢，还是应当确定为政府充分补贴的社会公益事业？

目前是举棋不定。暂称为"服务性的生产部门"。

但这就带来了不可克服的矛盾。

既然是服务性，就不能把赢利放在首位。甚至就得甘心认赔。目前北京市的公共汽车是开一条新路线赔一笔，有的线路甚至是跑一趟亏一趟。以服务性为宗旨，票价绝不能涨。可是汽油涨价了。能源税财政局照收。国家现在给售出的每张月票补贴 1.9 元。全年补助大约 3200 万元。这只能勉强堵上亏下的窟窿。实际上只是一种成本的简单再还原。总公司的干部们在这种情况下调薪无望。司、售员们当然不可能再提高收入。整个系统的福利待遇只能维持在低水平上。

但既然你又规定它为生产部门，那么为了赢得更多的利润，整个公司的人心必然向捞取钞票上倾斜。眼珠子里钞票多了，乘客就挤得没有地方装了。有的城市的公共汽车系统已发生了混乱。既然我们是生产部门，自负盈亏，那么，好，我把大量的公共汽车都拨去搞旅游，只剩下很少的车跑一般运行路线；在一般运行路线上为了多捞钱，或私抬票价，或收了钱不给撕票，或少停站以提高运行频率，或挤满了再开以提高满载率，或因觉得收入不如开旅游车的而闹情绪、怠工……北京的公共电、汽车说实在的还相当不错，没有出现过这样的大混乱。不过开车、售票既然不能满足自己的得钱欲望，那么，在班后开辟第二职业的风气愈演愈烈。

今年 8 月 21 日清晨，44 路一位女司机上班不到三个小时，按说应当正是精神最好的时候，却在马尾沟一带将车子猛地撞向在另一路汽车站牌下等车的人群，使一位上有老、下有小的中年女工程师当场惨死，另一名已考取大学正待去报到的青年右眼脱落，另两名无辜者受伤。这位女司机是位很善良的人，平时开车一贯认真。她怎会酿成此惨祸？她是开着车犯上困了！一大早开车就犯困！为什么？其原因不言自明。

公共交通究竟该算什么样的性质？

几乎所有西方资本主义国家，在观念上都是非常明确的：城市公共电、汽车理所当然是社会公益部门；不仅不要求它赚钱，甚至也不让它自负盈亏。它们采取稳定的补贴政策。例如法国的城市公共交通，票款收入只占其收入的 36%，其余 64%，都由国家、当地政府和受益单位承担。这百分之百的收入除成本还原外，不仅有余款可以发展公共交通，并且能够使公共电、汽车的司机保持相当不错的工资和福利待遇。例如巴黎的公共汽车司机，月薪平均 6000 法郎，大体上相当于 2000 元人民币，一般并不低于当地一个出租汽车司机的收入。

社会主义国家里，如匈牙利，原来对公共交通也没有很明确的决策观念，亏损严重，司机的积极性也不高。到了 70 年代末，国家在对饮食、娱乐等服务性行业进一步搞活，要求其自负盈亏的同时，却下决心将公共交通从自负盈亏的范畴中解放出来，确立了其社会公益部门的恒定性质。到 80 年代初，已投巨资将首都布达佩斯的公共交通全部更新，车票仍保持低价，国家补贴却大幅度提高，目前票款收入约占 25%，而补贴却占 75%，因而司机的工资福利待遇，在社会上已居于有吸引力的水平。

当公共交通系统同邮政海关等系统成为超出竞争之上的享受稳定补贴的部门时，服务于其中的工作人员自然会有一种职业上的自豪感和经济上的满足感，因而其服务质量，自然也就容易提高。

那我们也赶快补贴呀！多多补贴呀！

的确应当补贴，并且应当越来越多地补贴。

不光公共交通事业应当补贴。基础教育、幼儿园、小学、中学，就不该多多补贴吗？看见寒暑假里中小学临时改成旅馆，一些教员忙前忙后地招待着旅客，只为增加点外快以滋补困窘的生活，我们难道不鼻酸吗？公共文化事业呢，不该多多补贴吗？看见我们的图书馆把阅览室变成了收费播放港台低劣武打录像的场所，看见我们的博物馆和名胜地过一道门收一次费、租借不该租借的地盘给人家拍电影拍电视摆摊子设商亭，弄得文物受损、风景被污，我们难道不气愤吗？该补贴的方面和部门实在太多，而且我们还可以举出无数国外补贴有方的例子：他们的中小学校舍设备如何高级，他们的博物馆如何向学生免费开放，他们的风景区不仅禁止摆摊售货，甚至不准汽车驶入……

但是补贴需要大笔的钱。

钱从何来？

事实证明，以前那种框死的经济方针，效率低，收益慢，国家富不起来，因而只好一口大锅熬稀粥，大家平摊着喝。

实践证明，只有对内搞活，对外开放，才能解放生产力，使国家富起来。

而一搞活，就必然带来不平衡。

一些部门，一些人，因搞活而富裕起来了。

一些部门，一些人，只是逐步受益。

还有一些部门，一些人，如城市公共交通系统，如公共汽车司机和售票员，他们相对于出租汽车司机和个体户确实处于"吃亏"的状态。

因为穷，所以要搞活。搞活，却又拉开了贫富差距。填平穷富差距，就得回头去吃大锅饭。不想再过又穷又单调的日子，还得搞活，因而就得有相对穷一些的部门和人员。这真是个"怪圈"。

哈姆雷特沉吟着："活着，还是死去？这是一个问题。"

无数的中国人沉吟着："搞活，还是框死？这是一个问题。"

让我们还是回到那辆公共汽车上来。

竟闹到了不可开交的地步。

有些乘客下去了。但后面的车不见踪影，于是有的在站台上抱怨，有的复又上到这车上来。

韩冬生仍在罢工。夏小丽扯着嗓子轰乘客们下车："坏了坏了坏了，这车坏了不开了，下去下去下去！"

几位乘客开始同他们讲理。

"这车明明没坏。为什么不开？"

"你们像话吗？你们哪有想不开就不开的权利？"

"快点开车！注意影响！"

争吵中双方的话语都升了级。

"不坏也不开了，就不开了！"

"什么样子？你们怎么敢这样？非得给你们反映反映！"

"就这样！你反映去吧！你打电话告去！33 局 7036 转 366，你下去打去呀！"

"你们没权利这么对待乘客！"

"你给《北京晚报》《古城纵横》写信去！你登报去！"

……

最后双方的话语都有点出圈。

双方的心理状态都有点——实在是都有点"反动"。

都对现实不满。

乘客里有的想："什么世道！越来越乱！"

韩冬生和夏小丽他们想："什么日子，受够了！"

敢于公然从最小的冲突中喊出最惊心动魄的话语，这也是目前中国民众的特点之一。

因而相互不能原谅。相互都把对方作为证明世道不好、自己吃亏的发泄靶。

甚至不惜从动口到动手。以至酿成流血事件。

其实这世道究竟亏待了哪一方呢？

即如韩冬生，难道他退回十年的境况比今天好吗？即如夏小丽，难道她所享受到的口红、睫毛夹、耳饰、项链……以至于进发廊、听流行曲、吃双味高杯冰淇淋、看美国电影《星球大战》等等快乐，不正是这个世道给予她的吗？

家用电器进入了几乎每一个城市居民的家庭，增添新的品类和更换高上一档的家用电器已成为生活中能够争取实现的事情。一边抱怨着什么都涨价了，一边购买着过去不曾享用过的食品、衣着和日用品。

更要紧的是头上不再笼罩"阶段斗争"的阴云。干部们不用再上"五七干校"。知识分子不再是理所当然的"臭老九"。家里的弟弟妹妹、儿子闺女不会再被强制性地轰去"上山下乡"。"出身不好"的,有"海外关系"的,被冤枉过戴上过种种"帽子"的,至少不会再被公开地歧视和遭受明目张胆的打击。

可是都不满意!

一种新的心理冲突:在搞活和开放所拉开的差距中,贫和富之间,小富和大富之间,富得容易和富得吃力间……

怎么协调?

宣传不计个人利益、不在乎报酬和福利、甘于清贫和淡泊的高尚情操吧!那自然是应当赞颂的!但倘若宣传得过了分,则又必然引起对经济改革的怀疑。因为激发出把个人利益与工作任务挂钩的热情,恰是改革所赖以推行的心理动力。于是又有一个逆向的"怪圈"。

经济改革的成败,相当大程度系于心理改革的成败。

真理的核心是一种准确的分寸。实践的精髓在于掌握一种恰到好处的平衡。

难!

那辆公共汽车最后终究还是朝前开去了。

谁使然?

正当最混乱的时候,一位老先生从后面走拢车前。他又瘦又高,留一把稀疏的白胡须,穿一身西服,长长的脖颈上喉结非常突出。

他用手势止住了几位正跟夏小丽舌战的乘客,蔼然地对夏小丽说:"姑娘,你消消气吧!"

他又走近驾驶台,更加蔼然地对韩冬生说:"小同志,我不代表大家,我就代表自己。我看,你还是开车吧!"

他的话就那么简单。

可是,韩冬生却愣住了。他看到了老先生那双眼睛。那眼神儿。

韩冬生从那眼神儿里看见了什么?

事后他也说不清。人的思绪有时候是不可能说清的。

但韩冬生能一接触到那眼神儿便产生出那么一些思绪，却并非偶然。

韩冬生每星期日休息。车队长动员他星期日加班，他一次没去。加班给加班费，但规定不能超过三块钱，所以对他缺乏吸引力。他星期日唯一的乐趣，便是一大早带上他的京京，骑车去中山公园。他骑他的自行车，京京骑一辆带一对辅助轮的小自行车。京京真了不起，不到 4 岁，可他能沿着马路牙子，由爸爸护着，骑那自行车，一直骑到中山公园去！买那样一辆小自行车花了 56 块钱，韩冬生和秦淑惠舍得！

他舍得。为了京京。公园里的电动汽车，玩十分钟收一块钱，只要京京乐意，玩几场他都舍得掏钱。他还带京京去西单游乐场，那里的"碰碰车"玩十分钟就要两块钱。两块钱就两块钱，京京，你还玩不玩？

京京穿得比哪个富裕人家的孩子也不差。橘子刚上市，一块五一斤，他就立时买上两个大的，回家递到京京手中，然后每一瓣都由京京独享。他们全家一月吃一斤羊肉，这是笼统而言，其实他们每月总要买几回酱牛肉，每回称一块，要最精最好的，那也是由京京独享。京京的玩具也不少。看电视广告上宣传说有一种维生素 E 饼干儿童吃了健脑，他就让淑惠去买，结果转了半个城圈才买回来。饼干还没吃完，听车队里有人说维生素 E 过剩会造成呆痴，他回家又毫不吝惜地把剩下的饼干统统扔进了垃圾箱！

那维系着他和京京的东西，便是他接受老先生目光的契因。

那东西也不仅维系着他和京京，和秦淑惠，那东西也维系着他和岳父，乃至于更多的人。

岳父唤他，他走了过去。

"这后头、这后头……"

他知道是岳父实在忍耐不住了。但凡熬得住是不召唤他的。他便给他揉背。岳父发出也不知是痛苦还是痛快的呼噜声。

院里的人全都夸赞韩冬生小两口。谁都知道，淑惠并非那偏瘫怪癖的老头的亲生女儿！淑惠是落生 56 天以后抱过来养大的。淑惠在搞对象的时候就告诉了韩冬生。韩冬生知道全部事实。淑惠的亲生母亲依然健在，他们还有来往，韩冬生跟着淑惠叫她"大妈"。大妈原是这老头的嫂子，淑惠亲生父亲见弟媳妇总不生育，这才把她过继给了弟弟。如今淑惠的养母和生父都已故去。这么个关系，而小韩两口子还能伺候着那偏瘫的老头，没见着虐待和嫌弃。

但韩冬生小两口的心湖中也有过浮冰。院里的人全不知道，老头本人更不知道。小两口偷偷去过"法律顾问处"，请教了那里的律师：老头既非亲生之父，又自己有一笔收入，他们能不能同他脱离关系，由他自己另过，用他的钱请个人伺候他？或者是否政府将他安排到一个什么"敬老院"去？人家客客气气地接待了他们，曲曲折折地讲了半天，说来说去，还是以维持现状为宜。

小两口从"法律顾问处"出来，不知道为什么脸上都有点发烧。回家的路上，他们没怎么商量就破费买了五根一元五一斤的进口大香蕉，到家只分给京京两根，倒送了三大根到老爷子面前。

……在韩冬生住房对面，他还盖了一间厨房和一间只两平方米的小屋，那原是他盖来临时存放待糊和糊妥的套服盒的。自从有人给他们"下蛆"，失去了这项第二职业后，他便从场里弄来一只废弃的汽油桶，安装到那小屋的顶上，上面盖上一块大玻璃，从院里的自来水管那儿引出一条管子接到了油桶上，又从油桶底部往屋里接了一根带喷头和阀门的管子，于是，那间小屋便成了个地地道道的淋浴室，在炎热的夏季，利用阳光晒热那桶里的水，淋浴时水温恰到好处。从六月底到九月初，全院的人都不再去澡堂洗澡，全享用这韩冬生自创的"晒水器"淋浴……

所以韩冬生一接触那劝他继续开车的老先生的目光，便不由得软化下来。

夏小丽也有她另外的一面。每次回到远郊家中，她便要跑出二里路去看同学陈雪梅。雪梅的丈夫因为打架斗殴伤了人，被判了两年，如今自己带着个瘦猫似的小闺女凑合着过。夏小丽去了就给她拾掇屋子，帮她带孩子。雪梅哭，她就劝。雪梅说出离婚的想法，她跺脚责备，她搂着雪梅的肩膀，说许多知心的话。上回她给雪梅带去两口袋陈皮梅。她从小珠子串成的钱夹子里取出一个小伙子的相片来，说是只给雪梅一个人看。那是她当接待员时认识的一个小轿车司机。雪梅劝她早拿主意，她忽然向雪梅要烟抽。这回是雪梅搂住了她的肩膀，轮到她流眼泪，雪梅就用手绢给她擦，说许多岔了声儿的话……

所以夏小丽一接触那老先生的眼神儿，也就不再大喊大叫。

那眼神儿里有那么一种说不出来的东西。那是一种时下人与人之间十分缺乏的东西，一种十分、十分宝贵的东西。

老先生经历的事情多了。他总能替别人设想。总能往好处想别人。比如那两个跳下车去跟韩冬生找碴儿的青年，不仅韩冬生夏小丽恨死他们，其他乘客、民警和治安联防的人几乎也都视他们为臭流氓。要不他俩怎么一见民警和联防人员过来就赶紧溜了？

老先生却宽容地想：他们一定是确有急事，确实非得刚才在工会大楼那站下才不误事。

也许真是那样。那两个穿牛仔服、着滑雪衫、戴铜戒指、烫鬈鬈发的青年，也许真有急着要办的事。也许他们跟人家约会，他们不希望误点，他们要在工会大楼那站下车去找人家，他们上车后坐在最后一排座位上，他们没听见司机和售票员"一站西单！"的喊声，他们准备下车车却未停，一拉就把他们拉到了西单，于是他们气愤，懊丧，他们不找司机质问质问就不能取得心理平衡……他们并非什么流氓。也许他们教养差、语言粗、动作野，确实有点讨厌。但他们也有他们应享的生活，存在的道理。他们显然也有他们的难处，他们的生活也挺不容易，但能够这么去想的人实在太少。

那老先生却能。

老先生对司机更怀有深入的理解，因而能产生出最宽宏的谅解。

"他们开车的也不容易。"他对站在一旁的一位中年妇女说，"前些日子，热天，我上王府井买了一大包东西，也是车挤，把我挤到最前边，大草编包沉，我把它搁在发动机盖子上。也是到这西单，车一停，包一歪，把包里东西甩到了驾驶台那边，开车的也是个小伙子，瞪我一眼，还是把东西捡回给我。到了木樨地，我才发觉驾驶台边还有一个我刚买的摆桌上的温度计。捡起来，我以为摔碎了，一看，嚯，四十五度！"

这番话老先生说得动情，韩冬生却没有听到。夏小丽也没有听到。

但他们能感觉和接受老先生的目光。

那是七月份，热得最邪乎的时候。老先生坐公共汽车回家，没人给他让坐，他真累。他抓住司机座后头的那块隔板的立柱，尽量不让自己歪倒。他想起了十多年前，"文革"后期，那隔板上喷写着"服务公约"，其中有一条是"不夹不摔"。"不夹不摔"！这是什么标准？好比你去一家饭馆，墙上赫然贴着："不给顾客往碗里放毒"……他望见了车上靠近售票员的双人座上方，喷写着"老幼病残孕专座"的字样，尽管那专座上现在坐着个假装闭眼打瞌睡的胖汉子，售票员拿他没有办法，但刚上车的一位抱小孩的妇女，把那小孩搁到了售票员的售票台上，售票员却并不觉得妨碍了自己，这景象是时下车上常见的，倒也多少弥补了胖汉子所构成的一个临时性缺憾……于是老先生不怨天，不尤人，站在那儿，于是他站到木樨地，看到了那个温度计……

他觉得"活到老，当到老"这话真是一点也不错。坐了这么多年公共汽车，他直到这天才知道夏天里司机是在什么样的条件下工作！

由此及彼，由一点推及全面，他的眼神儿里的那种东西，更增加了浓度和力度。

难怪他那眼神儿和韩冬生的目光一交接，便有那样的效应。当然，韩冬生并不能立刻达到完全的心理平衡。他决定开车了。但他还要维系一下面子。他朝着车厢里的乘客们宣布："这车是有毛病！打不起火了！要开也成，可你们得下去人，帮着在后头推！"

乘客们纷纷议论。谁也不信。谁也不想下车去推。有人啧啧抱怨，有人打算再次抗争。

可是老先生带头往车底下去。他说："下去推推吧！活动活动身体好啊！"

开头几个，后来十几个，都下去了，大家开始推车。夏小丽从车窗里欠出身子来对老先生说："您别推，让他们推！"

韩冬生发动了汽车，下头的人陆续上来，老先生也被人搀上来了，有人给他让座，他就坐下了。

这辆公共汽车终于朝下一站开去。

公共汽车啊，公共汽车。

在我们的公共汽车里，你免不了还会遇上韩冬生那样的司机，夏小丽那样的售票员。你经常得在一个平方米上，同十二个同胞"筑成血肉长城"。

是该好好地琢磨一下了。"用我们的血肉筑成新的长城"应当只是一种崇高的比喻。如果不打比方，我们该怎么办?

1985 年国庆节写

10 月 19 日改毕

新区长镜头

1

两个女大学生，骑自行车进入了银柳湖新居民区。一个是中国人，一个是外国人。不过那外国女大学生穿着简单而随便，除了一头栗发和灰蓝的眼睛，连皮肤也和中国人差不多——因为她酷爱户外锻炼，拼命把自己晒成巧克力色；现在巧克力色还没有达到，但已经浅褐而光亮了。

是仲春的一个星期六傍晚。她俩从大学里出来时，天气还很晴和，骑了一个多小时，快进入银柳湖地段时，不知不觉地下起了小雨，空气中弥散出一种略带腥味的花草香。她俩加速踩蹬子，高兴地发出响亮的欢呼声，朝银柳湖居民区那条笔直而堂皇的新街冲去。

银柳湖居民区经过几年建设，已经朝气蓬勃、风姿秀雅地成为了京城边缘的一颗明珠。这里有二百多座高低大小款式不同的居民楼，有配套的各类商店、服务设施以及中小学和幼儿园；从城内通过来的大马路一直插进楼区，并穿过整个居民区同通往外省市的公路相连。楼区中的这条主要街道相当气派，当中是宽阔的快车道，快车道两旁是精心布置的绿岛，上面按严格的间距栽种着尖塔般的松柏，松柏之间是一丛丛的迎春、丁香、蔷薇、珍珠梅和榆叶梅，其间还满植着从国外引进的入冬仍绿的细草；绿岛外侧是慢车道，慢车道两侧是宽敞的水泥格砖铺砌的人行道，道边栽着整齐的馒头柳，靠楼则是大块的草坪，草坪中还间或点缀着水泥制的棚架、凉亭、桌、椅、凳，自然还有若干点缀其中的花木。靠这条街的楼房，立面虽然仍属简朴方正一类，远谈不到华美俏丽，但毕竟高大整洁，各家再把所养花卉往阳台上一放，俨然一派小康气象。

这条街的中段，有一栋五层的方盒子建筑，老远就能望见它那巨大的霓虹灯，白天只显现着"银柳湖百货商场"七个鲜红的铁皮立体字，傍晚后接通电源，则铁皮字周围的红灯管构成七个镂空字，并有绿、黄、蓝等色的线段围绕着竖长的框架闪烁移动。也许是这天傍晚雨来，天气转暗，还不到平时开灯的时候，霓虹灯已然闪亮在商场门外。

两个女大学生骑进了这条街。外国姑娘试图认出霓虹灯上的七个字，却发生了困难。不是她中文水平过低，实在是因为那霓虹灯有毛病，"柳"字的最右边不亮，"货"字下面的"贝"字似亮欲灭，"场"字的左边只是半横有光。

"写的什么？"外国姑娘只好问中国姑娘。中国姑娘脸红了。她想到上星期六回家时，就发现这霓虹灯有毛病。似乎上上个星期回家时也就已经这样。又想到城里许多商店的霓虹灯，也十有五六出这类的毛病，并迟迟不加修整。最让她觉得难堪的，还不是这些霓虹灯坏了不修，奇怪的是明明坏了很多日子，却心平气和地照旧每晚接通电源，让它那么残缺不全地闪烁着。

中国姑娘双眼下意识地左右晃动，似乎在回避什么，又似乎在寻找什么。对了，那绿岛边安置的铁栅栏，很有几处被粗野地撞击、扭曲，绿漆剥落，暴露的部分长满铁锈。车行道和人行道都那么宽阔，为什么还要挤撞那栅栏？还有那边楼下的绿地。有一处石桌，是用一根腰鼓形石柱插入埋在地下的刻花石臼，再以一块正圆的带楔柱的石板，揳入石柱中的方孔，而组接成的。不知为什么，安置了没有多久，便被不知什么人将它肢解开来，桌面扔到一边，腰鼓形撑柱扔到另一边，只有刻花石臼仍在原处……上个月她回家时，还曾协同一位也是看不下去的中年男人，一起费力地将那石桌复原，但今天一瞥之中，那石桌却依旧触目惊心地被肢解开来，并且情急中搜寻不到那鼓形柱的踪影……那肢解它的人，究竟是怎样一种心理呢？唉！

两个姑娘骑车经过那百货商场门前了。那里有个不算小的空场，满铺着水泥方砖，本来是作为停车场的，现在只有挨着展览橱窗的一片作为了存车处，其余地方是一个接一个的临时货摊，构成了一个小小的露天市场。

中国姑娘微微皱起了双眉。她不喜欢这个露天市场。她总觉得在这条街上不该有这么一种景象。这不仅显得杂乱，而且显得粗俗。她知道这里原本是不允许摆摊售货的，但一些就住在附近楼里的小贩，其中不少是她的同代人，偏一个接一个地在这里摆下他们的摊位，有关部门管不胜管，后来也便默认了。沿街的一溜大都是卖衣服的,他们把绳子拴到行道树上，挂上一溜溜五颜六色的奇装异服，漫天开价，毫无惭色。往里则是各色各样的小贩：用录音机大声播放着"流行曲"招徕顾客的磁带兜售者；戴着不知从哪儿弄来的维吾尔族小花帽卖烤羊肉串的京油子；卖糖葫芦的老头子和卖冰棍的瘸腿老太婆四季和平共处；卖气球的城里人和卖水萝卜的乡下人互相瞧不起；还有一个不知从哪里来的人，时常在这里卖一种古怪的供成年人放在桌案上观赏的不锈钢制"力学惯性人形"……在百货商场两侧，则有不少于三个以上代客包缝的裁衣摊和修理皮便鞋的修鞋摊。

中国姑娘厌烦地伸出手掌挥开飘拢鼻际的油烟，那是从烤羊肉串的摊位上飘过来的，她脚下使劲，力图更快地从那里逃脱。

外国姑娘却近乎贪婪地嗅着飘来的香气，她敏锐地辨析出，那香味里不仅有烤羊肉的，还有烤白薯的——她曾在大学校门外的类似地方尝过一次烤白薯，她的评价是仅在烤鸭子之下而远在涮羊肉之上。她双脚停止了蹬动，大声地对在她前面的中国姑娘建议："艾芬！我们在这里停一下不好吗？"

中国姑娘扭回头来，大声地劝阻和招呼她说："莱妮！下雨哩！快去我家，我妈妈给咱们包饺子哩！走吧！"

的确，因为下起了小雨，卖衣物的小摊大都已经收盘，只有少数几个摊位撑开了塑料苫布，继续营业；靠里面的小摊买卖双方也都心绪惶急，准备散伙；唯有卖烤羊肉串的小摊和卖烤白薯的小摊骄傲地在自制大伞下依然故我……

两个姑娘骑车过去了。她们不久便拐进街北楼群，只拐了几拐，便骑拢了一栋灰色的六层居民楼的第二个门前。

2

"妈妈，这就是莱妮！"

"您好！"

"你好你好！欢迎欢迎！小芬总跟我们提起你……相片我们是早看过了，你比相片上更漂亮，真的……你们淋着了吧？看，头发上净是小水珠儿……不要紧。赶紧洗洗……北京春天下不成什么正经的雨，淋不坏人的……小芬，让客人先洗，就先用暖瓶里的水吧……我给你们包好饺子了，三鲜馅的，你们洗完我就给煮……小芬，给你们一块新胰子，'奥琪'牌的，就是这几天电视上一劲儿宣传的，我上午刚从商场里买来……莱妮，你就先洗洗脸吧，别客气，你就当是回到自己家里一样……"

……

"这是你们的厨房？"

"是的。不过，洗脸也得在这儿……"

"你们没有卫生间吗？"

"没有。那边有个厕所，可是只能……那里头连洗脸池子都没有，当然更没有洗澡盆，只有一个投墩布的地池……"

"什么是'顿布'？"

"就是拖把，喏，mop，你们德国怎么说？……我们这楼就是没有卫生间。我们这一片楼全都没有。那边新盖的楼好一点，厕所大一些，留了一块地方，可以安装澡盆。给你香皂，我妈妈把它又叫成'胰子'，北京话，'胰子'。说起来你可能不信，我们这个新居民区这么漂亮，什么都齐全，可就是还没盖起一个公共澡堂来。楼里没有卫生间，近处又没有洗澡堂，我们洗澡很不方便……你是不是感到很可怕？"

"可怕！……可是我不明白，你们为什么不要洗澡……？"

"谁不要洗澡呢？谁都要洗澡。可设计这些楼房的时候，设计这个居民区的时候，他们不知道为什么都把洗澡这一条忘掉了……"

"真可怕！"

"来吧，现在你参观参观我们家……在北京，像我们这样的家庭算是幸运的了，三间一套的单元，平时就爸爸妈妈两个人……"

"钢琴！"

"星海牌的。我们国家自己做的。音色不错。晚上你给我们弹几首贝多芬的。西德每个家庭都有钢琴吧？我们这里刚刚开始流行。我们这座楼里大概有四台……"

"我们德国也不是每家都有。很多家庭没有。你们为什么总以为我们那里人人都有一切？……啊，贝多芬像！"

"石膏的。只不过是石膏的。将来有条件一定换成大理石的。你知道我爸爸最崇拜贝多芬，我给你讲过的……"

"记得。他崇拜贝多芬，所以你姐姐叫艾贝，哥哥叫艾多，你叫艾芬。中国取名字真有意思，可以这样取！"

"好笑吗？"

"不好笑，不笑。很好的。很有意义。"

"这是阳台。我们在阳台上养了很多花。我们有一盆君子兰，前些时候开花开得可好看了……喏，就是它，现在这种花值钱的，这么一盆起码值三百块钱呢！"

"我不喜欢这种花……啊，这个好，这个好，叫什么名字？太美了！"

"这个？啊，这不过是盆草花，不值钱的……它叫荷包花，喏，这些花朵不是很像荷包吗？"

"'和包'？"

"荷包就是口袋的意思，一个个的小口袋，不像吗？"

"像的！像！什么花？'和包'？"

"荷包，荷花的荷，包裹的包。我一会儿把这两个字写给你吧。"

"那边！看，多么热闹！"

"……啊，那就是我们来的时候，经过的那个百货市场，那前头是个……自由市场。算是个自由市场吧。我们大学门外，不也有自由市场吗？不过那是正式的。这个嘛，不那么正式……"

"不正式？为什么不正式？"

"正式不正式，不去管它吧。"

"这是不是就是你们的……'搞活'？"

"唉，莱妮，你总爱谈这些严肃的话题。我对经济的事情实在不懂。咱们进屋去坐不好吗？"

"……"

"给客人先喝点什么呢，咖啡还是茶？"

“莱妮你喝什么？咖啡，还是茶？还是橘子汁和中国的金奖白兰地……”

“喝茶。茶好。”

“妈，就沏茶吧。我来沏吧。”

“刚才必佳来过……”

“二表哥？他怎么突然来了？”

“说是选外景，顺便来打一头……”

“您怎么不留他吃饭？”

“他那个橄榄屁股，坐得住吗？再说今天你不是一个人回来……”

“那怕什么？莱妮一定高兴同他认识。他也一样，他听说我同莱妮一个宿舍以后，不是主动提出来过让我介绍他认识莱妮吗？”

“他一天恨不得认识一百个人。可是一转身他会忘记一百零一个。他有半年多没来过咱们家了……”

“人家是导演，忙成个千手观音……莱妮，你喝茶。是乌龙茶，其实味道跟咖啡差不多……好喝吗？我表哥董必佳每回来总是点名要喝这乌龙茶。还是我爸爸前年到福建出差带回来的，一直喝到现在……我表哥董必佳是个导演，拍电视剧的，我跟你提过的，他很愿意认识你……”

“是吗？”

“他说过他想拍一部国际题材的电视片，也许他见了你能同你谈得来，并且邀请你参加他拍的片子的演出……”

“啊！”

“你不乐意拍电视吗？”

“当然。那一定很可怕，真的！不过，如果……如果我觉得那很有意义，也许，我可以考虑……问题是电视片总是没有意义的……”

“电视片有意义的还是多的呀！”

“真的吗？那我以后一定多看一点电视。”

“你在西德不常看电视吗？”

“不常看。”

“你来北京以后也不常看。我们宿舍里可惜没有电视机。”

"中国的电视哪一个台是不播广告的？"

"不播广告？哪一个台？……嗯，每个台都播广告。"

"中国的电视台不是国家的吗？为什么播广告呢？"

"这……为的是'搞活'嘛。就好像连我们这个新的居民区，也有那么一片'自由市场'一样……"

"……小芬，我这就给你们下饺子了！"

"不等爸爸了吗？"

"他晚上有个活动，下班直接去了，总是又有得吃的……"

"妈，您炸辣椒油了吗？"

"莱妮也吃辣椒吗？"

"吃的。她以为你不敢吃辣椒。"

"我敢吃辣椒。辣椒很有意义的，我还吃蒜。大蒜。"

"妈，莱妮还吃蒜。"

"亏得不远就有那么个自由市场，有卖蒜的，我下午买了一斤零头蒜来。我原以为就咱们中国人自己吃……"

"蒜好。蒜很有意义。"

艾芬心里想：啊，莱妮没把中国话里的"有意义"和"有意思"分清楚；她说电视剧总是没有意义的，其实是说电视剧总是没有意思的。二表哥董必佳拍的电视剧如何呢？也许，让莱妮看了会觉得既没意义也没意思……

头盘饺子端上来了。

3

艾芬和莱妮没吃上几个饺子，突然从天花板上传来一种刺耳的声音。两个人同时朝天花板望去。艾芬妈妈也拿着冒热气的铝勺从厨房里冲出来，朝饭厅那间屋的天花板望。

"我们这楼房盖的……一点也不隔音！"艾芬脸上热辣辣的，就仿佛她是这些楼房的设计者和施工者。

莱妮耸耸肩，低下头继续吃饺子。可是楼上仍旧发出一些不雅的声音，开头时一声巨响仿佛是什么东西掼到地下摔碎了，后来的声响或许是有人在扭打，或许是有人在用扫帚清扫破碎的东西……还好，总算没有把那上面人与人之间的争吵谩骂传送下来。

艾芬试图解释一下，她告诉莱妮：“我们这座楼住的大都是干部和知识分子，只有极少数杂人……”

莱妮咬了一口大蒜，耸起眉毛，好奇地问：“杂人？少数民族吗？”

艾芬苦笑了一下说：“不，不是那个意思。嗯，比如说，我们楼上这家吧，他们是‘农转工’……”

莱妮更不懂了。

艾芬只好细细讲解：“就是说，他家原是农民。就在这个地方住。原来是在这个地方种菜的菜农。后来这个地方国家要盖新的居民区，就把他们的地征用了。他们由国家统一安排工作，成了工人。盖好的楼房拨出了几栋，专门让他们住。可也有零星的几户，不知怎么的住到了我们这种楼里。我们都把这种家庭叫‘农转工’家庭，就是农民转成工人的家庭。这种家庭一点文化教养也没有……”

正好艾芬妈妈端来一盘新饺子，便插进去补充说：“他们才叫好笑哩！刚住进楼里的时候，竟然还有几家在阳台上养猪，像什么样子！这两年没这么突出的笑话了，可是你从楼下朝楼上望，光凭阳台的景象，也还是能把‘农转工’家庭认出来……”

莱妮好奇地问：“这些家庭里的人，全都是工人吗？”

艾芬妈妈告诉她：“老的自然不是，小的正上学的没上学的自然也不是，只有在拆迁的时候年满十八岁以上的成年人给安排当了工人，他们既没文化也没技术，所以也就是在建筑工地当小工，在锅炉房烧锅炉什么的；还有一批当年不满十八岁，可是这几年中学毕业以后考不上高中、大学的，就大都成了小摊贩。在那边百货商场门前赚我们钱的，十个里头总有六七个便是他们那种‘农转工’子弟……”

莱妮听不懂，颤着眉毛发愣，艾芬便说：“莱妮，吃饺子吧！妈，别煮了，够了，您也快来吃吧！”

天花板总算安静了下来。艾芬抬眼望望不甚平整的天花板（预制板接缝处鼓出一道不怎么顺溜的填料，但整个天花板喷刷得还算白净），嘴里轻轻吁出一口气，心里却还不安。

4

隔着一层水泥预制板拼砌的楼板，上面的单元里坐着一个二十五岁的男青年。他的同伴都管他叫"崩儿爷"。他的前额有点突出，北京话管那样的额头叫"崩儿头"，所以得了个"崩儿爷"的绰号。此刻"崩儿爷"气鼓鼓地坐在圆桌边，光着膀子，胸脯大起大伏，心里翻涌着暴风般的激浪。

在这间屋的门口，另一个只有十九岁的男青年，瘦长个儿，怯生生地倚门站着，望着"崩儿爷"，看那表情，似乎又想说什么，又怕说什么。他的绰号很古怪，叫"这厢有礼"。他也住在这个楼区，父亲是唱京剧的，演小生，一辈子也没唱红过，只能陪着二流演员演一点三等配角；因为他父亲在戏里惯说的一句台词是"小生这厢有礼了"，结果他因父得号，被同伴们称为了"这厢有礼"，更往往被简称为"有礼"，甚而被单称为"礼儿"。他头发留得很长，包着瘦脸盘，衬托得下颏更尖；穿了一身石磨洗水牛仔装，猛望去似乎是个广州街头的"炒友"，其实他是地道的北京青年，至今尚未去过广州，虽然搭伙同"崩儿爷"等人搞一点服装买卖，胆子却很小，被当地小摊贩同伙视为最没出息的一员。

"……她跟那他妈的破导演走的时候，你丫挺的他妈的跟哪儿戳着呢？""崩儿爷"气息稍定，两眼炯炯地盯住"这厢有礼"追问。

"我吗？我就跟小汽车边上。"

"她临走时候没跟你说什么吗？"

"她说？她……她把手指头往嘴上一按，又冲我一扬，说：'拜拜——！'"

"崩儿爷"把桌子"呼"地一拍，胸脯仿佛即刻就要爆炸，吼叫起来："她没交代让你到车站接我吗？！"

"她……没有。真没有！我撒谎我是孙子。"

"你甭撒谎你也是孙子！"

"这厢有礼"垂下眼睛，承认自己"真是孙子！"

"你先滚吧！滚！"

"这厢有礼"如释重负地出来了。

"崩儿爷"把牙咬得咯咯乱响。

"崩儿爷"这回去广州办货，办得四个大蛇皮包的服装，全是最新潮的蝙蝠衫和成套衫裙。依他现在钱包的实力，他是舍得买飞机票或软卧火车票回北京的，但他在广州的那些关系还不足以让他买上那两种票，非但如此，他这回连硬卧火车票也没买上，结果他只好买了张硬座票回北京。车厢里好挤，有时候连上厕所都困难，但"崩儿爷"倒也没觉得格外地苦。他可是受过苦的。小时候跟着父亲在菜园子里种菜的苦已经淡忘，1974 年初中毕业后没考上高中，在当时的生产队里喂猪的苦可记忆犹新。1977 年银柳湖地区开始征地建居民区，他因为仅仅差一岁，没给安排到全民企业当工人，后来到火车货运站当了几年的临时工，扛"大个儿"，那活儿现在想起来还让人呲牙咧嘴；再后来他办了个个体经营的执照，跑起买卖来；跑买卖也得吃苦，记得他头一回往广州去办货，因为光有胆子没有见识，让中间人给坑了，弄得两手空空，他买张站台票混上了开往北京的火车，路上有一半时间是靠藏厕所和串车厢熬过来的，但车到丰台时终于还是被查了出来，人家要把他押交北京站派出所处理，他趁乱逃往了人群攒动的月台，不敢再往火车上混了，他是扒半夜倒完垃圾返回北京城的卡车回到北京的。当他蜷缩在那垃圾车臭味熏心的一角，用肮脏得令人作呕的苫布遮住自己以免被人发现时，他咬着牙下定了决心，这辈子一定要把买卖跑成，一定要发财，并且一定要对那坑害他的人实行报复！

现在他成了银柳湖百货商场前面的小小自由市场中最受同伙尊敬的一员。他究竟发了多大的财，除了他自己谁也弄不清。他给家里置了电冰箱、彩电、电风扇、录音机，他给自己置了本田大摩托，这是露在外头的，好给他估价，可他自己的存折究竟有几个，每个上头究竟是什么数儿，那就瞒得严而又严，连他爹他妈都问不出来，更别说他弟弟和妹妹们了。或许人们以为税务局会清楚，其实税务局最糊涂。那自由市场里的修鞋摊，按一个月收入六十块算，每月只抽不到两块钱的税，其实修鞋师傅有时候一天就能挣二十块钱，一个月稳收三百多。税务局就算心里知道他收得多，明面上拿得出证据确定他的高收入吗？对修鞋摊尚且如此，对"崩儿爷"等人的服装摊就更难掌握了。"崩儿爷"倒月月带头按时缴税，并且，他一个月比一个月报的营业额高，一个月比一个月纳的税多，税务局对他是最满意的，有时更由工商管理局出面，在个体户大会上将他表扬。"崩儿爷"钱也赚了，同行中威信也确立了，政府方面印象也日趋良好，按说他该心满意足了，不料他却时时陷于苦恼，这天刚从广州返京，一进家门便暴跳如雷，痛苦万分。

他烦恼，发怒，痛苦，为的都是"小墩子"。

"小墩子"是个刚满二十岁的姑娘。

"小墩子"也出生在"农转工"的家庭。"崩儿爷"和"小墩子"是在同一块地盘上长大的。他们的区别只在于"小墩子"没受过什么苦。她1972年上小学的时候，学校秩序固然很乱，但没过几年就赶上了"四人帮"倒台，等她上中学时，学校状况已经大大改善，她不仅上了初中，更上了高中，直到前年高考落第，这才加入了摆摊经商的行列，她小的时候，又圆又胖，脸蛋鼓得像是随时随地在吹喇叭，所以打她爹妈起就管她叫"小墩子"。"小墩子"在上中学以前不仅显得矮胖粗蠢，而且很脏，她的头发总是乱蓬蓬的，红润的脸庞上时常显露出汗水流过的痕迹，最可怕的是一双手，皮肤又粗又皱，一年四季手背上总包着儿块洗不净的硬壳，所以那时候"崩儿爷"简直从未意识到她是个女孩子。但"女大十八变"的规律不知不觉地支配着"小墩子"的外形和灵魂，自打上中学以后，她先是抽条儿，腰肢舒展开来，再后来她讲究起卫生，到银柳湖居民区建成，她家也搬进水、电、煤气、暖气俱全的新楼居住以后，她就不仅是干净利索起来，还越来越讲究穿着打扮。同"崩儿爷"搭伙做服装买卖以后，她首先不是把心思用在卖服装上，而是用在买服装上，当她头一回把投资的二百块钱交给"崩儿爷"，由"崩儿爷"往广州办回货来以后，一件件观赏着从"崩儿爷"的蛇皮包里掏出来的服装，凡是女装，她几乎都要捡起来往自己身上比试一番，最后她提出要买下两套式样新颖的衫裙，"崩儿爷"不由得沉下脸跟她说："你先学点卖好不好？你还没卖出钱来，就想买了！你那二百块钱，要买这两套还不够哩！你先一边待着去吧！"

"小墩子"不会做买卖，可"小墩子"实在讨人喜欢。同伙们喜欢她，顾客们也喜欢她。她现在是一个体态丰满健壮的姑娘，浑身喷溢着青春的气息。她有一头又黑、又密、又亮、又软的披肩发，她的圆脸庞血色充足，整天带着自然而甜美的笑容，最可爱的是她为什么事晃着脑袋哈哈大笑的模样。据说一般少女最怕大笑，大笑易露丑嘛。但"小墩子"大笑时，头发甩动着，让人联想起瀑布和流云，脸庞微仰着，让人联想起鲜花和阳光，耳坠晃摇着，让人联想起流星和焰火。而那毫不加以节制的笑声，简直就是最欢畅的乐曲和最奔放的鼓点。至少得有一打小伙子爱上了她。"崩儿爷"不消说是头一个。

"小墩子"究竟爱追她的小伙子们当中的哪一个呢？

"崩儿爷"虽说跟"小墩子"连摊卖服装，到底难得有当面说破的机会。"小墩子"的爹妈对"小墩子"盯得挺紧。那倒不是觉得她还太小。他们毕竟前几年还是农民，他们不像城里的老居民那样，还把二十的闺女当成小丫头片子，可他们觉得"养女千日，用女一时"，他们不乐意让"崩儿爷"式的人物将"小墩子"娶去。固然"崩儿爷"兜里有钱，如今他们也不再贫穷，钱倒退居其次了，他们是希望"小墩子"最终能攀上机关干部或知识分子，这样，通过联姻，他们就可以进一步地成为地道的吃商品粮的城里人。

"崩儿爷"为了赢得"小墩子"的心，也为获取"小墩子"爹妈的好感，去年秋天心生一计。他把几个在西单摆摊的朋友约到鸿宾楼去，开了一桌，几个小伙子都是他在广州认识的，回北京以后常打电话联系，可不常来往。当烤鸭子吃得差不离了，空酒瓶子也摆了半桌的时候，"崩儿爷"朝几个哥儿们一抱拳，求他们帮忙。那自然是一求百诺。

几天以后，晚上八点多钟，"小墩子"从城里大姐家回来，骑车经过护城河沿的时候，突然车前车后闪出了四个小伙子，个个嘴里喷着酒气，阴阳怪气地硬约她去参加一个什么舞会。她生气地拒绝，并且大声骂他们"臭流氓！"四个小伙子竟然硬把她从车上拎了下来，又摔车，又拽她的胳膊，又胡言乱语，她急得不行，想喊"救命"，又怕喊了人家会掏出刀子来，简直是方寸大乱，惊惧交集。突然一辆摩托车急驶而来，车刚刹住，马达还突突突地响着，车上的人已经冲了过来，一声"干什么的？"刚刚吼出，拳头已经挥了过来，两个流氓头上挨了拳头，嗷嗷惨叫，另外两个先逃开了，被揍的两个听见又一声吼："作死吗？还想不想活？！"晃了晃脑袋，也赶紧逃跑了。"小墩子"在惊喜中发现，那来解救他的不是别人，恰是"崩儿爷"。

……他俩在银柳湖畔坐了许久。"崩儿爷"一根接一根地抽烟。"小墩子"不知为什么总咯咯咯地笑，她尽量压抑住自己的声音，那声音还是很明显。

"你笑什么呢？"

"没什么嘛。"

"你准在笑我。"

"嗯，笑你。怎么着？"

"你干吗笑我？你刚才不还一个劲谢我吗？"

"刚才一个劲儿谢你。现在笑你，许不许？"

"不许！"

"你甭抽了。怪味儿的。"

"就这一根。"

"你救了我，为的是跟我说什么呀？"

"说什么？……什么也没得说。"

"甭装傻样啦！我全明白啦！"

"你明白什么了？"

"明白这都是假的。全都是假的。"

"怎么是假的？"

"就跟拍电影似的。演出来的。哈……我全明白了。"

"明白什么了？！"

"全是假的。对不对？你让他们来的，对不对？你早在一边等着了，对不对？"

"什么'对不对'！你懂什么呀！"

"我怎么不懂。我懂。你真傻！你不懂……"

"不懂什么？"

"你不这样，我也……"

"你也怎么着？"

"我也乐意跟你好！"

"……"

"你还男子汉哩！你瞧，我就敢直说，你敢吗？你不敢！你多坏！你搞这么一套，你要真把我吓坏了怎么办？我吓死了你才把摩托车骑过来怎么办？"

"你真吓着了吗？他们也太次，说好不让他们过分的，他们他妈的假戏真演了，这群臭流氓！"

"你才是臭流氓哩！"

"你生我气了？"

"我……不是为刚才的事生气，是为这会儿生气。你干吗这样？你……你想说什么就说什么不好吗？"

"我想说……"他把才抽了小半根的烟扔进湖里，扭头望着她。月光下她的模样很特别，他感到平时她都不是这模样，只有一回在梦里是这样。真跟做梦一样。

"你说呀！说呀！"她催促着。

他仿佛是举重运动员在杠铃前运气。他仿佛是举重运动员对自己选定的重量没有信心。他浑身的血在渐次沸腾，脸上火烧火燎的。

她吃惊地望着他，期待着，却又浑身轻轻地哆嗦。

他终于说出了口："我想……跟你亲嘴！"

她的心仿佛一朵花蕾，在一阵雨点的冲击下猛地绽开了。她不记得她是怎么回答的，或者她并没有回答……她感受到了他那灼热的嘴唇的无限压力……他们紧紧地拥抱在一起……

她又听见他喘吁吁地说："让我摸摸……让我摸摸……"

她自己解开胸前的纽扣，让他那只粗壮厚实的右手好伸进去；然后她忍不住也摸索着解开他胸前的纽扣……

当狂乱过去之后，她忽然害怕起来，一贯开朗快活的她涌出了一串串的眼泪。"咱们是不是耍流氓？"她喃喃地在"崩儿爷"怀里自问，"咱们是不是够进'局子'的份儿了？""咱们可怎么好呢？"

"崩儿爷"让她的头靠在他厚实的肩膀上，摩挲着她的头发，发誓说："傻墩子，我娶你，我娶你呀！"

"小墩子"却哭得更厉害了。她钉住问："你是不是净跟别的姑娘这样？""你准不是头一回，准不是！"

"崩儿爷"不知道怎么才好。到最后，他咬咬牙说："你再没完没了，我就一头冲那柳树上撞去！"

"小墩子"伸出胳膊搂住他的脖子，咯咯咯地笑了，搂得紧紧的，仿佛他真的马上要撞过去。

……

"小墩子"的爹妈相信了"小墩子"的报道，他们一直没有怀疑"崩儿爷"在最紧急关头救出了他们的这个女儿，因此他们对"崩儿爷"的态度大有好转；但他们并没有放弃让"小墩子"嫁给干部或知识分子的打算，这实在也不是他们好高骛远，如今他们这样的家庭就跟大量的干部和知识分子住在同样的楼房里，接触的机会实在很多，纵使有一百家干部和知识分子家庭看不起他们这样的"农转工"家庭，也还有其余的机会存在，而这样的机会他们也并不需要很多，有一次就够。"小墩子"的爹妈闲了没事时最爱到楼前看各种班车停靠。住在这里的机关干部和知识分子，好多都同属一个单位，因此每天上下班有班车接送，这些班车一般都是漂亮的、带空调设备的大型进口面包车。"小墩子"的爹妈常常站在某一辆班车左近，观看上下车的人们，凡是小伙子，看上去大概是刚从大学毕业不久的，他们总忍不住下死眼看个仔细，并且幻想着有一天其中某一个会成为他们的贵婿。当然，要搭上钩还得另想办法，他们也一直在想办法，因为毕竟算是邻居，办法似乎也并不难找……

"崩儿爷"本该集中精力对付"小墩子"的爹妈，可是他却越来越集中精力来对付种种假想中的情敌。有一天他在银柳湖边质问"小墩子"："你干吗那么爱听'礼儿'瞎掰？"

"小墩子"笑嘻嘻地没当一回事儿："我怎么爱听他瞎掰了？"

"他小子那根舌头，赶明儿我非给他揪出来打个结儿不可！他妈的！"

"你干吗恨他？他哪点得罪你了？"

其实"这厢有礼"口齿远非伶俐。那天他们一起摆摊卖袜子,那批袜子卖不动,连凑拢摊边看看的顾客都少,"这厢有礼"也不知怎么的就讲起了福尔摩斯探案来。电视上刚演了几集《福尔摩斯探案》,可都是小段子，没上大部头的故事。"这厢有礼"很得意于自己读过《巴斯克维尔的猎犬》,那是个曲折得多的长故事,他讲给包括"小墩子"在内的几个摊贩听。开始讲的时候，"崩儿爷"不知干什么去了没有在场，及至"崩儿爷"回来时，他正讲得起劲。"崩儿爷"只见"小墩子"先是圆睁双眼，微撇双唇，突然不知怎的又被逗得仰脖大笑，露出雪白的牙齿，一对他送给她的红耳坠子乱打秋千，于是心里就像被人扔进了一团烂泥，又堵，又闷，又恶心！……

"我告诉你，你甭再跟'礼儿'近乎，我眼里揉不进沙子！"

"你疯啦？"

"我今天心里别扭，就是你跟'礼儿'近乎弄的！"

"我跟他近乎？哈……他给我擦皮鞋我都不要！"

"真的？"

"我只跟你近乎，你怎么连这个都不懂，都不信？你再这么犯浑，我敢跟你散伙，我不让你给办货了，我找别人给办货，要不我自己办货去！"

……后来自然一切如故。但过几天又得起点风波。时晴时雨，时雨时晴，随之而来的是一种幽幽的厌烦感，两个人都如此。

这一回"崩儿爷"又去广州办货。在广州上车前他给"小墩子"打了个长途电话，打到银柳湖百货商场，商场里的售货员大半是他的哥儿们，并不嫌他们外头的摊贩抢了里面的生意，并且乐于为他办任何事，所以他电话一挂过去，人家就到外头摊位上找到了"小墩子"。"小墩子"高兴地接了电话，答应按时去北京站接他，并且答应不把他到达的时间告诉"这厢有礼"等人，省得他们到时候也去那里"起哄架秧子"……

谁知他下了火车，先是站在月台上张望等待，后是一边朝站外移动一边焦急地搜寻，却始终不见"小墩子"的踪影。他只好怏怏地走出长长的地下通道，各提两只大包的手臂感到格外酸痛，勉强挣扎到出租汽车站，在漾漾细雨中，为租车他还同调度吵了一架，后来终于租到了一辆车，回到了银柳湖楼区。他在楼门口劈面遇上了"这厢有礼"，"这厢有礼"见了他便说："哎呀'崩儿爷'你可回来了，你知道出了什么事吗？商场那儿都轰动了……"他喝住他说："少啰嗦，先给我把这包儿提家去！"上楼的时候，他每登一级台阶心里就冒出一样不祥的猜测来，各种不祥之兆当他走到屋里时已经在他胸中交织成密密匝匝的一片！

但是他万万没想到的是"这厢有礼"所报导的，竟是这么一番话："……无巧不成书！电视台的导演不知怎么跑到咱们市场那儿来了，转悠来转悠去的，又不知怎么的一眼相中了'小墩子'，说她演一个什么主角最合适……一大群人围着，都快把咱们的摊子掀翻了；'小墩子'先是哈哈大笑，后来也不知怎么的又急了，抄起摊上一顶运动帽朝那家伙头上扣过去，拍拍那顶帽子说：'行啦，别拿我穷开心啦！白饶你这顶帽子，走人吧！'……大伙连同'小墩子'原来都以为那导演是开玩笑，谁知他是真的相中了'小墩子'，说什么她的气质太好啦，简直活生生就是那个剧本里写的那个什么角色啦……结果，他就把'小墩子'请上他们坐的那辆小轿车，把'小墩子'带走了，说是去他们那儿试镜头，如果上镜头不慌，就跟'小墩子'定合同，约她演电视片……'小墩子'这下子能成电视明星啦！……"

这消息对"崩儿爷"不啻晴天霹雳，狂怒中，他从包里把买来专为"小墩子"自用的一个香港产的玻璃香水座掏出来，狠狠地朝地板上砸去，又在一种狂躁的冲动中，把身上的一件在广州买来自穿的法兰绒 T 恤猛地脱下，掼到地上……

当"这厢有礼"被他轰走以后，他渐渐清醒过来。但清醒却使他更加痛苦，全身犹如被针尖刺扎着。这件事虽然来得突然、怪诞，但他确信是真实的。他突然间有一种崩溃感。电视台的！导演！他"崩儿爷"有钱，大把的钱，那电视台的导演准定不会有那么多属于个人的钱，但他还是支撑不住，因为对方有着一种比金钱厉害的优势……

一条壮汉就那么呆坐在屋子当中，痛苦得没法子形容。

5

艾芬和莱妮朝楼下走，迎面遇上了一个男人朝楼上走，艾芬好不自在。当他们交错而过时，艾芬尽可能把身子闪避得远些，她皱起眉头，屏住气息压抑住内心的厌恶。烦乱中艾芬一瞥莱妮，莱妮只是自然地礼让，看样子倒既不惊怪也不厌恶。艾芬拉过莱妮的手，加快脚步朝楼下蹦跳而去。

吃过饺子，莱妮提出要去逛逛银柳湖，并且希望能先去那商场门口的自由市场逛逛——她又到阳台上去望过，雨停了，西边天际一片紫红色，霓虹灯下，那些本已收盘的小摊又都恢复，卖羊肉串的小摊逸出阵阵白烟，显示出一种诱人的氛围。艾芬答应带她去。不过艾芬希望莱妮能充分地看到银柳湖一带的可爱之处，特别是银柳湖公园新建成的一座琉璃瓦的八角亭，中国味十足，在亭子里恰能望到银柳湖最优美的一角。艾芬真怕莱妮再看到这个地区那些令人不快的人物和景象——比如刚才在楼梯上狭路相逢的那位"农转工"邻居，显得多么粗鄙和丑陋啊！

那与她们交错而过的，是"崩儿爷"的父亲，附近的人们如今都称他朱师傅。他才五十二岁。多年的田间劳动，使他皮肤成了酱黑色。他是"农转工"中少数依旧保持农民气度的人物之一。虽说不再穿抿裆裤了，他却始终不系皮带，而是用大红的布条扎住裤腰。一年里除了冬天最冷的季节，他都不穿袜子而光脚穿鞋，鞋也总是最一般的布鞋。他并不谢顶，却永远剃个光瓢。抽烟只抽叶子烟，用旧式的烟袋锅，烟荷包拴在腰带上。最突出的一点是他每年一到五月天气转暖，就总露着胸脯，中式布褂要么只拢上胳膊不系扣子，要么就干脆只披在肩膀上。老婆孩子自打住楼以后劝过他多少次，让他养成穿针织背心、圆领衫和棉毛衫的习惯，"崩儿爷"也孝敬过他许多的这类衣服，包括绒线套衫，他却总是穿了没足一天就脱下来扔到一边，说是拘得慌，没法子，最后也就只好由他保持他那习惯。冬天他自然穿棉袄，但除了最冷的三九天外出加穿一件绒套衫外，一般也总是光着身板穿棉袄。这主要是因为他的生活一直相当困难，直到近十年来才有了根本的改变。他二十岁就娶媳妇了，"崩儿爷"前头就一男一女，男孩子七岁上得病死了，女孩子二十岁的时候嫁到了大兴县一户农民家里；"崩儿爷"底下还有俩男俩女，一个大妹妹如今在饭馆跑堂，另外三个还都在上学。

朱师傅原先在银柳湖这块地面上种菜，征地改建居民区以后，他就在修建这居民区的建筑队里当壮工。他力气大，脾气好，任劳任怨，寡言少语，人们都不怎么注意他，他也就一天接一天地那么默默地干活，默默地抽烟，默默地回家，回到家他的唯一嗜好便是默默地喝酒。居民区盖成以后，春夏秋三季他在房管局维修队当壮工，冬季便到锅炉房烧锅炉。

银柳湖居民区的"农转工"家庭，全都在随着时代变化，朱师傅的家庭也不例外。住在新式单元房里，又由于"崩儿爷"的发财添置了许多种家用电器以及新式的家具，连朱师傅的老婆（她刚到五十岁）也用起"华姿系列化妆品"来，朱师傅却还那么守旧，因此他似乎越来越具有"文物"的性质。

谁知朱师傅也有朱师傅的奇遇。

有一个年龄跟他差不多的画家，是画油画的，在银柳湖居民区刚破土动工时，就来画素描，搞素材。一个偶然的情况下，画家发现了朱师傅。这位画家的审美趣味同艾芬那样的年轻姑娘、大学生显然大相径庭，他竟认为朱师傅可以入画。依他的说法，如今再找这种气质的人物已经很难，他认为朱师傅的形体面容上，既沉淀着北京郊区农民的传统素质，又渗透着新生活——即农民向工人转化——的明显因子，而且朱师傅的眉毛极浓，眸子极有神采，嘴角的皱纹凝聚着往昔生活的艰辛，肩膀的肌肉显示一贯的坚韧与勤劳，就连一双粗而不大的手那背部隆起的筋脉，也沉淀着整整一代北京劳动人民的毅力和韧性……总之，他是由速写而素描，由素描而淡彩，由淡彩而油画，由习作而正式创作，最后完成了一幅题为《土生》的大型油画，近景是朱师傅披衣敞怀，手里托着烟袋锅，坐在水泥搅拌机旁沉思，背景是银柳湖拔地而起的高楼——竣工的和正施工的……这幅画在一次美术展览会上挂出展览，并博得了好评。

画家后来也搬进了银柳湖居民区。他同朱师傅算朋友吗？似乎不能算。在工地上，当画家头一次请朱师傅当模特儿画像时，朱师傅开头老老实实地坐在那儿，让他画。可当画架子后头围了一群人看热闹以后，朱师傅就坐不安生了，没等画家画完，他就说声："该干活了！"竟抽身而去。后来画家把朱师傅往家里请，他说不爱串门，不去，再后来画家请求到朱师傅家去为他画像，朱师傅同意了。他在家里倒能一坐坐半天，除了抽烟袋锅，一动不动，可临到画家先说了好多道谢的话，再拿出二十块钱递过去时，他的脸涨成了紫茄子，憋了半天，才从嘴里闪出这样的话来："你当我什么人了？！"画家忙解释，说他这也是一种劳动，应得到报酬的，他们在美术学院里请人摆模样画像，都给钱的，这是规矩；朱师傅听明白了以后，也仍是闷声闷气地说："你要跟我来这套，以后别来招我。你要收起这套，随你画。"画家更觉得他的形象美好了，连说："我错了我错了，我画我画……"后来，画家来的时候光带酒来，俩人一块儿喝，喝喝画画，画画喝喝，算是有了交情。可他们对谈不起来。画家有问，朱师傅必答。画家不问，朱师傅无话。朱师傅老婆、"崩儿爷"及其弟妹们对这位时不时来家的画家都不理解，甚至以为他神经不正常；在他们眼里，作为丈夫和老子的朱师傅实在没有什么值得一画的，更没有什么值得一谈的。那幅《土生》完成以后，画家来得少了，但再来时不带画具，只带酒。从旁望见他俩坐在一处喝酒的情景，你又必得认为他俩是老朋友、好朋友。

一个艺术家和一个"农转工"就建立了这么一种古怪的关系。

那幅《土生》朱师傅自己并没有看见过。画得大，不好搬动，画家请朱师傅去他家看，朱师傅答应着，总不去；后来又请朱师傅去看展览，朱师傅连"嗯"的一声应答也没有。朱师傅心里想的是，人家看得起我就行，尽管画，画好画赖不关我的事，我也不懂那画；我这模样儿，去人家屋里串门，当家的不嫌，其余的人难保不嫌，我身上有味儿，我知道，我还是待在个儿家里自在……

可也不能说朱师傅同画家结识后没起变化。他变得勤于洗澡，并且养成了用牙膏刷牙的习惯。当画家同他坐在一起时，他偶尔会问一句："你不觉着我味儿吗？"他保持那样一种装束打扮，原来不过是惯性作用，经过被画家刻画后，他的意识之中增添了一种对自我的发现和尊重，只不过他表述不出来罢了……

艾芬和莱妮已经出了楼门。朱师傅则回到了自己家中。

6

"怎么了这是？"

"崩儿爷"不回答父亲的询问，只是从地上把那法兰绒T恤拾起来，赌气般地穿上。

"你砸酒瓶子干什么？"

"崩儿爷"每回从外地买回货回来，总要给父亲带回两瓶好酒来。朱师傅看见地面上散落着玻璃瓶碎片，又有一大摊非水似酒的东西，便以为是"崩儿爷"把酒瓶子砸了，他心中顿时不快。

他们这爷俩的关系，本是十分恬淡的。"崩儿爷"见了朱师傅，高兴时叫声"爸"，不高兴时连头也不点。朱师傅对"崩儿爷"的所作所为则不闻不问。弟妹们也都学着"崩儿爷",总觉得自己的父亲是个过时的人物,而朱师傅也自认自个儿管不了他们,因为孩子们都上学念了那么多书,他自己却基本上是个文盲。他们的关系可以说是在一个屋顶下和平共处。不过也有若干微妙的因素,比如朱师傅真为什么事发了话,却也能让"崩儿爷"及其弟妹们感到他作为家长的威严,倘若他偶然病倒,那"崩儿爷"会带头孝心发作,亲自去叫来出租汽车不算,还心甘情愿地背着他下楼。家里的冰箱、录音机,朱师傅从来不动,彩电一般他也不看,除非有戏曲节目,有了戏曲节目孩子们便去叫他来看,有时他也未准就过去看,但如果是评剧,则必看无疑,其中又以《杨三姐告状》和《秦香莲》,为百看不厌的剧目。

倘若"崩儿爷"这天没有什么异常的表现,那么朱师傅回到家中,父子二人打个照面,"崩儿爷"或叫声"爸",朱师傅或问一声"回来啦?"后者便一定即刻回到他和老伴睡觉那间屋。那屋里按他的习惯三面靠墙地支着个木板铺,褥子上不管冬夏永远铺着席子,当中安个炕几,那实际上也就是个木炕。一角堆着足有一米多高的被子和小褥子,晚上睡觉的时候,撤开炕几,铺上小褥子和被子,朱师傅还是像当年一样,脱得赤条条地钻进被窝睡觉。不睡觉的时候,他十有八九便是坐在木炕边上喝酒;酒瓶子和酒盅,以及往往是简单之极的一盘下酒菜,便都放在那炕几上。此外还有一个外壳已经破旧不堪的半导体收音机,"崩儿爷"多次要替他淘汰并更新,而他坚决不干;他就一直用那半导体收音机听戏,自然也是一个劲儿地找评戏来听,如果没有戏曲,他便关上不听。那半导体收音机是"崩儿爷"他们一群没一个的时候,朱师傅在一次过春节时置下的,他一直留着它,当然不仅仅是因为它还能收音。

倘若"崩儿爷"这天没遇到糟心事,他回到家以后,一定首先是把自己擦洗一番,然后换上自以为是最帅的衣服,这期间还一定用录放机放送着他最喜欢的磁带,如奚秀兰或朱明瑛唱的流行曲;把自己拾掇完了,他便会先坐在沙发上,津津有味地检索整理他的几个钱包,再站起来,把那四个蛇皮包里的东西一样样拿出来,摆放到长沙发上、单人沙发上、茶几上乃至酒柜上,仿佛办一个展览会似的。这当中或者他突然拐进父母屋里一趟,把两瓶捆扎在一起的好酒往朱师傅眼前的炕几上一放，并不一定说声："给您喝吧！"朱师傅也并不一定说声："好呀！"父子二人或者并不交流一言，"崩儿爷"便退出来，继续整理他带回来的宝物。整理完，他一般总不免要往他自己的那张折叠床上仰身一倒，随即便再次浮上这样的念头：娶了"小墩子"以后，一定得弄张最舒服的席梦思双人床，再配上全堂的组合柜……然后他便会一个鲤鱼打挺又蹦起来，因为他一定同"小墩子"约好了要在什么地方碰头，或者"小墩子"竟会自动闻讯赶来……今天本应比以上所说更让人来劲儿，因为"小墩子"本来就该跟他一块儿从车站回到家里，一块儿检阅和整理这回远征的丰硕成果，而那个相当漂亮的香港香水座，也一定会引出"小墩子"最让人心疼的笑脸和笑声……

但是今天和往常不同。

"怎么了这是？"朱师傅再一次问。他很少连着说两句相同的话。

"崩儿爷"急赤白脸地跟他说："怎么了？'小墩子'让人给拐跑了！让人给勾引走了！让人给玩了？让人给……"他一句比一句不雅。

"那，那你摔酒瓶子就顶用啦？"

"是酒瓶子吗？您瞧瞧是酒瓶子吗？"

朱师傅判断不出那些玻璃碴子是不是酒瓶子，可地上那摊液体发散出的气味，确乎不是酒香，而是一种让他觉得别扭的香气。

"崩儿爷"打架般地扯开身边一个蛇皮包的拉锁，从里头薅出两瓶捆扎在一起的酒来，"咚"的一声搁在全家吃饭用的大圆桌上，又吵架般地冲父亲嚷："砸了吗砸了吗？"

朱师傅一见，心里挺感动。他弄清楚儿子确实遭了不痛快的事儿，正急得挺不住以后，便没有循例蜇回自己屋里，而换了一种关切的语气问："真有那事吗？'小墩子'她爹妈知道吗？"

"他们？他们就盼着这号事情呢！"

"你上她家问问不成吗？"

"问个蛋！问谁去？谁问去？谁问谁去？！……"

朱师傅见儿子没有往常神气活现、自以为是的神气，变得抓耳挠腮、六神无主，忽然心疼起来。他抖抖披在身上的褂子，安抚地说："你急个什么？那就我给你问问去吧！”

父亲出去以后，“崩儿爷”一屁股又坐到圆桌边的折椅上，他没想到一贯对他的事不闻不问的父亲，今天竟反常地要为他做点什么，其实他并没有那样一种要求；在他为“小墩子”被“拐走”而呈几何级数增加的烦恼中，忽然又掺入了对一贯被他漠视的父亲的一种罕见然而强烈的柔情。“崩儿爷”的情绪更复杂了。

7

“崩儿爷”和“小墩子”搞对象，朱师傅原本不甚关心。“小墩子”那闺女不赖，可换成另一个，只要不是懒馋刁钻的，也随儿子去。他老婆倒问过“崩儿爷”好多回：“你跟‘小墩子’打算什么时候办事儿？”“崩儿爷”也答过好多回：“您还不知道‘小墩子’她爸她妈那人？现在嘴里说的是‘小墩子’还小，不着急；其实他们眼眶里根本没有我，净想着让‘小墩子’攀高枝儿……‘小墩子’也确实小点，我们就再晃摇二年吧！”这些话朱师傅往常听了，也不往心里搁。可今天他看出来，儿子是非“小墩子”不娶，弄不好要闹事儿，所以出于一种本能，他下了楼，便往五十米开外的一片绿地走去，在那里，他相信准能找着“小墩子”的爹。

“小墩子”的爹，同辈人都管他叫满禄，他姓什么，有的人甚至于并不清楚，他原是跟朱师傅一起在村里种菜的，比朱师傅大得多。“农转工”以后他在一所仓库里当看守，头年刚刚退休。自打住进楼房当了工人以后，他就拼命地搞“城市化”，自然他心中并无这样一个词儿，但他追求的一切实在只能用这样一个词儿形容。他家的景象，小一辈住的房间布置得不用说是新派的了，就是他和老伴住的那一间，也有沙发、茶几配落地灯的装备。倘若有人将他的房间同朱师傅的房间加以对比，便会产生一个疑问：何以他比朱师傅年岁大，倒反而不像朱师傅那般保守？其实我们倘把人是复杂而难以类分的这一条当做前提，也就可以不必提出这样的问题。

话说那天傍晚，天色已经发暗，在朱师傅所走去的绿地上，有坐在长椅上织毛线说闲话的妇女，有提鸟笼谈鸟经的老头，还有跑来跑去叽喳欢叫的玩童，除此之外，还有一个看上去挺精壮的老头，站在一棵杯口粗的枫树前活动身体，那便是满禄。到绿地上健身，这也是满禄革新自己的一环。原来当农民，什么健身不健身，下地干活就自然健身，但自打当了仓库看守，住进楼房以后，满禄先是感觉自己坐的时候多了，身子不合适的时候也多了，后来发现那些老城市居民，特别是干部和知识分子，似乎个个都特别惜命，讲究早晚到楼下健身，早上满街是跑步、快走的，满绿地是做操、打羽毛球的，晚上少点，但也经常能看见搞健身活动的人影。于是他便学着也搞起了这一套来。

朱师傅走拢满禄跟前的时候，满禄正双手握住一棵枫树，伸直胳膊，弓足身子，用左右脚轮流去蹬那树干。这种健身方式，是他前些时在银柳湖畔早练时，从别人那里学来的。当时他只瞅着那健身的人姿势来劲，全然没有注意到小树在晃动中的痛苦。此刻也是如此，他只体会到腰腿筋肉的舒张之乐，而根本漠视被他糟蹋的枫树的呻吟。满禄在实现他自身"城市化"的过程中，便是如此这般地精华与糟粕兼收并蓄。

朱师傅见了满禄那做派，心里很不以为然，但他也并无劝阻满禄不要蹬树的冲动。他来找满禄，只是为"小墩子"的事，因此打了照面后，便直截了当地说："'小墩子'是出了点什么事呀？"

满禄绕过枫树，两只手掌互相拍打着，倨傲地望着朱师傅，面有得色地说："出点什么事儿？出大事儿了！这回可闹大发了！'小墩子'她坐上小轿子车，'刺溜'——飞啦！"

朱师傅说："我们老二在家里急得不行。他把货办回来了，等'小墩子'去取哩。"

满禄左右比画了几个箭步，轮流踢踢左右腿，又收回脚，晃摇了一阵胳膊，然后示威般地把草坪上的一根鼓形石柱搂定，举到齐胸处，再使劲把它掼到远处，那"砰"的一声闷响，惹得附近一些人投过来责备的目光，但满禄满不在乎地跺跺脚，从喉咙里咔出一口痰来，这才接着刚才的话茬对朱师傅说："你家'崩儿爷'他急个什么！'小墩子'这以后不定还摆不摆摊儿了，办来的货先存他那儿就是，钱上的事让他们以后得便的时候再算。"

朱师傅哑然，他原以为满禄正在着急，他能打听出点什么情况来，帮人家着急，并且一块儿想法子找找"小墩子"，没想到满禄竟完全是一副志满意得的神态。

满禄练完了，只觉得身心大畅，他脸上挂笑，问："怎么着，吃了吗？"

朱师傅说："没呢。"

满禄声音挺大地发出邀请："我那儿吃去吧！"

朱师傅意识到，这实际上就是说"再见"，便只好闷闷地说："不用啦不用啦。"他耸耸肩膀，把褂子紧紧，转身离去。

8

"你怎么非喜欢这块地方？"

"喜欢。很喜欢。我想起了我们法兰克福的圣诞市场。"

"你们的市场总归是堂皇富丽的，哪儿能这么乱。"

"堂皇？美丽？啊，你是说漂亮？很漂亮的，跟这儿一样漂亮。"

"我是说，你们的圣诞市场一定是高级的。"

"高级？不，没什么高级。圣诞市场也是摆好多的摊子，比这里还多，卖各种有趣的东西，当然主要是圣诞节用的东西，蜡烛，圣像，盘子，杯子，真的花，假的花，还有好多吃的东西……"

"也有这种现做现卖的东西吗？"

"有的。很多的。煎香肠，点心，热甜酒，巧克力……艾芬，我们吃一串烤羊肉，好吗？"

"在你们的圣诞市场，也是买来就吃的吗？"

"当然。"

"站着吃？不会吧，你们总是有座位的……"

"也站着吃，站着吃很有意义。"

"站着吃很有意思？"

"对，有意思。"

"好吃吗？"

"好吃。很好吃。"

"我总觉得这样吃不卫生。"

"为什么？"

"你不嫌脏吗？"

"不脏。"

"在德国，只有小孩子才站在街上吃东西吧？"

"为什么？谁都可以站在街上吃东西的……烤白薯！也很香！"

"烤白薯可不能吃！羊肉和白薯合在一起吃，会中毒的！"

"真的吗？"

"真的！大葱和蜂蜜合在一起吃，螃蟹和柿子合在一起吃，都会中毒的，搞不好甚至会吃死人的！"

"啊，那我们真该试试！如果真的中毒，我们就赶快去医院！"

"试试？你怎么会有这种想法？"

"你没有吗？试一试，多一种生活经验，不是很好吗？"

两个姑娘正说到这儿，"这厢有礼"凑过去跟她们说："嘿，瞧瞧我的衣服吧！来件蝙蝠衫？给我外汇券，我能豁出去便宜你们一半！"

两个姑娘把头转向他的摊子，都有点尴尬。

"这厢有礼"从挂衣服的绳子上取下他认为最能吸引她们的一件三色拼接的法兰绒蝙蝠衫，摇晃着。可是莱妮瞧着觉得完全过时，艾芬瞧着觉得过分新潮，都绝无购买兴趣。

"这厢有礼"把衣服挂回去，进一步凑拢她们跟前，眨眨眼怯声怯气地说："换点外汇券给我，怎么样？你们说个价儿！"

艾芬脸红了，她拉着莱妮胳膊，想赶紧离开。莱妮懂得遇上了什么事。她在中国已经多次遇到了这类的事，她知道官方是不允许的。她遵守官方的规定，每遇到这样的情况，她便微笑地摇头，但觉得现在也不必要生硬地转身离去。她想同眼前这位有趣的中国小伙子随便谈谈。

"你天天在这儿卖东西吗？"

"对，差不离，天天来。"

"你觉得有意义吗？"

"意义？有！有意义！实现'四化'嘛！"

"她的意思是问你有意思没意思，莱妮，你是问他有意思没意思，对吧？"

"是的。你觉得有意思吗？"

"意思？有意思！……哎，我说这位师傅，不，这位外宾——"

"你就叫我师傅好啦！我名字叫莱妮，'莱妮师傅'这很有意思！"

"我说您哪，莱妮……那个师傅，您这中国话说得挺溜的啊，您是打哪儿学的呀？"

"我在德国学的，在法兰克福学的；在台湾也学过，现在在北京学……"

"台湾？好家伙！您认识黄植诚吧？李大维？"

"谁？"

"她怎么会认识他们——她是来咱们中国留学的，她是西德留学生……"

"这个摊子是你一个人的吗？"

"我们一共是三个人……对了，我们里头有一位女同志，她当电影明星去了……"

艾芬用责备的目光瞪瞪"这厢有礼"，她以为他是信口胡言，她以为他这样对待莱妮是不礼貌的行为。

这时候"这厢有礼"的摊位前已经围了好大一群人。人们的兴趣自然主要集中在莱妮身上。

莱妮对"这厢有礼"传递的信息非常感兴趣。

"电影明星？是吗？那可真有意义——有，真有意思。"

"真的！我要蒙人我是——她外号叫'小墩子'，今天中午刚让导演给带走的。那导演要让她上电视，对了，她是要当电视明星，电视明星跟电影明星差不离是不？她这下可抖起来了！"

艾芬还是以为"这厢有礼"在那里信口胡诌。她拉拉莱妮的袖子，要领她一同离去。但是"这厢有礼"下面的话却使她不免一惊——

"……那导演挺帅的，连名字我都知道了，叫董必佳，听说现在带着摄制组，住在碧玉宾馆里头哩，'小墩子'就去他那儿了，一去先试镜头……"

"这厢有礼"满脸自豪，就仿佛"小墩子"成了主演，他便成了主要配角似的。

"咱们走吧，瞧这儿挤的……"艾芬把莱妮从人群里拉了出来，她心里有点乱。

"小墩子"她有印象，俗不可耐。她感到困惑，表哥怎么会把这样的姑娘拉去拍电视？

"什么叫做'小墩子'？'墩子'是什么意思？"莱妮却仍然兴趣盎然。

"你听他瞎说哩！这种小伙子，最能信口胡言了！"

尽管两个姑娘没有礼貌地离去了，"这厢有礼"却并没有生气，因为人群里有的跟他继续打听着"小墩子"被拉去拍电视的事。他一边冲着问话的人点头，表示他将一一回答，一边冲着两个姑娘的后背提高嗓门说："哎，人家留学生不稀罕咱们中国的衣服，人家要咱们的土特产——卖糖葫芦的，给来两串大海棠的，我掏钱！"……

两个姑娘确实是朝着卖糖葫芦的摊子走去，卖糖葫芦的老太婆果然举着两串海棠的递向她们。她们接了，艾芬付了钱，这时候她们发现那画过油画《土生》的画家，正拿着速写本在给卖糖葫芦的老太婆和摊子画速写。莱妮首先凑过去看他作画。

艾芬认识画家，便招呼说："您天黑了还来画？"

画家手不停地动着，笑笑说："天黑了有天黑的特殊气氛。我记录的其实并非形态，而是氛围……"他抬眼望了望两个姑娘，礼貌地点了点头，又说："我是想捕捉住那最本质的最深刻的东西……但是，很难，很难很难……"

两个姑娘偏着头看画家的手握着炭条在白纸上迅速移动。她们从不同的角度也都感觉到很难很难。

9

碧玉宾馆一间客房，被住在里面的导演董必佳及随时来找他的摄制组人员弄得凌乱不堪。

晚餐后，董必佳斜倚在软床上，手里紧握电话，几乎是不停歇地在听，说，笑，写，撇嘴，惊呼，沉默，爆发……

这便是他这一段日子里每到这段时间的一种生活和创造方式。

他想往外打电话，却不得不先接一个他想回避却未能躲过的电话："……谁跟你说的？我怎么会呢？……哈……亏你想得出来！……实在是这个本子不适合你，真的！我完全是为你着想，会毁了你的……戏路当然要宽，但总也得切合自己的基本素质……我给你留着《聊斋》系列片里的角色哪！骗你我是希特勒，一准死在地下室！哈……谁说的？我真的不在！真的！……看外景去了，真看外景去了……怎么会呢！咱们俩还有什么说的！听他们胡说！……全是造谣！……你先安心演你那个话剧吧，那个角色不错……什么？我看过那个剧本，真的！怎么样？实话实说，整个剧本不敢恭维，可也就你拿到的那个角色刻画得不错……我没时间，真没时间！谁敢骗你呢？……等我忙过这一段吧！……那当然，错不了……好，就先说到这儿吧，有人撞门呢！……不是强盗，我得去应付啊，要真来强盗我倒不用挂上电话了！拜拜！"

摞下电话，他吁出一口气来。

他又拿起电话，用一支铅笔灵快地拨着一组号码。"嘟嘟，嘟嘟，嘟嘟……"总是占线。

他刚按了一下电话机上的话筒座叉，铃声忽然响亮地迸发出来。

"喂，哪一位？……他不在！什么……他妈的是你小子！谁装孙子呢？我怎么猜得着是你呀！……怎么样，最近？又写什么妙文啦……你还没有妙文？一贯点铁成金嘛……夸你两句你就美啦？你点花成粪的时候也不少哇！……什么？干吗这么一本正经的，甭跟我装孙子！………真的？啊哟……什么时候？哪天？什么场合？……你哪儿听来的？正式传达啦？快啦？……啊，你们凑一块儿打麻将时候……他小子透露的呀……是是是，他的信息一贯相当准确……怎么搞的，这是？又折上饼了！……我想也不会嘛……可这又怎么解释呢？……真够呛……我现在要拍的这个？不至于吧……内容保证没什么问题，挑毛病顶多也就是调子不够高昂……问题是我恰恰想在形式上走得远一点，对，对，情节淡化……不搞典型人物，搞剪影、群像……我想用长镜头拍，知道吧？你知道了？谁给宣传出去的？什么报？哪儿出的？……怎么消息都发出去了？……其实现在不忙呗……对对，我这部戏统共只拍六十八个镜头，长镜头有十二个！其中四个长镜头我打算长到五分钟以上！……你小子到时候不跟着一块儿抢棍子我就谢谢你了……是呀，问题是先得让它'出笼'！……我们哪儿比得了写小说的，我们一大堆的婆婆，哪个不伺候到了也不行……行行行，一言为定……那就阿维家见吧，见了面再详谈……好，好，就这样就这样，再见！"

搁下电话，他把铅笔插进数字盘，可没有马上拨动。想了想，他从床头柜上找记录地址和电话号码的小本，柜面上没找到，他粗暴地拉开抽屉，一顿薅动，找到了，他快速翻动，停止在一页上，然后照那页上的电话号码拨动数字盘。

"……喂，我是董必佳，我找郗老啊……我是电视台的导演，您就跟他说有个电视台的小董找他，他知道的，他能知道，谢谢，谢谢……郗老吗？我小董啊，董必佳，佳佳，对对对，是我……郗老您最近身体好吗？……哎哟那可得注意才行啊……我吗？挺好的挺好的，正打算上一部新戏，叫《长街行》，长长的街道，对，《长街行》，反映城市个体摊贩生活的，当然，主要表现青年个体户的思想、感情、理想、奋斗……我知道我知道，您那么忙，眼睛又不好，我当然不会把本子送到您那儿去麻烦您……谢谢您的鼓励，借您的吉言……不过，不过，嗯，是这么个情况，文学本通过了，我的分镜头本本来问题也不大，可是……听说又有个精神，好像对'现代派'的批判不仅要重新展开，还要升级……哪儿听来的？都这么传嘛……咳，我哪能搞什么现代派呢？……我呀，郗老，您听我跟您说，我只是想试试，不光全部用实景，也不光起用非职业演员，而且还要大量运用长镜头，实行现场同步录音……您觉得无妨一试吗？……对对对，这样还能缩短周期，节约成本……我认为艺术形式固然离不开内容，可能离开政治啊……我的意思是这样的，郗老，形式上再糟糕，只要内容不反动，也不能算成政治倾向问题啊……咳，不是我敏感，谁愿意好不容易弄出来的东西，一下子就给毙了哩！……谢谢您，您的定心丸，太重要了！……郗老，真抱歉，耽误您这么多的时间！您多保重！"

又一次放下电话，他把身子调整成躺卧状，两只手伸到脑后垫着，望着天花板，琢磨着。

电话铃响了。他跳起来，抓起电话。

"……你呀！不不不，现在别来，我这会儿要一个人待着……什么，她问什么时候送她回去？再等一会儿，我一会儿就去他们那儿，我再跟她当面谈谈，你们先让她洗澡吧！……我是下决心了，你们还有什么想法？有人嘀咕？嘀咕什

么？！有什么看法公开找我谈嘛！我最讨厌阴阳怪气地在一边嘀咕了！你告诉全
体摄制组的人，就说导演宣布了，谁再在背后嘀嘀咕咕，我就请他另找高明！……
她谈吐太俗？我要的还就是这个'俗'字儿！侧面轮廓线？化妆的时候想办法？
我他妈的根本就不要你们搞什么化妆！就是生活妆！自然妆！顶多拍夜景的时
候，为适应灯光化点淡妆……口齿？你把她的台词让她先念熟了，除非万不得已，
我是绝不找人配音！……她有灵气儿，你也觉着有？你他妈的别顺着我说……我
是铤而走险了！行了行了行了，什么时候不能说这些话……你让她再稍等等，她
不是告诉她家里了吗，急什么呢？你跟她讲，顶多今晚在家过一夜，明天就拿车
去接她，搬到这儿来住。咱们组不能再耗，夜长梦多，我打算大后天就正式开
机！……行行行，随你随你……别再捣乱！"

　　掐断这次电话，他便熟练地拨起那个无须查看的号码来。

　　仍然不通。仍然不通。仍然不通。

　　他烦躁地把话筒扔回到座叉上。

　　电话铃又响了。

　　"谁呀？怎么又是——啊，啊，是你呀……我差点以为是——对对对，我今
天去你们银柳湖看外景了……你听说了吗？不是谣言不是谣言，真的真的……
我疯了？哈，我从来没像今天这么正常过！……'小墩子'？真的？啊这个外号
不错嘛！你提供的信息给了我新的鼓舞！……什么？……你既然支持我标新立
异，那何必反对我选用'小墩子'呢？……文化素养当然重要，但是天生丽质有
时候更能出奇制胜啊！……哈，我不是说她是美人儿，我知道我知道，我是说她
的气质与我这部戏里的女主角简直是处处吻合……那我会想办法的……我固执
吗？大导演派头？小表妹，你这个大学生才派头十足呢！你要当了我们台长我饭
碗都得没了……什么？莱妮？……啊啊啊，对对对，你跟我提过的……她正在姑
妈家呀？……什么，让我们直接通通话？……当然，可以可以……啊，莱妮小姐
吗？……早听说过您啦……我算什么大导演，您上我表妹的当了……我要拍的故
事有意义吗？有意思吗？我既然要拍，当然觉得它既有意义也有意思啦……啊，
莱妮小姐，我倒想请教您一个问题……您来中国有多久了？……台湾不算，我问
的是您来大陆有多久……啊，那也不算短啊……我想问的是，您觉得中国青年一

代，同你们西方青年一代，双方所能找到的共同点是什么？……真的吗？啊这倒是我没想到的……如果我拍一部电视剧，表现北京城市青年小摊贩的生活，您估计西德观众愿意看吗？能理解吗？……啊，谢谢，谢谢，不过，好像目前还不可能……但是我们中国的新一代导演有这个雄心，就是让我们的片子走向世界……好，好……刚才莱妮的回答对我挺有启发，你这个电话打得好，我有收获……不过'小墩子'我还是要用她，我们试过戏了，还录了一段像，当然，她现在还是个生瓜，不过只要瓜蔓是翠绿新鲜的，就一定能熟……你别不信，到时候请你当第一号观众，当然，欢迎莱妮小姐跟你一块儿来……姑妈干什么呢？……姑爹还没回来？又有宴会？你都替我问好吧……好，拜！"

他撂下电话，双手插进裤袋，在屋里走来走去，开头微笑，后来爽性纵声地笑："哈——'小墩子'！'小——墩——子——'！"

电话铃又响了。他耸耸肩膀，走拢去站着接。

"……哪一位？啊你呀……没有的事儿！一直有别人往这儿打嘛……什么电报？三舅要来北京？什么时候？……不成不成真的不成……你就接他一下，跟他解释一下嘛……我实在是分不开身嘛！谁说的？谁说的？你就信这些谣言！你来看看嘛！……你怎么回事儿？你烦人不烦人！怎么又扯到这儿去了？你当我在这儿享清福！你知道我现在有多痛苦！又有风声，你知道吗？又要批'现代派'！你不知道有人那一双眼睛瞪得有碟子那么大，就紧着找我的茬儿吗？！你添什么乱？！……粗暴？哎呀我现在没有精力没有时间没心思没有兴致温柔！……你愿意那么想随你的便！……我什么时候拒绝接你的电话了？我干什么要故意不接你的电话？我疯了吗？……女人的声音？我也不是头一回在外头拍片子，你也不是头一回给我打电话，这有什么稀奇的？组里总是有女同志的嘛，总是有到这屋里来谈工作的嘛，总有顺手帮我接电话的嘛……谈不到谁为谁牺牲，谁也不容易，对不？……哎呀你有完没完？你还让不让我安静？我的构思还怎么进行？我已经形成的屏幕感觉又全都模糊了！……没说你搞破坏，我敢说你？我是恨我自己，我太低能了！太窝囊了！……你哭什么？哭什么？我怎么你了？……让你来你又不来，你让我怎么着才好？……我打算大后天动机器，你知道吗？你理解吗？……你跟三舅解释解释，他会理解的……你这人怎么能这么多疑嘛……人家的事我们不要去管……小鹏这回考得怎么样？……话别这么难听嘛！我拍完头一个外景点的戏就回去看你们……你有完没完啊？……谁不耐烦了？我是不乐意听你这些个没来由的话……你要这么说那可就别怪我了……我也是活人，我受不了受不了受不了——"他激动中把话筒往座叉上一扔，一屁股坐到床上，气鼓鼓的如一只巨大的青蛙。

电话居然又刺耳地响了起来。他一把抓起电话——

"跟你说我受不了受不了受不了了……啊，你不是……我当是我……呢……误会了误会了，对不起对不起……哎呀，真弄得我焦头烂额！王经理呀，我一直在给您打电话呢，一直不通，没想到您倒主动把电话打过来了，太好了太好了……我吗？我找您是为了再落实一下您们对我们剧组的赞助啊，我们是万事俱备，只欠东风了。我们原来缺女主角，选来选去总选不着合适的，今天中午总算找着了，下午试了试，试了镜头，拍板了！王经理呀，我们打算大后天就动机器了……什么什么？新精神？……讲话？哎呀怎么连您也听说了？我刚打电话问过郗老，不是那么回事儿，还是原来的精神？没有变……您别犹豫呀！哎呀那可不得了……您知道我们这回想搞一点艺术探索，试试长镜头，长镜头得靠设备保证啊！光租消防队的天梯车，租滑轨，我们就得一大笔款子啊，台里拨的经费哪儿够啊……您可千万别再犹豫……什么？把广告安排到剧情里去？是呀是呀，我们研究过了，剧前剧后肯定给您们播广告，可您们那个产品，生按到剧情里头去实在牵强……是呀是呀，'天下故事一大编'，您说得有理，可我们这部戏将不以情节取胜，而以真实、生动的生活场景取胜……什么？哎哟王经理，您可不能釜底抽薪呀，大后天就要动机器了，现在临时抱哪只佛脚去？您还是得赞助我们呀！求求您了……提到董事会上再研究？什么时候开董事会？大后天？……我们推迟一两天开拍问题不大，可您得保证让赞助这事儿落实啊！……要不我这就找您去，咱们当面细谈谈？我得让您彻头彻尾地理解我才成……明天呢？……那么我们只能是静候判决了？……好吧好吧，没法子……唉，再见再见！"

董必佳不再把电话筒搁回座叉上，而是狠狠地往床头柜摊放的分镜头剧本上一摔。他颓然仰身倒在床铺上，从枕边的烟盒中摸出一根烟来，找到打火机，点燃，郁闷地吸了起来。

10（甲）

"小墩子"躺在浴盆里，身上盖着雪白的肥皂泡，望着浴室那淡绿色瓷砖镶嵌的墙围，心荡神摇。

她想起银柳湖居民区有个疯子，比自个儿大不了几岁，是个姑娘，偶尔出现在街道上，两眼发直，手舞足蹈，惹得一群孩子围着看。她只要遇上，总不免跑过去轰跑那些孩子，把疯子引到僻静的地方，劝上几句，从兜里掏出几块糖来，搁到疯子手中。那疯姑娘长得挺白，挺美。就是疯了也还美。年轻轻的为什么疯？据说就为了没考上大学。她想考什么大学？据说就为了考电影学院，想当电影和电视演员……

人为了想上银幕，上屏幕，能想疯了，可见那有多难，也可见那有多美……"小墩子"从来没往这上头想过，却突然能走上屏幕，这事有多奇，多怪！可这不是梦。当董必佳他们把她请上小轿车时，她晕晕乎乎的，只当是在做游戏，好比小时候玩拽包儿，跳猴皮筋，不是轮到我了吗？我就玩给你们看，我能玩得溜，玩得帅……一群人围在车前，都是熟人，都瞪圆了眼睛望着自己，那滋味儿真美！小轿车本不稀奇，"崩儿爷"就带自个儿坐过出租车，可这回车门一关，可就把自个儿跟车门外头的"礼儿"之流划清了界限——车里可是艺术界，车外是俗人俗地！

……问问答答，答答问问，穿插一点玩笑，纵情地仰脖大笑……试戏，他们管那叫什么来着？"小品"，闹了半天一点儿也不难，只要豁得出去，放得开……试镜头，据说不是用电影片子拍的，是用录像机录的，试完立时就能放出来看。自个儿头一回从屏幕上瞅见自己在动、在笑，真把自个儿吓了一跳。也真让自个儿气壮，原来自个儿真不难看。董导演怎么说来着？"天生丽质难自弃"，"一生爱好是天然"，这都是唐诗吧？反正是夸我。还有那个老郭，制片主任，他说我什么来着？"本色演员"，这看来不是句好话，因为董导演还跟他争了几句，董导演说："搁在我手里，三部戏过去你再看看，保她发展成个性格演员！""性格演员"自然高，我要当那高的！我能！我凭什么就不能？！

那姑娘真傻，疯了！给她糖她连糖纸一块儿往嘴里搁！赶明儿得先把糖纸剥了，再把糖搁到她手心里……

董导演真帅，瞧人家！那脑门儿，透着智慧！"文化素养"，他们今天来回来去用这个词儿。"文化素养"，我知道，我"文化素养"差；可我的话他们也不能不服气："缺文化素养，我能补！可文化素养缺我，怎么个补法？"他们全乐了，乐得前仰后合。我也乐……

宽脑门儿……哎呀，"崩儿爷"！这会儿干什么呢？骂死我了吧？摔盆打罐了吧？我也是，怎么当时就忘了该去火车站接他这事了呢？我几乎都要去坐公共汽车，奔北京站了，偏遇上了董导演……他说我对他是个"强刺激"，他对我也是个"强刺激"呀！一"强刺激"，人就容易忘事儿！可不！等我跟他们坐车到了这碧玉宾馆，一见接待室墙上的火车时刻表，我才想起"崩儿爷"来……

"小墩子"在浴盆里自己用手搓揉着自己的身体。她回忆起种种她同"崩儿爷"之间发生的、使她觉得非常宝贵、非常美好、永生难忘而又永难哪怕是自言自语说出口来的事。毕竟"崩儿爷"跟她有着不寻常的关系。他是她的对象，说雅点，是她的未婚夫。可是他一下子离自己那么远了。这里的每一个人，不光董导演，几乎每句话，每个动作，每个表情，都透着……怎么说好呢？透着有文化修养，对，就是那个东西，"文化修养"，"崩儿爷"呢，回想起来，他每句话，每个动作，每个表情，却恰恰都缺这样东西！这真好比黑屋子里突然劈进来闪电，一瞬间里，把那原以为挺美挺帅的人给照出了原形，简直整个儿是个大俗人，唉，怎么说好呢……毕竟我跟"崩儿爷"也没登过记呀，再说我爹我妈压根儿就没同意过……

"小墩子"觉得浑身是有生以来没有过的舒坦。住进楼房以前，她简直就没认真地洗过澡。夏天跳到银柳湖里玩玩水，那就算洗澡了吧，冬天别说根本不洗澡，洗脸都只洗前头，脖子后头几乎不洗……进楼以后，洗脸刷牙是方便了，可洗澡仍然不便，得去三站地以外的浴池洗。那浴池的女部只有不到二十个淋浴喷头，人多的时候，得两三个人挤在一个喷头下洗。就那么个条件，你要去得不巧，买了牌儿还得在外头排队等着……这儿可多好呀，正经卫生间！以往电影上、电视上见过，稀奇嘛也不稀奇。现在什么也不稀奇，航天飞机打"新闻联播"里都能看见呢，可眼睛见过跟亲身享用过到底不同，要不古人把"画饼充饥"当笑话呢，你就得吃饼才能解饿，才能有滋有味儿！

董导演说，拍这片子的整个期间，全摄制组都住在这宾馆里，一般人住的只是三个人、四个人一间屋的没有卫生间的客房，洗脸上厕所洗澡还得到走廊里的公用卫生间去，只有导演、制片主任和四个主要角色，开的是四十块钱一天的高级客房，现在自个儿享受的就是这种待遇……真急着想回家一趟啊，倒不是怕我爹我妈着急，他们也用不着着急，小轿车往这儿开的时候，半道上我不是让小轿车在我妈他们那个副食店门口停了一下吗？我妈正好在门外的菜摊上卖菜……也不是为了着急回家取穿的用的，其实这儿什么都有，卫生间里有现成的毛巾、浴巾、香皂、手纸……就缺个牙膏牙刷；不，才不是为取牙膏牙刷才着急想回去呢，为什么？为什么？……

……趁热打铁，让他们都看看，他们一定还没散，有的说不定还会猜疑，以为我不一定成得了事儿，可我是真成了事儿了！

……当然，"崩儿爷"准等着我呢，我得找他，我得找他。"崩儿爷"你干吗瞪着我？我能有这么一天，不也给你挣脸吗？你别往我脸上嘴上凑，"文化素养"，懂吗？你懂什么是镜头吗？什么是分镜头剧本呢？什么是长镜头呀？我原也不懂，可我听他们讲了那么两三个钟头，也就懂了个八九不离十，"崩儿爷"你能懂得这么快吗？"她接受能力强"，"她聪慧过人"，董导演、郭主任他们都这么夸我，这可不是我吹牛……

……谁说的？我什么时候许给你了，我卖给你了不成？……我也没说"吹"呀，"吹"是你说的我没说，我不说，我……

突突突，本田摩托车……一群臭流氓！他们要真把我害了怎么办？他们要真把我吓死了怎么办？……那湖水夜里头有股子腥气……你先动的我……我怎么了？我对不起谁？我干什么坏事了？……你那崩儿头里头有多少货！瞧人家董导演！那才叫"智慧的头颅"呢——郭主任就那么说他，郭主任的头一点儿也不崩儿，嗯，还有点瘪……

……男主角明天来，听说原先找的是张丰毅，就是骆驼祥子，什么样的角儿！让董导演给换了，愣把祥子给换下去了，你想想是什么人物！……"文化素养"，准的！……可我怎么能忘了"崩儿爷"呢？……甩了？别那么说，多难听！……那天你干吗跟我发火？你当我就该受你的气吗？亏得我没真的许给你……骆驼祥子，绿瓷砖，水有点凉了，现成的热水，你先动的我，究竟什么是"文化素养"？

热水龙头是哪个？绿的还是红的？《长街行》长镜头，五分钟一气儿演下来，你
爸干吗老露着胸脯？非洲黑人，"这厢有礼"，给我带回香座了吗？甭那么横鼻子
竖眼的，你老用那么大的劲儿，小轿子车的车门一关，谁买蝙蝠衫？你就戴着这
顶帽子滚蛋吧！火车时刻表，蛇皮包，"小品"，我对我笑，晚饭有鱼，一天四十
块，素馨香皂，仨人合用一个喷头，金鱼牌浴巾，臭流氓们，又太烫了，我演得
了吗？三楼拐弯，大学生哩，谁怵你不成？甭那么摆谱儿！疯子疯子你跟我来，
这糖剥了纸了，"礼儿"再讲一个！谁跟"礼儿"近乎了？给我擦皮鞋都不要！
你瞧，我说你野不是？咱们打今儿个起，你是你我是我……

10（乙）

"小墩子"躺在浴盆里，身上盖着雪白的肥皂泡，望着浴室那淡绿色瓷砖镶
嵌的墙围，心荡神摇。

她想起银柳湖居民区有个疯子，比自个儿大不了几岁，是个姑娘，偶尔出现
在街道上，两眼发直，手舞足蹈，惹得一群孩子围着看。她只要遇上，总不免跑
过去轰跑那些孩子，把疯子引到僻静的地方，劝上几句，从兜里掏出几块糖来，
搁到疯子手中。那疯姑娘长得挺白，挺美。就是疯了也还美。年轻轻的为什么疯？
据说就为了没考上大学。她想考什么大学？据说就为了考电影学院，想当电影和
电视演员……

人为了想上银幕，上屏幕，能想疯了，可见那有多难，也可见那有多美……"小
墩子"从来没往这上头想过，却突然能走上屏幕，这事有多奇，多怪！

可这不是梦。

当董必佳他们把她请上小轿车时，她晕晕乎乎的，只当是做游戏，好比小时
候玩拽包儿，跳猴皮筋，不是轮到我了吗？我就玩给你们看，我能玩得溜，玩得
帅……一群人围在车前，都是熟人，都瞪圆了眼睛望着自己，那可真是有趣，车
门刚关上的时候，她还嘻嘻哈哈地不以为然，但是当车子真的朝碧玉宾馆开去的
时候，她心里可就发慌了……

　　她一路上打退堂鼓，董导演和郭主任一路上给她灌壮胆汤。她确实矛盾，矛盾得不行，她不是没羡慕过明星，她床头现在还贴着刘晓庆的戏装照呢！可她真的也能干这个吗？不会露怯吗？不会愧死吗？……说实在的，究竟电影片子、电视片子是怎么拍出来的，她根本弄不清。董导演他们也是，放着那么多现成的电影明星不找，偏跟自个儿纠缠！就是电影学院里的学生，不也一大群吗？哪个能不比自个儿强？我这样的能演电影，电影学院还招哪门子生呢？那疯姑娘真亏！你急个什么哟！跟我们搭伙儿摆摊卖衣服，反倒比上电影学院还有运气哩！……

　　……一进碧玉宾馆前厅，"火车时刻表"，傻了！天哪，一顿乱闹，把天大的事儿忘了！忘了去火车站接"崩儿爷"！"崩儿爷"现在干吗呢？准气疯了！准在摔盆砸罐！他那个脾气！可这回完完全全是自个儿不对，不怨他骂、砸、恨、浑……

　　……愣说我"小品"做得不错，其实什么"大品"、"小品"，左不过让我把我们平日怎么摆摊售货的情景儿重复一遍，有什么难的！……说我又能笑又能哭，能笑出眼泪，哭能哭出眼泪，不用往我眼睛里点甘油，我点那玩意儿干吗！敢情有的那明星眼眶里流出来的，不是眼泪是甘油哇，瞧把我们给蒙的！回去就告诉"崩儿爷"，赶明儿甭信电影电视里的那一套！……说我能喜能悲，我这人天生就是个喜兴人嘛！能悲？他们可不知道今天是凑巧了，想起"崩儿爷"那副火烧火燎活不下去的劲儿，我能不哭吗？都是我不对，我成什么了？"水性杨花"，有这么句老话吧？我都不如"小凤仙"！……

　　……这卫生间真不错，要是"崩儿爷"在这儿该有多好……突突突，他就不怕我真被那几个哥们吓晕了吗？我要吓疯了怎么办？……那天银柳湖的湖水泛腥味儿，可那天天上的星星特别亮……傻帽儿！你就不这样，我也乐意跟你……呀！他要也来这儿就好了，我演，他也演嘛……可人家董导演早选好男主角了，明天就到，听说是从外地借的，专业演员！原来请的是张丰毅呢，骆驼祥子！也不知是祥子不干还是导演变了卦，换了一个，怎么就不能换"崩儿爷"呢？咳，瞧我，也半疯了，"崩儿爷"他能乐意干这个吗？"崩儿爷"有"崩儿爷"的打算，连他爹他妈也不知道，"这厢有礼"也蒙在鼓里，就我知道，他把折子都给我看过，还在全聚德请了客，把他那些个用得着的朋友全请了，带了我去，我那天穿的哪件衣服？耳垂上的是球还是环？戴的是那串密玉项链吧？"崩儿爷"打广州中国大酒店的外汇商店给我买的，珠儿又圆又润，绿得让你想吞下去！……都是用得着的人，他们管我叫"大人"，没人管我叫"小墩子"，他在桌面上也不叫我"小墩子"……"崩儿爷"哪能就当个演电视的呢？他要当的是总经理，那楼盖得比现今建国门外那栋国际信托公司的芝麻酱色的大楼还高，还大。他演电视？别逗了，他还要开电视台呢，他聘董导演导片子，那郭主任聘不聘，没准还得考虑考虑哩！……瞧我想哪儿去了，还美呢！"崩儿爷"找着我能把我宰了！哎呀，是我对不起他，还躺在这盆里干什么哟！还不快起来，贱！

……可这儿离银柳湖太远了，得让他们拿车送，董导演说还要找我谈谈，许是订合同的事吧？我可拿不定主意了，我不干了！不干还不许吗？你有千条万条，搁不住我有一条：不干！我不乐意！我不演！……就是演，就是订合同，也得等我回去一趟再说，得让"崩儿爷"发话……我不能甩了他，他容易吗？那回打丰台是怎么回来的？垃圾车你当是谁都能忍的吗？还不是如今那种专门的垃圾车，就是破卡车，车帮、车底连那苫布都是什么味儿！……是他先动的我，可我心甘情愿，乐意，明白吗？谁来问我也是这么说……他就是该少抽几根烟！……

……快冲冲吧，冲完了赶紧出去，赶紧拾掇好，赶紧找董导演、郭主任，谢谢了，可我不乐意，我还得再考虑考虑……水太凉了，哪个龙头是放热水的？带红点的还是带绿点的？……哎哟！……这下对了，这下对了……真舒服，真痛快，瞧那镜子里头，怪不得……要是他，我乐意，"礼儿"算什么东西？一根挠痒痒的"老头乐"，我能跟他近乎吗？福尔摩斯真逗呢，可也真够瘆人的！……其实多余，我干吗非下车告诉我妈一声儿？瞧她乐的，有那样的吗？现眼！女儿让人拉走了，能乐成那样！不就是辆小轿车吗？"崩儿爷"买得起，就是还不想买！摩托车就差得那么多？要换成摩托车，"崩儿爷"带着我，我从后座上跳下来，去跟她说，她会怎么样呢？那脸，那眼，那嘴，那鼻子，那声调，我全能在电视上演出来！……其实该让我爸我妈着急，让他们满世界找我，结果倒让他们开了心，让"崩儿爷"着了急！……这些绿瓷砖真不错，瞧人家这些个毛巾，这么小的素馨香皂哪儿有卖的呢？赶明儿我们都得有，就完全照这模样布置出来……听，什么声音？啊呀，摩托车！本田牌的！我一听就能听出来，别人的不是这么个声儿！他到底找了来了，我就知道他不能在银柳湖干窝着，我就知道他想干什么就能干成什么，他到底打听到这儿，到底来了……快！快！快！哎呀，我的马甲呢？……"崩儿爷"，你的"小墩子"在这儿呢！……全听你的！由你打，由你骂，你的你的你的……

1985 年 4 月 20 日写毕于北京劲松东街

附记

这是一篇实验性的小说。

能够写作、发表实验性的作品，这便是创作自由的一个具体体现。目前小说界的朋友们纷纷从事各种不同的实验。以手法而论，有搞变形（以至于怪诞）的，有搞抽象（以至于纯象征）的，有搞"杂交"（如将"纯文学"与"通俗文学"交融在一起写）的，有搞"唯美"（如讲究静态美的"油画小说"和一笔不苟、追求纯写意的"空灵感"）的……诸多面貌迥异的作品大有汇成一股"实验小说"的浪潮之势。我以为这是一件好事。这样或那样的实验或许会被时间证明是失败的，但实验本身永远不是多余的。也不必担心这股"实验小说"的浪潮会淹没或取代那些已被公众和时间确认为是标准的或好的小说。彩色电影的发明并未取代黑白电影，盒式录音带的发明并未消灭唱片，当然，它们也促使了黑白电影和唱片进一步提高自身水平。"实验小说"的浪潮对原有的小说主流的刺激，也肯定是有利于后者发展的。

我在实验什么手法？看过美国一些造型艺术家所搞的"超级现实主义"的画幅或塑像的照片吗？还记得四川青年画家罗中立的那幅油画《父亲》吧？它们所追求的，超越了真实，而达到逼真，但又并不是"自然主义"或"形式主义"。我这篇便是企图从他们的追求中汲取一种启示，力求逼真地展示北京一个新居民区的社会生态景观，不人为地编制情节，不人为地修饰人物和场景，不人为地凝聚一个明确的主题，散点透视，客观冷静，所期望于读者的，是审视与思索。结尾我为主人公设置了两种心态，所以有甲、乙两个第十节，读者可根据自己对生活对人的经验，自择一个作为定局，或者另拟一个丙种方案，这样，我这实验就

又有点 "接受美学" 的味道, 也就是希望由读者和作者一起, 共同完成一篇小说。

也许是一次大失败。期待着批评。

刘心武

1985 年 8 月 4 日写于北京劲松东街

王府井万花筒

TEMPO 天霸电子表

海外经销点：美国、英国、法国、

联邦德国、加拿大、日本。

胸口没别校徽。别着个帆船形纪念章。

径直朝王府井大街南口报刊亭走去。窗玻璃里密密麻麻悬挂着近期杂志。《现代家庭》、《美化生活》、《妇女指南》、《家庭医生》、《家具与生活》、《法律与生活》、《消费者》、《学与玩》、《知音》、《纵横》……三家刊物同时把美国商业影星司泰隆登上了封面：《世界知识画报》、《体育博览》和《电视·电影·文学》。到侧面去看那些翻开陈列的杂志目录。最新一期《幸福》："四岁幼童杀人案始末"。歪歪嘴角。在最下角看到他要的那本。望望窗口：挤。有人问里头："你们《今古传奇》怎么还卖1块2毛5？西单那边早8毛了！"听不清怎么答。眼看更挤。走？回去时再买。

朝王府井大街里头走。瞥见了街口东边巨大的广告牌。去年秋天他们举出的例子之一："为什么连王府井大街街口，也横行着SONY？"一腔沸血。现在上头空着，不再挣外汇。底下是红色的标语。一愣。

朝新华书店走去。

路过"中国照相馆"。伸向街头的广告灯箱："彩色冲卷扩印一天取。快！"采用的哪种系统？柯达？富士？樱花？他只认柯达。色调有油画感，雅！

"你们究竟怎么回事？！"父亲的眼神干吗那么惊惶。怎么啦？别动不动就"你们"、"你们"。谁跟谁也轻易聚不成一个"们"。我就是我。我一会儿一身石磨蓝洗水衫，一会儿一身标准中山装，一会儿抖擞开全身关节跳迪斯科，一会儿骑车到山根下缠磨着满嘴黑牙的老大爷搜集俚曲。我知道我究竟是怎么回事。

……纪念40周年。真的，我头一回看见那些镜头。"永远不忘记"。你们忘了时间差。等我懂事，吸收的是些什么信息？"樱花呀，樱花……"《拉网小调》、栗原小卷、《血疑》、幸子衫、"我是日立宝宝"、"到底是东芝双槽洗衣机"、"一休哥——哎！咯叽咯叽咯叽……"、"丰田精神"、"友好之翼"……你们猛地把那么多令人毛骨悚然的信息一股脑儿释放出来。南京大屠杀。杀人比赛。我吃惊了，发抖了，怒吼了，你们却……你们究竟要我怎么样呢？怪你们输送整理信息没跟"搞活"与"开放"配套！……

胡思乱想中，他被重重地碰撞了一下。

迎面同他相碰的是个外地人，五短身材。皮茄克黢黑。满脸满脖子油汗。手里提着个鼓鼓囊囊的蛇皮包。是那包碰了他的腿。

外地人也不道歉，便自顾自地走了。他睃了那人一眼，弯腰揉揉腿。眼角的余光又扫见了两个蛇皮包。一个空的朝前移动。一个鼓的朝后移动。

他讨厌蛇皮包。

HU ADU WOMEN'S SHOP

美的产品　美的享受　美的愿望　美的仪表

为了您的健美，请选购乳罩腹带！

她提着空的蛇皮包，兴奋地朝前走，快50岁了，才头一回得机会上北京。什么都新鲜。该到街对面去。八层新楼。漂亮！别急，慢慢逛。用眼睛找坐处。没有。中国就是座位少。惯了。她去靠着街边铁栏杆。从兜里郑重地掏出一张折着的纸，打开。购物清单。她的，家里的，列前头。亲戚、邻居、同事的，列后头。"长城牌风雨衣"下头画着强调线。不会没大号的吧？

有人从她身前走过，手里举着小人脸形状的雪糕。咦，好玩！原来那边有冰棍车，正卖呢。她过去买。还卖蛋卷、冰淇淋、糖葫芦、金糕。买了个"小雪人"。"全国卖雪糕的就数她们运气了，这么个好地方！一天能挣多少钱？"一边呡着雪人，一边盯住那两个卖冷食的姑娘。戴着白帽子，耳垂上有摇摇晃晃的耳坠，脖子那儿露出时髦的羊毛衫领，却又捂着不合身的蓝布面棉大衣。开了春还冷？长时间站着，也不容易。

她把吃完的冰糕棍往地上一扔，马上有人过来厉声发令："捡起来！扔果皮箱去！"她有点败兴，定睛一看，那人穿的好像是制服，不像警察服，也不知是什么服，反正她服了。她弯下腰去，耳边听得那人说："不捡可就罚你五毛钱了——对，捡起来扔果皮箱去！"

……她朝果皮箱走去。她觉得这里的果皮箱倒不如她们那个小城街上的好。无比兴奋的情绪开始减弱。

1986 年春季羊毛衫展销

男女开衫套头衫提花衫蝙蝠衫航空衫

斗牛衫迪斯科衫

花色品种　　　　　　**丰富多彩**

新华书店橱窗前站着一些人。

紧靠大门左边的橱窗。"生活用书。"

一对恋人勾肩搭背地朝里望着。

他鬓角全谢。站他们旁边。

难得来王府井。来王府井，主要奔新华书店。他自命兴趣广泛。搞液压的工程师，可来这儿不为专业书。听说三楼有希望买到中华书局出的《五灯会元》。一般他总是径直走进书店。今天偶然在陈列橱窗前小做勾留。这才知道自己的爱好终究还是狭窄。

《窗台阳台宅旁园艺知识》、《鸡的烹调一百种》、《家用沙发》、《怎样钓鱼》、《笼鸟的饲养与繁殖》、《时新服装剪裁 300 例》、《秀发梳理》、《君子兰问答》、《现代家庭消费指南》……目光最后停留在《家庭烹调三十六法》上，令他感到意外的是这本书的出版单位为"解放军出版社"。微笑。春阳真暖。这时他才发现，身旁的那对摩登恋人并不是在观看橱窗里的书籍，而是把那橱窗权当镜子，一同搔首弄姿。

生活用书。世上哪本书不该为生活而用呢？

不知不觉尾随在那对恋人身后。西服革履的他产生了一种探究的兴趣。

随他们走过了敦厚里。那里面的"闽粤餐厅"和"书苑餐厅"正吸引着一些吞咽唾液的路人。他见他们登上了"北京音像书店"的台阶，转眼消失在玻璃门里。他愣了愣神，便也走了进去。

尽里边卖磁带的地方他来过，在这里为儿子买过全套《新概念英语》。有一回问过售货员有没有柴可夫斯基的《悲怆》（那售货员听不懂"悲怆"两个字的表情他还记忆犹新）。可他从来没在柜台那儿久留过。他知道这里同任何一处卖磁带的地方一样，主要是卖流行音乐的磁带。他随那对恋人挤到了柜台边。

他原以为这里卖的无非是那些电视、广播中经常出现的歌星们的流行曲带子，仔细一看，他所知道的名字这里全无，这是充斥的名字，他竟一个不知！

谁是孙美娜？谁是赵永斌？有陈晓芳，还有王晓清，又有李晓春。田震是个女的，从容是个男的，阿敏和张敏看来不是同一人，风飞飞并非凤飞飞，王菲看来简直还是个小女孩，野火的封面照为什么突出着他的一口烟牙？还有肖霞和肖雅，郭峰和周峰。喻灵和佳易不像大名，董妮是否是为了模仿甄妮？二重唱是马凌彦与郭杰，梁刚与邹阿梅，都是前所未闻，更不消说唱《心声》的景岗山（艺名多巧）和唱《校花》（曲名多陈旧）的魏红，还有好大的彩印广告《牛虎豹》，原来是牛豹、牛虎两个小伙子和姑娘许丽丽的三重唱。呀，吴琼、秦奇、商桑、林瑞、金静、萨莹、沈虹、李圆、刘昌、夏岚、唐彪、唐俊、王合……歌喉究竟如何？张宝国、赵景宏、黄文君、朱德荣、陈海燕、高大林、周海平、陆莉莉、张梅梅、吴小芸、盛维虹……何时录的音？原来这里自有别一天地。李杰的得意曲目中有《惆怅有多少》，而刘索拉（这名字在哪儿见着过？）自己作曲、配器并演唱的曲目中却有《我没有悲哀》……

大量流行曲磁带滞销。唯一保持畅销势头的是一个迄今未上过电视，未入过广播，甚至未必登过大雅之台的姑娘的磁带——

"有张蔷的新带子吗？"

好多人问。那一对也问。

"有新来的《那天晚上》。"

成交迅速。《那天晚上》准能在今天晚上告罄。

"还有张蔷的第四盘《相思河畔》。不多了，要买趁早。"

好多只手伸向"河畔"。

……终于弄明白。张蔷的个人专辑已经出到第六盘。盘盘畅销。

何物张蔷？似乎从未见诸宣传，却深得歌迷之心。迷她的也不全都是小伙子小姑娘。有三十几岁的，牵着孩子也在那儿买。

一种公开宣传和投票评奖以外的存在。

他试着同那对年轻的恋人搭话。

"你们爱听张蔷的歌？"

"可不。带劲儿！"

"她是哪儿的？哪个文艺团体？要不，业余的？"

"……不知道她是哪儿的。反正她唱的听着顺耳。"

"……假醋。"

"……自然，不做作？"

"对……么个意思！"

"你们……工作的？先说你吧——"

（太冒失……说不定脏字就出来了。扭身就走？没——）

"我是电线厂的。"

（谢谢！他一脸纯真的笑。）

"你呢？"

"嘻嘻……我是卖酱油的。您问我们这个干吗？"

"啊，随便问问。你们，你们也听交响乐吗？"

"什么？"

"你们爱不爱听戏？呐，像这盘磁带——《京剧流派唱腔欣赏》……"

"我们爱听相声。"

……

他们没问他是干什么的。

如果他们先问他呢？

他们临走时跟他说："再见！"

他们依旧勾肩搭背地一路走。

柜台里的录音机正放着张蔷的《千言万语口难开》：

噢噢噢吡吡千言万语口难开我话到嘴边说不出来你说奇怪不奇怪噢噢吡吡日夜把你来等待看到了你我只会笑噢噢千言万语口难开我是多么想念你怎么对我不理睬请你轻轻告诉我不要叫我多疑猜……噢噢千言万语口难开千言万语口难开千言万语口难开……

头一回觉得这样的歌不难听。

王府井需要哥伦布。

24K 含金量 99%	
22K 含金量 91.7%	1 钱 =3.125 克
21K 含金量 89.5%	每克 54.40 元
18K 含金量 75%	每钱 170 元
14K 含金量 58.5%	

南口东边巨大的广告牌后面，隐藏着两栋北京市最简易最丑陋的三层楼房，门口挂着六块牌子，"北京市城建技术协作委员会"等六个单位的人员每天要来这里办公。别人星期天往王府井拥。他们星期天为自己可以不去王府井高兴。

南口西边是北京饭店。如今已不大有好奇的人挂下下巴颏呆看"西洋景"了。但有谁注意到，它后身的第一扇大玻璃窗里，便是饭店的厨房，时常有年轻的厨师，头戴蛋糕形的炊帽，在工作的间歇中，站在那窗前朝外窥视，闪动着难以形容的目光……

离那原料高级、设备先进的厨房50米开外，越过马路，便是极为简陋却聊供救急的厕所。在男厕所小便池的尽里边，有一扇破旧的绿漆木门，木门里是厕所清洁工休息的地方。这也是他享用自带午饭的地方。他对外面街上的车水马龙和红男绿女都没有什么兴趣，他有一台塑料壳面已经裂变的老式半导体收音机。

他把三节一号电池装进去以后，得用一个胶皮圈将它箍紧，才能听到声音。他定时清扫大小便池。

他又拿着皮管子和竹扫帚出来了。鼻子通红。脊背有点佝偻。

一个刚走进来的男人，一身灯芯绒猎装，手里提着个沉甸甸的走轮包，一眼认出了他是干什么的，立马冲他提意见：

"你们怎么连个挂东西的地方也没有？"

他只当没听见。管自去干活。

"什么态度！还首都哩！"

身后传来一串应和声：

"太不方便了！"

"跟王府井的名称不相称！"

他心平气和。仔细而又刻板地清扫着。一些正在方便的人觉得他碍事。他觉得那些人碍事。

一边清扫一边想心事。还有个小儿子上着初二。功课次得没法儿说。还学会了抽烟。听说明年北京的初中毕业生是个"大鼓肚"，只能有三分之一的上正规高中，其余的职业高中未必能消化完。要是职业高中也考不上，可怎么办？做买卖去？准把屁股帘儿也赔光！自己提前退休，让他接班，他肯来么？

停下扫帚，一抬头，两个中学生模样的少年正站在犄角里抽烟。

"你们给我滚出去！"

周围所有的人都吓了一跳。这老头原来不哑。

麦氏咖啡

三合一中美合作速溶咖啡

滴滴香浓，意犹未尽

人来人往。渐渐成了一锅稠粥。

单个的。成双成对的。一家子。一群。外地的。远郊的。本市的。少数民族。洋人。摩肩接踵。磕磕碰碰。目的各不相同。谁都很少注意别人。

男人戴呢便帽和鸭舌帽的日渐减少。女人简直没有系头巾的。一律毛线帽。式样不分男女。棒针织的居多。法兰西式贝雷帽最为流行。年轻男子装束女性化。烫爆炸式发型。年轻女子装束男性化。一年四季穿长裤，高腰靴子大家穿。后跟敲得便道咯咯响。女的时兴月牙包。男的时兴登山包。男女咸宜的还是蛇皮包——用装化肥的那种材料制成。"倒爷儿们"和外地采买人常两个四个地提着走。已有出国人员提到了国外。纯羊毛毛线缺货。"什么时候来货？""说不准。你再来碰吧！"来了货也还要挑。讲究追随国际流行色。眼下最俏是月白、淡黄和灰绿。家用电器部堆满了各种商品，可一时间售货员挺清闲。有二十二吋的大彩电，上头支着个纸牌："样品无货"。有十四吋的小彩电，顾客走过去伸长脖子望望，不买。要么国产的尺寸大的。要么小点进口的。"有万宝的吗？""有雪花的吗？"把搁那儿的别的牌子的冰箱打开门看了看，不买。"君子兰双缸洗衣机什么时候还有货？"告诉他"过几天"。售货员心想：国产洗衣机里又闯出个名牌儿了。中低档西装套服已滞销。新推出的纯毛华达呢男女风衣让中青年顾客眼睛睁得滴溜溜圆。香港镀金首饰降价一半。挤得满满的是卖金首饰的柜台。24K 的金项链一条卖 666 元。"故意打成六六大顺的价码么？"一个中年妇女在谨慎地点一厚摞钞票。一个新娘指着柜台里边朝新郎媚笑。牛奶糖和太妃糖销不动。受欢迎的是纯巧克力、果汁糖、水晶软糖和花生牛轧。药房里的补药往糖食上靠。食品店的糖食往补药上靠。人参蜂王浆。五加参王浆。维生素 E 蜂王浆。参茸王浆。人参山楂晶。党参蜜芯巧克力。中国花粉口服液。花粉健美酥。"百货大楼"里的"宫廷糕点"和"红楼糕点"风靡一时。皇上吃什么我吃什么。"大观园"先从嘴里逛逛。枣泥桂圆方脯。鹿筋酒饼。山药蜜糕。藕粉桂糖糕。松镶鹅油卷。寸大小饺。奶炸面果。就是还没推出茄鲞。

临出王府井，有人暗自庆幸："到底是王府井！"他们不会空着手。有人小声嘟囔："咳，何必迷信王府井……"他们可能一物未购。

玛瑙皮短大衣	540.40 元
水貂串刀长大衣	5400.40 元
沙狐皮短大衣	720.40 元
水貂皮短大衣	1350.40 元
艾虎皮长大衣	1420.40 元
狐皮条龙长大衣	2400.40 元
手缝针	无 货

王府井的中心自然是"百货大楼"。

楼前空场没有坐椅。想坐的人总能坐下。空场中央有个水泥座、铝构件的标志架,上面用塑料制品构成"北京市文明卫生街(王府井大街)"字样,经常有八个人分坐在那水泥座四周。只能搁下一半屁股,靠也靠不好。但能抢先坐在那里歇一歇,总有一种幸运感。广场上还有四个灯柱。柱础也勉强可以坐。坐在那里从旁看去颇似袋鼠。另一些人席地而坐。一条汉子把厚重的军用雨衣铺在地上。是位复员军人。他那肤质粗糙、肤色红黑的妻子安然坐在那地铺上。还有他们那蛮头蛮脑的闺女,手里摆弄着一支刚得到的电光玩具机关枪。他们买了那么多东西!光是北京糕点蜜饯就有十来盒,捆在一起像座小花塔。另外几个外省出差的人坐成一圈。一个人正从鞋盒里取出新买的皮鞋,重新试穿着。其他几个人的目光都集中在他的脚上。仿佛在共同完成一桩了不起的科学试验。一个中年人让他白发皤然的母亲坐到他的旅行包上,怎么不怕里头东西被压坏呢?他和母亲在装束和气质上截然异趣,但两人的面貌又惊人酷似。

一对中年妇女,穿得很考究。各带着一个孩子,一个男孩一个女孩,也穿得很考究。不知为什么她们同广场一角卖冷食的姑娘口角起来。个子稍矮的那个尖声骂着:"你王八蛋!我就骂你王八蛋!谁让你是个王八蛋!"另一个拖着她胳膊让她走开,她还气鼓鼓、恶狠狠地骂着:"王八蛋!骂的就是你!谁让你不讲理!你就是个王八蛋!"她头发烫得挺好,是在甲级理发店烫的。营养也挺好,丹田气足,胸部共鸣箱大,嗓音阔厚,面色红润,肌肤细腻,不知是常用"美加净"

还是"郁美净"系列化妆品。一时间人们都朝她那里望去。她终于被同伴拉开了。但两个孩子，脸颊喷红，小妮子外套很合体。小毛线帽子织得很华丽，却突然兴奋地跳着，扭回身子，朝冷食车一递一递地嚷着："王八蛋！""土八蛋！"是卖冷食的姑娘理亏吗？没听见她尖声回击。她紫涨着一张脸，继续卖给新的顾客冰糕。

"百货大楼"里面像个蜂巢，弥漫着一种让人心里痒痒的气氛。一个解放军，长得真英俊，肩膀宽宽的，抱着个襁褓，婴儿小脸粉嘟嘟。他两条胳膊高度紧张，两只大手却又拼命地放松，犹如臂弯里是个易碎的玻璃器皿。他站在一进门的大玻璃镜旁。不时有人瞥他一眼。他脸红了。一位拄拐杖的老人在他身旁站住。只是为了稍事喘息。他俩目光交接了。他马上懂得了老人目光里的善意谴责。他喃喃地说："小不点儿。不该带到这儿不是？……孩子他妈非让一块儿来……我们可不往里头去了，我们就跟这儿候她……"老人凝望着孩子的小脸，满脸的皱纹都绽开了。

军人也凝望着孩子的小脸，额上的纹路都消失了。

在楼梯那儿，写着"上楼"的地方有人下楼，写着"下楼"的地方有人上楼。

> **新到台湾仿毛花呢一米 14.30 元**
> **来货不多　　　　欲购从速**

她已经在王府井大街上来回来去走过两趟了。

头发是在"好时美发厅"做的。不怕贵。街上那些个傻老帽儿开的发廊信不过。人家"好时"是正经香港老板开的。眼影涂得很细心。面膜瞧着兴许不那么自然，可配上橘红的唇膏，该是够派！免费穿的耳朵眼，那可不是占便宜，当场买下了一对金耳针。单位的姐儿们都说我适合用耳针不适合用耳坠。脸本来显长不是？用耳坠就更显得往下抻了。身上里头戴着从华都妇女用品商店买来的黑乳罩（可惜你们瞧不见），外头穿着麻粉色的蝙蝠衫（花样可是独一份儿），项上挂着一串骨雕项链，下头穿着坚固呢的牛仔裤，足登银面细高跟的港鞋，套一件紫红掐腰风衣，挎一只仿蛇皮小坤包。从别人眼里照出自己，比对着镜子来劲儿！

她是酿酒厂的天车工。爱人是皮鞋厂的技术员。他们除了"五一"、"十一"、元旦、春节，总凑不到一块儿休息。每逢她工休，她就粉墨登场，来回来去地在这条街上走。她希望人们都注意她，觉得她漂亮。她可不想招惹野男人。有那种男人来试过。她给了他们一对"家藏白果"。女的看着她觉得漂亮，她更高兴。总算离开天车那狭小的驾驶室了。总算露出了她的庐山真面目。痛快。

她来回来去逛两遍街了，可一样东西没舍得买。还不想离开。

临回去以前，也许会买上 10 根果丹皮。去婆婆家。他们的孩子 13 岁，婆婆给带着。

她算一个怪人吗？

> **抗癌新药　顺铂　锦州制药一厂出品**
>
> **疗效显著　　无副作用**

王府井怪事多。

有的明摆着。偌大王府井，商店里竟然没有一架电梯。内部运货的升降机不算。没电梯倒也罢了，供顾客使用的楼梯窄得出奇！南口新建的八层大楼，由三个单位分用：东华服装公司、红光照相器材公司、大明眼镜公司。这楼的楼梯也不比居民楼的宽。八面槽那边新建的"利生体育用品商店"的楼梯，也设计成这德性。不知怎么想的！

有的暗地里发生着。比如关于那件龙袍的事。

"东华服装公司"前二年新开张。生意兴隆。

有一天，突然发现失盗。被盗走的是一件清朝皇帝的龙袍。

哪个皇帝的？说不清。反正最不济也得是宣统的。

龙袍哪儿来的？据说是"文革"中"红卫兵"抄家的战利品。后来作为国家物资，辗转到了"东华服装公司"，由他们代卖。标价 4000 元。

好长时间也没卖出去。几乎没有外国或港澳的阔佬登上他们楼上的售品部。这本是一家面向内宾的高档服装店。内宾里没有愿花 4000 元买一件清朝袍褂的，即使真是曾属皇帝的龙袍。

突然被盗走了。失盗后方痛感那东西的珍贵。

调查研究了好久。

后来，在八达岭破了案。人赃俱获。

那盗贼原是想去偷"东华服装公司"旁边的"红光照相器材公司"的照相机。他从大楼背面潜入了楼里。不知怎么搞的弄错了方位，没能进到照相器材那边。他钻进服装这边了。他从一个、再一个，第三个值夜班的人身上了跨了过去。他们本应坐着值班并按时巡逻的，但都觉得楼高墙厚，竟一个接一个地躺下酣睡起来。

盗贼没偷到照相机，很气恼。他胡乱偷了一些西装套服。都是压仓货。他忽然觉得应找个大东西，当包袱皮儿，把偷来的西装套服裹起来。于是他发现了那件龙袍。在他眼里那玩意儿只配当个包袱皮儿。

他又一个一个迈过值班人的身体，在鼾声交响乐伴奏下，到窗口用绳子把自己坠了下去。

隔了几天他才听说，人家服装公司炸了窝，并不是为了那几套西装，而是为了那个"包袱皮儿"。

他这才知道那龙袍值钱，可怎么销掉这个赃物呢。

他想到了去八达岭。那里离城远，外国人多，场地宽旷，也许比较容易脱手。

他对外国人索价不过 200 元。

但他还没来得及卖出，便被抓获。

龙袍回到了服装公司。请文物部门正式来估价，最后的结论是："无价。应送文物保管部门。"

从此王府井进一步加强了治安工作。

在王府井南口设置了"治安岗亭"，日夜有人值班。街上有戴红袖章的治安联防巡逻人员。这当然并非秘密：王府井大街上还有着比别处都多的便衣。

夜幕下的王府井，霓虹灯闪烁。夜市招来了比白天更多的顾客。所有不想妨碍他人和社会的人都可以任意游逛消费。但别有用心的人应当忐忑不安。夜幕下的哨兵眼睛更加明亮。

同整个北京一样，王府井没有夜生活。

夜晚十点半以后，王府井渐渐变得寂静。

在儿童用品商店凹进的门洞里，或许会有蜷曲着身子睡觉的人。夜巡的联防人员发现了便叫起他来，让他离开。

在白天人们喧闹嬉笑的"东风市场"门口，或许会有一个少年的身影，脸上有泪水流过的污迹。估计是为了一个什么过错，被粗暴的父母轰出了家门。不能让这一晚成为他沉沦的开端。联防人员便将他带去岗亭，耐心询问。

有时候会发现一个外地来的姑娘，土里土气，可是胆大气粗，深更半夜挽着个包袱逛王府井，在没有熄灯的橱窗前贪婪凝望。过去一问，她便坦率地说出自己的想法：到北京找个人家当保姆。刚下火车，她就奔这王府井来了。不累，街上没人也有逛头。她打算逛到天亮。

后半夜，在极度的寂静中，会突然有黄鼠狼急促地蹿过马路。它身体细长，比成年的猫要小，脑袋尖尖很难看。通向王府井大街的那些小胡同里，某些不被人注意的旮里旮旯儿，有黄鼠狼的窝。如果不是夜巡的人亲眼看见，谁会相信北京，又尤其是白天如此繁华喧闹的王府井，会有这种东西出没？

怪。

工作时间十不准		
扎堆聊天	串组蹓跶	嬉笑打闹
会客长谈	玩弄东西	电话闲聊
高声喧哗	藏看书报	吃含食物
	打盹睡觉	

凌晨三点半。整个城市还在沉睡。王府井大街上响起了刷刷的扫街声。

她默默地在几乎空旷无人的王府井大街上清扫着。

今年二十九。个头矮。没身条。淡眉小眼。爱人是修理拉锁的。儿子上街道幼儿园。那幼儿园至今天还没一架滑梯。

穿一身灰不溜秋的工作服。头上戴个灰不溜秋的工作帽。肩上挎着簸箕筒。手臂有规律地挥动着长柄扫帚。

她们这个清洁队一共17个人。她今天上大早班。大早班从凌晨三点扫到中午十一点。还有一种班是从早上九点扫到下午五点。另一种班是从早上十一点扫到晚上七点。七点以后大街没人扫了，会变得格外脏乱。凌晨三点半扫时会觉得工作量格外地大。但她爱上大早班。因为在空旷和寂静中清扫不受别人干扰。并且不会像白天那样，刚扫过又被行人弄脏，永没望有顺心的时候。

她负责整整一百米。她喜欢这一百米地面。痛痛快快地扫净以后，她爱回过身子去，拄着扫帚柄，呆呆地望着那在路灯下反光的路面，以及那些光光溜溜的树坑。这时候她心里就涌动着一种独特的感情。她说不出。也没说出的欲望。

天渐渐亮了。她们一个班组的都聚到一起，各吃自带的早餐。起先她们连个歇息、吃喝的地方都没有。按规定她们在班上只能有半个小时坐下休息。她就想到存车处那坐一坐。看车的大妈很照应她，倒热水给她喝，中午代她热饭。看她的菜没味儿，就夹半块臭豆腐给她。前年她们队总算有了一大间活动房。就安在北京饭店后身对过的便道上。逛王府井的谁注意到她们的活动房呢？那里头有自来水龙头，有煤气罐和煤气灶，冬天还有高腰花盆炉，有搁茶杯饭盒的地方，有洗脸架和洗脸盆，有两张板床，还有一溜锁存个人衣物的铁皮柜。她们刚用上时简直觉得是进了天堂。

她吃着自带的馒头。馒头切了两刀，里头夹着辣咸菜丝。就着热茶吃这早点，她津津有味。队里的大妈大嫂们也都吃得差不多。唯有小妹是吃现从街上买来的牛肉咖喱饺，喝麦乳精。她们都把那位只有 19 岁的新伙伴叫小妹，小妹上班总是可着钟点到。下班后却总是最末一个走。不是她愿意多干工作。她得到那活动房里细细地更衣打扮。当她走出那间活动房以后，谁也想不到她会是不久前还在街上扫地的清洁工。她和满街那些趾高气扬的摩登女性们足可媲美——一头黑光油亮的披肩发，一副样式最新颖的平光镜。高尖领衬衫外套男式飞机衫，三股裤下头一双托人从深圳国际商场带回来的紫蓝色高跟靴。

她不理解小妹。小妹总不知足，为一点小事就能把八百辈子的糟心事勾出来发泄一番。发泄完了小妹会趴在她肩膀上抹眼泪。她就拍小妹脸蛋，骂她"浑球"。小妹会在工作时忽然间凑到她身边，递她一块冰糕，自己不消说正嚼着一块。她推开小妹的手，小妹却把手上的冰糕硬杵到她嘴唇上，不由得她不接过去。按规定工作时间不许吃东西。她就吃得匆匆忙忙。事后不免肚子疼。可她不在班组会上批评小妹。她私下里跟她说："下次可不许了！"小妹也确实不再自己买冰糕，但卖冰糕的姐妹们跟小妹混得烂熟，时而会主动给小妹两块冰糕，小妹就又会理直气壮地给她送到嘴边。小妹给她带来一些小小的烦恼。但小妹给她带来了许多的快乐。也不光给她。大家休息的半小时里，小妹一边吃着一边叽叽喳喳地给她们讲着，不是什么她从"内部"看到的怪电影，就是她从哪儿听来的新奇事。

小妹总给大伙传递街上店铺里的商品信息。哪儿到俏货了。哪儿正七折一次性处理。她总是无动于衷。自处繁华的商业街道，满目琳琅闪烁的货物，她从未动摇过自己的消费心理。她父亲是个蹬平板三轮的工人。她一周岁零三天母亲便一命归天。她最小，上头三个哥哥一个姐姐。父亲在两个脚蹬子上挣出嚼用，把他们一个个拉扯大。她爱人则在 13 岁上丧父。婆婆拉扯着九个孩子过了一段极艰苦的生活。爱人行三，下头还有六个弟妹，有的至今尚未成年。在北京隘湫的小胡同里，破旧的大杂院中，他们从小懂得每一分钱都来之不易和无比珍贵。现在他们一月合起来把乱七八糟什么都算上差不多有 200 块。合两万来个小钢镚儿呀！他们很知足。今年春节前有一天，她不是来这条街扫街，而是偕爱人来采买，当他们在"东风市场"里买下两盒茯苓夹饼，两盒金丝蜜枣、两瓶莲花白酒，说是去孝敬两家健在的老人各一份时，他们真觉得自己是世界上富足而体面的一对。

她日复一日地在王府井大街上清扫着。

偶尔，有的路人往她刚扫过的地面上乱丢纸团，她忍不住招呼说："同志，别乱扔呀！"

对方这才发觉她的存在，但鄙夷地把嘴一撇："都不扔，要你们干什么！"说完一晃肩膀，人走了。

她不生气。她心想什么人都有啊。她就再去撮掉那纸团。

吉祥戏院

北京市曲剧团演出　无场次北京曲剧

啼笑姻缘　根据张恨水同名小说改编

几乎没有什么人在南口东边的展览橱窗前停留。那些非日用品的商业广告不吸引人。倒是有华都饭店、京伦饭店、燕翔饭店的彩色照片,以及"大观园"和"密云国际游乐场"的介绍,但都不够醒目。

有个年轻人却在展览橱窗前站定。他面前的橱窗是三位科学家的画像。当中是巴甫洛夫。右边是伽俐略。左边是居里夫人。谁的点子?单把他们三位的像布置在这儿?年轻人默诵着居里夫人画像下的格言:"我们应该有恒心,尤其要有自信力。"

他来这条街买计时器。

当他继续前行时,能看出他有点跛足。那是小儿麻痹的后遗症。

他时时在睡梦中欣喜地看到另一个自己:用同别的小伙子一样健壮的双腿在运动场上奔跑。

……那天电大课散,他接到她塞给他的一个折成"又"字的纸条。他走到那棵大榆树下,四顾无人,才展开了它。上面写着:"我不能跟妈妈闹翻。生活不是小说和电影。别骂我。我调别的班了。我有罪。"他紧紧咬着牙。他觉得这不比想象的更坏,以后再来上课他反倒可以专心听讲了。但一霎时他觉得简直没法子迈步走路。他在大白天也做起梦来……

他庄重地朝王府井深处走去。他不想掩饰自己的缺陷。感谢王府井。感谢街口偶然跳进他眼睛的画像和格言。该给谁写封感谢信呢?

王府井中段,路西还有一长溜展览橱窗。原来那里是《人民日报》社。现在成了"机械工业部设计研究院"。展览橱窗后办起了"蓝图设计用品服务公司"。展览橱窗里也展出着"鱼眼摄影协会"拍摄的艺术照片。驻足观看的不多。一个壮汉雄赳赳地从橱窗前走过,身上穿着刚买的毛料制服,没顾得撕下袖口上的白布条货签,他对橱窗根本没有知觉。一对夫妇带着孩子,大包大包地提着,正为到哪儿去吃午饭而口角,他们对橱窗也视而不见。一个外国绅士只略斜视了几眼,便继续前行。一个中年妇女采取不停步地方法走马观花。但也时有认真逐张观看的人。

她便是其中的一个。矮胖的身材。短发几乎全白。中式对襟棉袄。衣裤样式古朴但用料考究。退休后她才有悠悠然逛王府井的时间和看展览橱窗的雅兴。

……一幅《竞争》，照的是街头巨大的广告，广告上画着个巨大的摩登女郎斜坐着笑吟吟地试穿新鞋，广告下一个瘦小守旧的老太婆以相应姿势表情麻木地运着针线，在便道上缝补床褥。照这个干什么？讽刺谁呢？……还有《梦》和《白日的梦》，照的都是"盲流"在街头露宿。这不是丑化社会主义吗？……眉头皱着。眼睛眯着。鼻子里哼着。嘴唇翕动着。"鱼眼摄影"？不要人眼要鱼眼！不像话。她联想到最近从电视屏幕上看到的一些镜头，特别是"威娜宝香波"的广告，又尤其是那外国女人把一脑袋头发甩散开的动作，看了心里发堵。不像话不像话！她转身离开橱窗，叹息着朝前去，刚走过大甜水井胡同，忽然一幅活的"照相"赫然映入她的眼帘——一对恋人在"燕山呢绒服装店"的"丽人"橱窗前搂着亲热。光天化日之下！她又气又恼又羞又臊。倒好像是她自己成了流氓。前面走来个小伙子，男人家却围着条艳红的大围脖！身边又闪过个小姑娘，明明是中国人，却全照外国人模样打扮！不知不觉又走到"瑞士表专修店"前。抬眼朝马路那边一望，又有"日本精工钟表专修店"。斜眼朝身边橱窗望去：雷达，尼维达，莱浮，依保路，雪铁纳，梅花唛，奥尔马，百浪多，美度，浪琴……啧啧啧，这该怎么说呢？不过关于这个问题她没再往下想，因为她手腕上戴的也是块外国表——亲戚从香港给她带回来的日本"双狮为记"的东方牌双历女表。

她心情很不平静。该反映反映！不像话！

她出身不好。解放后才从旧职员变成新职员。没入过团，更不是党员。"文革"中还受过一点冲击，罪名是"逃亡地主"。她习惯于"文革"前的17年。她恨"文革"。她对今天拿不准。

可是走到医药商店面前时她的气消了一半。那商店分出了一间小门脸儿，专卖七珠益寿减肥茶。她走进去以后气就全消了。她喜欢搜集各种各样的健美减肥茶。对她来说，胆固醇比任何"不像话"的东西都可恨。而向医生反映自己最近的感觉，又比向别人反映别的更为要紧。

一个年轻的爸爸正在跟售货员打听着什么。

售货员正告诉他："孩子胖属于发育过程中的正常现象，你别给他喝这个……"

而那位年轻的爸爸却总觉得无妨买些减肥茶给孩子喝。他刚给孩子买了《幼儿英语》磁带。去了"宏声乐器行"。钢琴无货。有日本卡西欧牌的多功能电子琴。低档的 500 多块一台。高档的要 4200 块。他现在还买不起。但他已经开始给孩子攒这笔钱。他请教人家，是给孩子买钢琴好还是买电子琴好？自然该买钢琴。他也早是这么个决定。可他还是忍不住要再咨询咨询。他今天没带孩子来。前几天跟爱人一块带孩子来这街上照过生日相。没去"中国照相馆"。别迷信那儿。这条街上的照相馆各有特点。"友谊照相馆"专为出国人员照护照相。"北京照相馆"的结婚照最地道。给孩子照相该去"风光照相馆"。别照低调的，要照高调的。别小气，要大方。照就照张十二吋的。用织锦面的粘胶大相册给孩子攒上一本，将来让他自己翻着看！

他还要买七珠益寿减肥茶。

她搭话了："你这么瘦，再喝更抽巴了。爱人呢？也不胖？那就更不能喝。这位师傅说得对。孩子胖，准是给他吃得太多。以后断了零食吧。千万别瞎吃减肥药。这东西是减胆固醇的。像我，上年纪了，胆固醇绝不能再多！可孩子，几岁？啊，才满两周！正长血管呢，缺了胆固醇还不成！……"

她在叨叨唠唠之中，把那"鱼眼摄影"引起的愤慨全消化掉了。

> **顾客第一　服务第一**
> **信誉第一　首都声誉第一**
> **您请 欢迎 对不起 没关系 谢谢 再见**

秘书劝他别往街里走了。他不吱声，只是继续往前走。没人注意他。要注意地望望他，便能看出他的身份。穿着打扮也平常。他有一种常人没有的威严。不是特意摆出来的。是自然流露出来的威严。

秘书跟在他身后走。走过"东风市场"。他没进去。他不喜欢这个 1969 年马马虎虎翻盖出来的市场。他喜欢过去的"东安市场"。没必要改成"东风"。我们重名不重实的积弊太深了。他想起原来"东安市场"里那些卖工艺品的小摊。景泰蓝的带鞘小宝刀，搁在那么个环境气氛里就是显得特别有味道。各式各样精致的糖葫芦。山楂果里嵌着豆沙，还用瓜子仁儿装饰出图案。最让人流连的是旧书店。那时候线装书不少。一套《淮南子》就是在那里买到的。可惜"文革"后退回时已然残缺。还有那几家西餐馆。"吉士林"的奶油烤鱼。"和平"的铁扒杂拌。"和风"的日本盒菜。都没有了。该恢复。他还想到了直至60年代初期仍然存在的弹子房。大概在"丹桂商场"旁边。那时候"东安市场"里实际上含着好几个市场。好像还有"桂铭商场"和"霖记商场"。"东来顺"和"五芳斋"如今还在。"金生隆"小吃店没了。1956年公私合营高潮中,他找"金生隆"的私方代表谈过话。他强调一定要保持"豆汁何"、"爆肚马"、"拍糕张"、"肉饼倪"这些风味小吃的原有特色。"文革"中这也成了大字报公布出的一条罪状。

他打得一手好桥牌。能欣赏西洋交响乐。喜欢打羽毛球。眼下他肩上的重担子卸下了,可还有几个社会职务担任着。新来的这个秘书不摸他的牌性。他最喜欢混在普通老百姓中活动。倒也说不上是"微服出行"。他的照片报上登过,可没人记得住他的模样。他为此非常高兴。他今天要在王府井大街上好好走一走。他只是一个平平常常的老年人。他深知没有比老年人离群儿更可怕的事。他爱人群。

啊,有一家"华都中老年服装店"。他走了进去。一个眉清目秀的男售货员正耐心地回答着一个胖子的询问。正搞茄克衫展销。可惜样式都很拘谨。他一边往外走一边对秘书说:"其实以后中年和老年还可以再分开设店。"秘书很为他思路的活泼惊异。

又走到了"盛锡福帽店"。生意格外兴隆。秘书劝他就别进去了。门口那儿简直跟公共汽车站上的景象差不多。但他竟随着一小股人流挤了进去。

乍一看帽子的品种真不少。还有整狐狸挂在那儿。各种样式的旅游便帽最受欢迎。有人在问贝雷帽到货了没有。他发现柜台里有捆好尚未散开的罗宋帽。这种帽子近年似乎很少有人戴。其实很好。他们30多岁一直到50多岁,入冬都戴这种帽子。他有一种亲切感。罗宋帽唤起了他许多的回忆。美好的和不那么美好的,模模糊糊融成一片。文学上有所谓"意识流"。女儿拿那样的小说让他看过。他戴上老花镜认真地看过一篇。女儿盯着他问:"接受得了吗?"他安详地说:"有什么接受不了的? 其实,人的脑子里不光有'意识流',还有那么一些个模模糊糊用言语形容不出的东西。"女儿的眼睛睁圆了。现在他胸中就涌动着那么一种东西。于是他凑近柜台问那个女售货员:"这罗宋帽卖吗?"

女售货员30来岁。倒不怎么打扮。她懒洋洋地靠在里边货架上,正眼也不看他,管自在那里发愣。

他又问了一声:"这罗宋帽多少钱一顶呀?"

女售货员眼睛盯着另一边柜台。那边的售货员正忙着应付几个买旅游帽的顾客。她也不去帮那边,也不理这边。

又有一个顾客站到他身边,朝那位女售货员问话。总算把眼珠转过来了,但依旧板着一张脸,仿佛刚用擀面杖擀过。

秘书生气了,抢上去,想告诉她现在柜台外边站着个老同志。他却离开了柜台,打个手势让秘书跟他退出商店。

"真不像话。"秘书在他身边说。

"我在想,她为什么没有积极性。"现在他是在朝返回的方向走。他的汽车停在了东华门大街。

秘书在他右边靠后一步的位置,跟着他往回走。秘书不假思索地呼应他:"大锅饭!"

他对这类笼而统之、放之四海而皆准的答案不感兴趣。

他想回家同女儿讨论一下。女儿的抨击:

"他们那套政治思想工作的老办法根本不灵了!"难听,可有道理。女儿正研究心理学。回去同女儿讨论一下。引入点心理学的方法。

进口外国交响乐原声带全部售缺	
现售　格兰披士之声	7.00 元
恋人浪漫曲	7.00 元
享德尔:弥赛亚	9.00 元
古典美洲轻音乐	9.77 元

也有人流稀疏的时候。

刮着呼啸的西北风的冬晨。暴雨倾泻的下午。节日假期结束后的第一天。电视台播放女排决赛实况的当口。这类情况下王府井不那么拥挤。

在某些情况下,如果作严格的统计,街上的行人未必有整条街的售货员多。

光是"百货大楼"和"东风市场"两处，就有职工五六千人。整条街肯定逾万。

一万多个肉体和灵魂。

他是其中的一个。

初中算是凑合毕了业。等了不到两年，分到他这个工作。来了。"跟哪儿上班呢？""王府井！"听着总比跟别的地方体面。

跟货场待过一段。满街的行人谁顾得去想，商店后头还有堆货的地方。进货得有人卸车。得有人搬。得有人码。得有人值班看着。得有人清扫场地。你当那商品是从天上直接掉进柜台里去的？

如今挪到前头。站柜台卖货了。不是嫌在货场当搬运工累。小伙子不愁没力气。咱们跟那儿栽了！咱们眼不见为净！

他恋上了开130卡车来送货的女司机。如今哪有姑娘还梳小辫儿？偏她梳两根羊角短辫。两爿嘴唇红得像山楂，形状像桔瓣。说说骂骂，追追打打，混熟了，他约她上政协礼堂，好不容易掏腾来的舞会票，她愣不懂得心疼，偏拉他去看那寡味儿的电影。不过看电影有看电影的好处，他动了她，她没生气。出了电影院，他们去西单"义利快餐店"，他请她吃意大利面条，没等她吃完，他就要跟她肯定关系。闹了个不欢而散。后来……后来的事情不堪回首。若即若离，时好时坏。最后是好说好散。她还开那130卡车来送货。他却不再在那儿卸车。他后来站在柜台里头，冷眼看那些个过来过去的姑娘。她们大概都愿意跟自个儿玩玩。动一动也没事儿。可一提真格儿的，她们准都得摇头。他算是看透了！

一个顾客走过来招呼他。他无精打采地应付着。

顾客挑选着。他斜眼望着顾客那胡子拉碴的脸庞，心想：他那老婆是怎么跟了他的？

有时候老半天没什么人来买他那儿的东西。他又觉着无聊。他把柜台上供顾客试样用的大圆镜子搬向自己，弯腰，凑过脸去，左右手的食指小心地按着腮上的一处地方，仔细研究着皮肤上的某种变化。

两个顾客小心翼翼地凑过来问他，有没有某种东西。

他们怕他态度不好。都是外地人。那表情就仿佛犯了"打扰罪"求他饶恕似的。

他忽然热心之极。满嘴流利的文明用语。主动介绍商品。百问不厌，百拿不烦。

人家喜出望外。买好东西以后直跟他道谢。他连点下巴："甭谢甭谢！"

班组会上，老师傅们批评他忽冷忽热。他承认。他还承认最近冷多热少。

如今调整了工资。套级以后，他挣得比以前多。多出十几块。但奖金却减少了，他总记得前年 11 月。那月他奖金高达 58 块。他的心理状态再难从那个数目字上降下来。

前些时人们埋怨物价上涨时他不仅附和，而且声量最高。

"你嚷什么？你一人吃饱了全家足！"

他就挺起脖梗："我不娶媳妇啦？"

最近他却天天说："该涨就得涨！"

他那个柜台的货物，俏的来点就一扫而光，不俏的压在柜台里无人问津。一来二去，他明白了，俏的厂里不爱生产，因为不让提价，可原料涨价了，越产越亏。为什么还在生产滞销货？因为按收购价算，厂里还是赚的。

吃亏的是他们卖货的人。销售额不达标，奖金少拿。

"你怎么又吵吵该涨价了？不攒钱娶媳妇啦？"

"一边玩去——水涨船高，你们懂吗？"

这几天他情绪格外好。打扮得也更水灵。

他有对象了。怎么搞上的是个秘密。

那对象别的都好，就是个头矮点。

他已经跟"同陞和鞋店"的哥儿们说妥了，有他形容的那种高跟鞋到货，挑双最好的给他留下。

好消息

彩扩一张　0.38 元冲整卷免费急件面议

她带着料子走进王府井。还犹豫着：是去"蓝天"还是"雷蒙"？"东华"还是"红叶"？"蓝天"至今在招牌下还标着"上海迁京"。如今她不迷信上海。怎么没有广州迁京呢？

他到"大陆干洗店"去取西服。他头一回送衣服来干洗。他至今弄不懂干着怎么能洗？他一进门就抱定主意要仔细验收送还他的衣服。

这一对总算在东风市场南门进去的二楼西餐部找到了座位。还是车厢座。卖的东西不怎么可口，比对面"湘蜀餐厅"差多了。可在那边简直没希望找到座位。除非拿出"硬骨头精神"，用脚把正在吃饭的人坐的凳子下面的横棍跐着，一直等到那人吃完。他们喝着啤酒，感叹着王府井饮食业的落后。他们回忆起在广州度过的日子。瞧人家那儿！忽然又议论到了北京的"大三元"酒家，摇头、吐舌。

一辆大型空调旅游车停在了工艺美术公司前的空场上。一些金发碧眼的旅游者陆续下了车。胸前大都吊着照相机。他们走进商店时都不免有点吃惊。无声的喧闹。有声的色彩。有的立刻走向柜台，或举起照相机。导游在招呼他们上楼，告诉他们三楼和四楼有专门对他们开放的"聚珍宫"。当他们上楼时不得不侧起身子，因为一个中国顾客买好了一条地毯，正卷成一个枪筒形状，由他和他的儿子在往下运送。

工艺美术公司对面的"中国画店"里，好奇的观望者远远多于购买者。范曾的一幅人物画标价 3000 元。一个作古鬲标价 40 元。有一对年轻人在问新到的油画多少钱，销售员告诉他们还没标价，让他们以后再来。他们挺不高兴。

白胡子老头在"东风市场"食品部买了盒"苔条麻花"。他对周围的顾客说："这个，还有芝油夹沙哩，眉公饼，才是稻香春的老传统啊……"可他走后人家还是只买那些西式糕点。他提着"苔条麻花"走出"东风市场"北门。门外的"吉祥剧场"把他的怀旧情绪勾得更酽。他想起了当年在"吉祥"听梅兰芳和金少山的情景儿。现在的小年轻有什么口福、耳福啊……

"东风市场"北门外的"五芳斋"二楼上，雅座里的主宾们正互相寒暄。是一次公费报销的宴请活动。宴请的是个人高马大的外国人。两个中年的陪宴人员互相正在说："要不是有这一顿儿，我可不会来王府井！""我怕有几年没来过这条街了。"瞧他们那个表情，十足的清高。逛王府井在他们看来是典型的庸俗。服务员开始给斟酒……

一个脖子上系着紫红领带的 5 岁男孩正在便道上嚎啕大哭。他的父母把他给弄丢了。

一个30多岁的男人急匆匆地朝口外走去。他腋下夹着个黑包人造革的手提包。

他刚走到东华门大街就要了辆出租车。

一个40多岁的男人汗涔涔地在柜台边嚷："我的包呢？我的包呢？"售货员指给他："这不是你的吗？"他拿过那只包，拉开拉锁，里头只有一卷手纸，他急疯了："这不是我的！"售货员告诉他："你准让人家给调包儿了！快报案去吧！治安派出所在菜场胡同里头……"

一个20多岁的小伙子在"碧春茶庄"门口站着，两眼一晃，朝一个走到身边的外地人亮出手里的两只外国打火机："便宜啊，便宜啊……"

一个上访的人，刚从八面槽邮局出来，衣衫褴褛，背着污秽的行囊，表情坚毅地穿过人流，朝王府井南口走去。

两个姑娘停留在"丽华百货商店"的橱窗外。一个正对另一个说："……一点不难织。你瞧，下针，下针，都是下针……"

```
批          大 削 价          优
发                            惠
       坚固呢牛仔裤：
   原价 24.00 元   现价 17.50 元
```

有过那么一天。谁也没注意到。街上的民警脸色变得铁青。后来有人发觉，街上的警察增多了。似乎还有从各单位调出的一些人员，被派到街上执勤。出什么案子了？值当得这样兴师动众？不过少数眼尖的人看到了这些迹象也不以为然。这跟我有什么关系？依旧坦然地在街上逛着。再后来，有人发现来了辆卡车，车上满是草编帘子，沿着马路边开开停停，停停开开。又过了一阵，街边雨水口铁栓上都苫上了草帘子。真是莫名其妙。

王府井像往常一样熙攘。孩子跟父母撒娇。恋人甜甜蜜蜜。外地人大包小包拎满手。老头老太太慢慢腾腾。"百货大楼"前小公共汽车正用半导体喇叭招徕乘客："王府井直达前门，5毛一位！"卖冷食的姑娘正兜售着最后一批冰糕。扒手知道自己没有暴露，仍在若无其事地游逛。

除了个别掌握情况的有关人员，谁也不知道潜伏着一场巨大的危机。

有人在给汽车灌油之后，把油桶里剩下的残油倒进了街边的雨水口。他确实不是故意的。他以为那黑糊糊的稠底儿既无用也无害。

亏得被及早发现。马上有人守住了他倒油的那个雨水口。不能让任何人一个烟屁股或火柴棍漏进去。后来在隔开80米的雨水口里也冒出了那种易燃物的气息。液态正挥发为气态。这就有自燃的危险。"轰""轰隆隆！"——后果将不仅是雨水口的铁栓子飞上天。人也可能飞上天去。将引起难以扑救的大火。

在严格保密的情况下，经过紧张的战斗，才终于消除了隐患，避免了一场灾难，甚至一些参加工作的人也是直到最后才弄清楚他们自己的作为有多么伟大。

一直有人站在雨水口附近剥橘子、说闲话、问路和吵嘴。恋人们倚在便道边的铁栏杆上调情。扒手在可能发生爆炸的地面上出没。

所有的人都安然无恙。许多人实际上是获得了第二次生命。但没有人为这件事写感谢信。王府井大街确有过那么一天。

清宫御点

**小窝头　芸头卷　月牙酥
马兰糕　佛手等十三种**

席棚、木栅、帆布篷围在一块地方，挂出"正在施工，注意安全"的告示，是王府井大街年年月月都有的景观。

这是一条街道充满活力的证据。

眼下又有两三处地方正在大兴土木。"美白理发店"的改装工程接近尾声。"外文书店"新楼刚立起骨架。

有许多工人在王府井的工地上干活。

他是其中一个，差两年60岁了，看上去刚过50。身子骨强健。作为老瓦工，他既自豪又自卑。这座楼还有砌墙的活儿。在王府井显示显示咱的身手！可越来越多的楼完全用水泥预制件拼焊。他那手艺施展的范围越来越小。

从他站的那脚手架上往下望，王府井大街上那些个来来往往、花花绿绿的行人挺古怪。他们都在忙乎些什么？哪来的那么多钱，一个劲儿地浪花？

没有什么行人有兴致朝工地的上方望。谁在盖这座楼？这和他们没有关系。楼盖好了，"没关系"的人走了，他们会跑进来逛，会看，会买，会高兴，也说不定会生气和吵嘴。他们现在、今后都不会知道有他这么一个人，砌了这楼的好大一部分墙体。

他一个人在北京建筑行业上干了30多年。他家里人远在河北易县的农村里。

作为老工人，他们单位给了他一间小平房。一个户口一间屋，够照顾的了。他接出了一间厨房。屋前院子窄巴巴，再没发展余地。

他苦干了大辈子。眼下还在苦干。

他那小屋子里只有一个木板铺，两个从信托商店买来的旧柜子。窗玻璃碎了以后，一直用别人家废弃的挂历纸糊着。取暖的炉子小心翼翼地使用了二十几年。烟囱五六年才更新一次。这一冬的旧烟囱是糊上一层泥，再刷一层浆，凑合着用过来的。下一冬得下决心买新的了。没下过卖炒菜的饭馆。没吃过奶油蛋糕。没尝过冰激凌。除了单位发票没自己去买票看过电影。要不是亲眼见，同一单位的人也不信北京城里还有这样的老师傅。

没穿过圆领衫。外头总穿工作服。里头只穿家乡老婆给他缝的中间系扣的汗褂。刚过春天，就习惯敞着怀，露出两块又高又厚的胸大肌。夏天常常光着膀子。

过得这么苦，可倒是爱干净。勤淋浴、勤理发。

没见他发过脾气。对人总那么和气。小伙子们拿他开心，他只是呵呵地憨笑。自己常说吃亏大发了——没念过书，没文化。混到六十边上，连个组长还没当过。见小年轻们看书，上"业大"去，就眯缝眼望着他们，心里的羡慕打眼里往外冒。

老婆比他还忙。能干。四个小子俩闺女，一个一个给他生，一个一个给他拉扯大。老婆进城来住过。住不惯。不是嫌屋子小院子窄，就是觉得一双手没个着落。做饭洗衣服拾掇屋子耗不去她一半精力。她就常常煮出一大锅白薯，提个筐儿到公园门口去卖。那些个浓妆艳抹的姑娘们偏爱买这个吃。可有一回让工商管理人员给抓住了，挨了训，还罚了款。没户口，办不来照，不能为家里添财，待在北京没多大意思，她就回去了。临回去，她摘下了门上的门帘。那间小屋就门上有四块玻璃透光。她说："透光好。我走了，你不许再挂这帘儿。你要在屋里乱搞，院里邻居能看见。我让隔壁大妈常往里看。你小心着点！"他红了脸，呵呵地笑。
她走后，确实没敢挂过一次门帘。可有时候他的确那个得慌。他就喝酒。只喝零
打的红星白酒。每次只喝一小杯。

如今他基本工资将近 100 块。在单位里算高的了。别的乱七八糟加上每月能
有 150。他还嫌不够。他还想法子往上添。下了班，他一路捡废纸。每月卖废纸
箱壳子能得个 10 多块。在商场后门，他捡得许多的包装带。就是白颜色、粉颜色、
浅蓝色的塑料纤维带子，人家用来包扎加固装货纸箱的。那些带子一般是一厘米
宽，两米长。他下班回到小屋，就坐下来用那些带子编提筐。编出来的白提筐上
还有粉的、浅蓝的图案。他想办法把这些筐卖出去，也是一项收入。星期天他就
揽私活儿去。谁家要盖小房子，砌院门，搭厨房，他就去给干。他要价总是最低，
所以附近的人都爱找他。给他预备的饭菜只要见蛋见肉，他就总是不住地给人家
道谢。

他积攒下了一笔钱。数目不小。

他年年回老家探一次亲。这几年回去把他辛苦坏了。他张罗着给大儿子和二
儿子盖起了两处房。

媳妇不好找。有人给牵线，从四川介绍了两个姑娘来。花了 4000 多块钱。
两个姑娘个子矮点，可活泼伶俐。语言上也没多大障碍。一个儿子娶了一个，热
热火火地过起日子来。

两对小夫妻一起把他送上了长途汽车。回到北京的小屋，他心里高兴，一次
喝下了四两酒去。

可是半年以后，一天傍晚他正光着膀子编提筐，老二突然闯进来。红着一双眼。
头发乱蓬蓬。一身汗臭扑鼻。

这是怎么了？

"她们跑啦！"老二跺跺脚，一屁股坐到铺板上，"哇"地抱着头痛哭起来。

那两个四川姑娘跑了。跑以前一点迹象也没透露出来。她们跟你们不是过得
挺好吗？老二的媳妇呕了两个多月的酸水儿了，她不是都有喜了吗？老大的媳妇
还给婆婆缝得了一件褂子。两家都张罗着买电视呢。

可她们竟突然跑了。真跑了吗？会不会是下地的时候，让坏人给害了？会不

会是进县城去逛，迷了路了？都不是。已经失踪五天了。她们带走了两家的全部现钱和她们最好的衣物。那天下午她们俩一前一后地说是去集上看看，结果是一去无还。后来全村里挨家挨户地去查问，有个中学生说，他见着她俩往火车站那边走去，一路有说有笑的。

没编完的筐掉到了地下。

爷俩盘腿坐着抽了一夜叶子烟。

第二天他上班干活动作迟慢，人家都说他到底是老了。

几天后他干活又变得同往常一样。

小屋里的生活似乎也依然如故。

他认命了。他想恨那两个姑娘，但当两个潜逃者的面影身姿在他头脑中浮现出来时，他又恨不起她们来。

他那两个儿子并没同那两个姑娘登记。中间人有名有姓有村有店，可去告他也没什么意思。就算政府把那人抓了，他家的4000多块钱也追不回来。

二儿子后来气得去了一趟四川，一直追到那两个姑娘住的村子里。那两个姑娘居然主动招呼他，留他吃饭，给他安排住处，还问他妈他爹好不好。原来跟老大睡过的那个姑娘本有丈夫。就在同村。跟老二睡过的那个姑娘也快成亲了。对象在邻村。她告诉老二，这回她要真当媳妇去。给他怀的那个，她不知道他愿意要，人流了。现在她准备好好地给丈夫生一个。

二儿子从四川回来以后变了一个人。他说他要一个人守着妈过一辈子。他觉着世界上最没有意思的事情就是娶媳妇。

他和他家里人总算熬过了最糟心的日子。

两个闺女许出去了。婆婆都在邻村。用嫁姑娘得来的钱，加上新积攒的，前不久给老大重娶了媳妇。这回正式登了记。这媳妇是本地的。一只眼有点斜。以前的事她全知道，她不论。听说她前些时候也呕酸水儿了。

他松了一口气。但人生的途程远未走完。还得劝老二回心转意，给他也找个真格儿的媳妇。老三的房子也该张罗着盖了。老四最福气。过二年他一办退休，老四就能来顶替。他把北京户口连同这间小屋移交给他，自己卷铺盖回乡下去。

老四进城来过。站在小屋当中，拿眼四下看。看完了就说，他来了要怎么怎么。

他的口味不光是沙发、电视、组合柜，还有城里的媳妇。他挣得出来。他像是从父亲那个模子里倒出来的。又圆又厚的肩膀，小铲子似的手。可他脑壳里多出来一千多个方块字。

眼下老四还得在乡下待着。他每天还在王府井大街的工地上砌着楼墙。下面的铺、商店和人群跟他都没多大关系。他只希望下班后能再拣到一大捆人家扔出来的包扎带。

北京市天主教爱国会相伯学校招生

▲高一数学、英语、新概念一册班

▲出国人员强化语训练班

▲拉丁语班王府井甘雨胡同 57 号

"我正忙呢。"

"不耽搁你工夫。"

他在他对面坐下了。

他们曾上同一个小学，同一个中学，然后到同一个村子插队，睡同一个土炕。回城以后他们曾一起待业。现在他们都经商。他是个体户，而他是"官商"，并且是经理。

"抽吧！"他递他一支"万宝路"。

"我戒了。"

"嗬，嫂子那么厉害！"

"跟她没关系。我规定柜台里和库房都不许抽烟。我得带头。"

"你这儿不是办公室吗？"

"我能粘在这儿吗？我一多半时间在柜台和库房。"

说完他给他倒了一杯茶。

他望望杯里的颜色。

他笑了："你别那么讲究！"

他也笑了："你当我就那么讲究！"

他问他："混得怎么样了？几万块了？十几万了？"

他眉毛一扬："别逗。我能咋唬得了别人，咋唬不了你。这回我可崴泥了。"

"怎么啦？"

他告诉他，他跟她的那个小铺面，因为附近盖大楼，行人都绕道，就剩下邻居们光顾。服装滞销，只能靠牙膏肥皂小百货小打小闹。大楼两年后竣工。楼下头就是大商场。他们那时候更难办。

"天下还有让你为难的事情？"他望着他，口气毫无讥讽。

"倒也是。"他知道他时间紧，便直截了当地说，"我另找了个辙。我给外地一个小罐头厂设计商标。农民办的厂。他们刚办起来，资金周转不灵，我就不光给他们设计，还给他们跑印刷厂，垫印刷费，把印得的商标给他们运去。现在他们的头一批罐头已经生产出来。"

"经过有关部门检验批准了吗？"他问。

"那当然。手续都全。"

"他们给了你不少吧？"

"不少。堆满了我们家。"

"堆满了你们家？"

"他们给不出现款，给的是七百箱罐头。我们那间小屋堆不下，就堆在了院子里。昨天飘小雪，把我们急得像热锅上的蚂蚁。只好去买塑料布苫。"

"一箱二十四罐？"

"你内行。二十四罐。玻璃胖罐铁皮封口。"

"工艺太陈旧了。里头货色怎么样？"

"我带样品来了。"他从随身的提包里取出两罐。

他认真地端详着那彩印的商标："酒醉香蜜枣。嗬，你还真有两下子。原来可没看出来。"

"插队那会儿我不就画过黑板报吗？"

"画'拿起笔，作刀枪'，跟鸡爪子扒的一样。"

"现在呢？我练两年了。她跟我一块儿练。"

"练到这份上也真不赖。胶印的吗？"

"胶印。四色胶印。我垫的钱。现在我得把钱收回来呀！"

"你打算怎么办呢？"

"你们这儿能不能替我代销？"

"我一个人做不了主。"

"你们研究呗。可以签协议书、找公证人。"

他望着那两瓶罐头，"好吃么？"

他立刻从提包里取出改锥，为一瓶起盖。

"你稍等等。等他们来了，一块儿尝。"

"你先尝尝。咱们论哥儿们。我请你吃。"他已经把罐头打开了。自己先吃了一个，再请他吃。

他就尝了一个。"嗯。不错。工艺流程你见过？干净吗？"

"看怎么说了。我看不一定比国营厂差。人家那儿也有卫生防疫的衙门。"

副经理等几个人进屋来了。他忙把他介绍给大家。他就主动把他的请求说了一遍。

大家都品了品那醉枣。都说不错。估计能卖出去。时下顾客里有种返璞归真的浪潮。专好买青豆罐头、黄瓜罐头、藕片罐头、马蹄罐头什么的。醉枣罐头也许反比龙眼罐头、桃子罐头、橘子罐头什么的好销。

他就问他打算一罐抽多少成。

他告诉他们出厂价。他们能给代销，他感激不尽。一罐他能得一毛五分钱最好。如果销得慢，一毛钱也知足。

这个问题就议到这里。都同意过两天再定。

业务谈完了，又剩两个人了，他俩都变得轻松起来。

他问他："你这经理，当得来劲吗？"

他伸伸腰肢说："怎么不来劲儿？我们月月利润往上长。"

他笑了："可你们服务态度没往上蹿。刚才我进来的时候还有顾客跟售货员在脸红脖子粗地掰扯。"

他歪着头，手里玩着一只铅笔："我知道。工资调了，奖金少了。归里包齐不如最红火的时候。看来改革这戏还得一幕幕地接茬往下演！”

他还想细究他的想法，他却反过来问他："你干你那个来劲儿吗？”

他出乎意料地皱着眉，抽口烟，郁郁地说："心烦的事比你多。工商管理所，税务所，市容办公室，街道办事处，综合治理办公室……都管我们。干部跟干部不一样，水平高的咱们服，水平低的呢？……周围尽是'红眼病'，连她家的人，我家的人，都认为我们是'倒爷儿'，手里没有十万也有八万。来了就坐下等开饭。在家开不行，都得到外头。乙级馆不去，得甲级。每月她家要我们五十，我们家也给五十，成固定的家庭税了。我们倒还的确请得起给得起。可剩下的也不多了！”

"谁知道你的底儿呢？"他沉吟地说，"反正你们的税，国家收不齐。”

"那倒是。"他承认，"差不多都有'猫腻'。我说的不是犯法。因为也没什么细条细缕的法。有的是空子。'猫腻'了也没有事。我倒主张快点儿立起个有鼻子有眼的好法来。我们也有赚头，国家也多收税。”

"你也并不痛快，那你干吗不找个我这样的工作干干？你要愿意来我们这儿当经理，我立马让位。你比我有才！”

"我也有德。"他挺起腰肢说，"不过，我喜欢我现在这种生活方式。我这人性格适合这么过。我喜欢活泛点儿，喜欢闯，喜欢今天干这个明天干那个，勤换样儿。”

他伸出手来，他握住，两个人摇了又摇。

"我不耽误你。”

"祝你走运！”

> **珠宝翠钻收购部**
> **欢迎参观选购**

王府井大街北口两边，东安门大街上，有北京城里规模最大的街头存车处。两边马路上码放着密密麻麻的自行车。

一个小伙子把自行车支在了马路牙子上。存车处的老大爷唤住他："不许随便搁车！存车来您哪！”

小伙子嬉皮笑脸地应付他："我就进去买包烟！" 说着钻进了商店。

买完烟回来，见自行车被老大爷硬给搬到存车范围里去了，气鼓鼓地去取车，开了锁就往外推。

"为了市容，也为你不丢车，不是？" 老大爷伸出手去收钱。

小伙子掏出两分钱来，故意"咣当"让钢镚儿掉到地下。一蹁腿，骑上车跑了。

小伙子一边蹬车窜进金鱼胡同一边想："真是贪心不足！这存车处得有多少辆车进进出出？一天挣老鼻子了！再看那老帮子一身寒酸相，家里折子上准有个大数目！"

老大爷气得飞儿飞儿的。瞪着那小伙子的背影，直到消失。不过到底他还是弯腰捡起了那 2 分钱。

他想坐下歇一歇。容不得他歇。又有人来存车。又有人来取车。

存车的都以为看车的很赚钱。

这行业不用一分钱的本儿。也没有任何技术。

瞧瞧这条街。多少自行车！怪不得有洋人照相。他们看了一定觉得跟万里长城一样稀罕。

他们模模糊糊地以为这么多车只有一两个人在看管。

其实仔细调查一下，便会发现还有 10 来个人在看车。

不过还是会有人这么想：十来个人劈分存车费，每人一天不挣个百儿八十才怪呢！

得算细账。

这个存车处每天平均存车量次在一万辆到一万五千辆之间。一辆车收两分钱。一天大约能收 200 多块。一个月大约能收 7000 块出头。

但这个存车处有 70 多个职工。他们原来的单位名称叫"东城区存车管理处"，现在叫"东城联升服务联社"。是 1958 年由个体发展而成为集体的自负盈亏组织。

70 多个职工，有 10 多个已经退休。退休不以年龄为限，谁干不动了谁就退。新近退休的一位老大爷 80 岁整。现在能看车的还有 58 个。五十几个三班倒，还得分出个小夜班来，专管"吉祥戏院"和"五芳斋"夜宵的存车业务，这样，每个班里也就十多个人。

一月 7000 多元，将够他们这一群人的副食补助和工资。平均工资（含副食补助）90 元。听着不算少。可就这么一份儿干工资，别的什么也没有。难怪他们那么较真。他们实在是不敢懈怠。过眼过手时每辆车都尽量不让它出差错。最怕丢车。丢了车谁的责任谁包赔。被偷的能是糟车吗？一辆好车少说 100 多。赔一辆一个多月的工资就没了。得白白地在风吹日晒里给人家看一个多月的车。

这位老大爷 66 了。最近常犯心绞痛。春节后跟领导上递了话："我得退了。你们另找人吧！"他们也有领导。他们联社也有办公的地方，还是两层楼的活动房哩。现在联社的业务不止是看管自行车（他们内部管这部分叫"自行车服务站"），还有管存放大小汽车的"机动车服务站"。前些时为了发展业务，多点收益，又开办了"东华冷饮店"。后两个部门招进了点年轻人。"自行车服务站"却一个年轻的也招不进。他们这个部门有 4 个共产党员，却没有一个共青团员——因为岁数最小的也有 43。领导一听他说要退就着急了，这支看管自行车的队伍是退一个少一个。他们主任是个女同志，胖胖的，穿上西装套服也还是不脱胡同大院里的土味儿，甩着嗓门央告他说："我老爷子哟，您兜里多揣点'救心丹'呗！街里头'百草参茸药店'来什么好药您就买什么好药，只要有发票我都给您报销！眼眉前就是元宵节，把退了休的全招回来咱们胳膊腿也不够，您挑头儿走人，不是存心拆台吗？把我急出疯病来您也落不着好不是？"

他就没退。元宵节果然麻烦。劳动人民文化宫里举办科技灯会。报上一登消息，电视上一出镜头，到了傍晚门里门外是人山人海。主任亲自带着他们十来个人在东华门筒子河边加班。打那儿进文化宫东北门的人也真不少。临时存车，黑灯瞎火，只能是吆喝着让车主们锁车交钱，哪顾得上挂牌儿、撕票儿？也不知道公园里的彩灯究竟有多神妙，反正愣有那十点多才尽兴出园取车的主儿。

车主过时不取，多等些时候也就是了。再不来，用平板三轮给他拉走。最怕的是人家急赤白脸地来说丢了车。

那天他看管的那一片，就偏丢了车！

车主是两兄弟一块儿来的。弟弟的车还在。哥哥的车没了。人家手里攥着钥匙，打衣兜里还掏出了执照。大雁牌的二八加快轴新车。牌子不算太响，可也值180 多块。

能怪他吗？一人得看那么一大片。筒子河那里的路灯没多大的亮。搁车、取车的一直没怎么间断过。再说有那专门偷车的，手里拿着"百宝钥匙"，想捅开哪辆能捅开哪辆。先交费不对牌儿的临时存车处，你就是浑身长满了眼睛也防不住他。

第二天失主又来找。买车的发票也拿来了。主任只好唯他是问。他管的那一段么！他连吞了两回"救心丹"。主任只好撂下句活话儿："是个人赔还是公家赔，再研究研究！"公家赔也够呛。四天元宵灯节的存车费，把那些小钢镚儿和皱皱巴巴的纸分币点来点去，统共才200来块钱。尽有那锁上车就跑的，收费收不齐呀！赔个折旧价也得150。大家伙忙乎了四个晚上才挣到四五十块钱，真够惨的！

可自行车存车处还得维持下去。

他们看车的也有学习会。他们凑到一块儿就唠叨："咱们都退了以后，谁给看车呀？"主任带头叹气："不出十年，这行业就得绝。可那时候自行车绝得了吗？"

听说"东风市场"酝酿着要拆了重盖。是跟香港合资。盖起来以后是十层的营业楼面，底层有六部大滚梯，里头是日用百货无所不有，吃喝玩乐样样俱全。盖得了恢复"东安市场"的老字号。谈判一成功就动工，两年就能拔地而起。顾客们都怎么来呢？那时候少不得还有成千上万的人骑车来。那时候他可就70了，就算心绞痛不发作了，他也不会再来干这个。谁来接他的班呢？

有个存车的指着车座后夹的大纸盒对他说："这就搁这儿，您费心给看管看管！"

他赶忙喘吁吁地摆着手说："别介您哪，您自个儿提走吧，这儿车来车往人来人去，我可看管不了这个……"

那人满不在乎地朝外走："嗨，丢不了！就是丢了我也不赖你！"

他拽住那人袖口："同志您别走呀，您的东西您可千万自己拿着……"

那人满脸不高兴，无奈何把纸盒子取下来拿上，临出去时埋怨着："什么事儿！光图省事儿，干赚两分钱！"

他实在再听不得那"两分钱"三个字。两分钱眼下算个什么数儿？"火柴涨一分，晚报涨一分，存车费怎么就不能涨一分？"他自言自语着。

主任他们往上打了报告，要求批准存车费涨价，从收两分改为收三分。

如果改得成，他们的收益就能增加半倍，工资待遇能有所提高，也许对有的年轻人能增加点吸引力。

可满街骑车和不骑车的人，能接受这一分钱的上涨吗？

连上头主事儿的那些人对此也提心吊胆。他们能下决心把烤鸭子从两块多一斤涨到五块多一斤，可他们下不了涨一分钱存车费的决心。

老大爷还在那儿看车。不时揉着他的胸口。

意见簿	连个咖啡馆都没有	
	广州上海南京人家有	北京人
	应设自选商场于此，应增加	
	微笑度	外地人

东京有银座。纽约有百老汇。巴黎有香榭丽舍。北京有王府井。

谁在哭。谁在笑。谁心情激动。谁无动于衷。谁挥金如土。谁一毛不拔。谁钱包鼓涨。谁阮囊羞涩。谁是丈夫妻子。谁是情夫情妇。谁享天伦之乐。谁怀离散之苦。谁在等谁。谁在想谁。谁注意到了谁。谁谁都没注意。邮亭里挂着《章回小说》杂志，头一篇是《窈窕酒家女》。东风市场处理美人头挂历：原价三块八，现售八毛。"高级蛋白饮料"挺畅销，"雀巢咖啡"买不到。交通警身系白色武装带，市容警制服上有红镶边。口外书摊上在卖金庸的《鹿鼎记》，口里书店新到了《萨特研究》。毛麻巴拿巴西裤。皮面柏仙奴运动鞋。处理红香蕉苹果一元四斤。进口美国变色镜45元一副。远红外健身器。鞭尾强身酒。全套贝多芬交响乐磁带，李德伦指挥，68元一匣。18K翠钻金镯链，3700元起价，4500元的存货不多。新开"巴林餐厅"，草原风味。电光"东芝"广告，入夜通明。四楼在开支部会。后院正出黑板报。她刚递上入团申请书。他在歪歪扭扭写检查。夜深人静，注意暗娼。光天化日，有人坑蒙。阅报栏没有及时更换新报。一边读一边散布小道消息。今天表扬信特别多。昨天案子还没破。"吉祥"又演《四郎探母》。"燕春茶馆"为什么关张？元朝叫丁字街。明朝建十王邸。八千三百五十楹府第有无残迹？王府井的井今在哪里？"红卫兵"当年怎样破的"四旧"？谁眼里看着是"资本主义复辟"？想得通。想不通。一半通一半不通。时通时不通。根本不想。有意思。没意思。常来。不常来。不常来。留下许多美好回忆。根本不值得记忆。变化大。变化不大。以不变应万变。以万变应不变。全中国全世界都知道王府井。王府井能看见全中国见世界。

王府井在旋转。

1986 年

永恒的微笑

I

　　公元 1505 年春末夏初的一天，意大利佛罗伦萨城，近午时分，明媚的阳光撒向圣·斯彼里托广场。阿诺河从东南方流来，把佛罗伦萨城分成两半，流向西北。圣·斯彼里托广场在阿诺河南岸，广场因圣·斯彼里托教堂得名。圣·斯彼里托教堂属于古老的奥古斯汀教派。这座教堂从 1505 年的眼光看去也已十分陈旧，它的建筑风格在当时的佛罗伦萨已属过时，正面墙体下半部是规整的四方形，上半部以涡线状收拢，拢到一半又切成平直状态，最后以一个平庸的顶楼终结，上面竖着朴素无华的十字架；整个立面上除三个门以外，只有一个大圆窗；倘不是有些小叶常春藤攀附在墙体上略添了几分风姿，那整体形象就仿佛是个穿着素白麻衣赤足跪伏以鞭自笞的赎罪信徒，可畏可敬而绝不可亲可近。

　　圣·斯彼里托教堂并不怎么吸引本乡人，更不能吸引到佛罗伦萨经商或旅游的外乡人，然而，教堂外面的广场，却是一个得人意儿的地方，它周围有着粗大的山毛榉树，既铺下荫凉又漏下闪烁的光斑，树下的露天咖啡座因而常常宾客如鹊；附近的店铺尽管没有什么堂皇的大字号，然而小店铺小摊档密如蜂巢，几处凸现的花摊总是摆放着大簇的蓝雏菊、粉玫瑰和杂色的香石竹，这一天更有别致的紫藤花应市，使广场不仅缤纷多彩，而且馨香四溢。

　　广场周围的生意，因近午而高潮渐退，穿梭如云的人群，也不知不觉化为散蜂游蝶；山毛榉树下的咖啡座，客人也减去了许多；然而一张小方桌前，依然坐着一位壮年男子，他右手里握着一只喝得只剩一点底儿的费腊腊酒的玻璃杯，两眼出神地朝空中眺望着，浓密的眉毛因而在额际更高地隆起，他便是已经 53 岁的列奥纳多·达·芬奇。

一位个子矮小、相貌丑陋的男子凑到了列奥纳多身旁，谦卑地躬着腰，搓着手，欲呼又止地自抑了数十秒钟，终于按捺不住地呼唤："列奥纳多·达·芬奇先生，尊敬的……"

列奥纳多仿佛从梦中被惊醒过来，落下高耸的眉毛，转过头来，望着这个呼唤他的人。

"尊敬的列奥纳多·达·芬奇先生，在下叫路加·兰都西……早就想拜见您，向您讨教，可一直没有勇气，也没有机会……万没想到却在这圣·斯彼里托广场能跟您幸会，倘若您不嫌弃的话……"

列奥纳多姿态优雅地靠在椅背上，蔼然地望着路加·兰都西，打个手势请他在桌边坐下，待对方落座，他又以一个手势招来堂倌，客气地问路加·兰都西："您来点什么？咖啡？酒？费腊腊酒还是希窝斯酒？"

路加·兰都西受宠若惊，双手搓得骨节响："啊，真是多谢……一小杯维诺葡萄酒就很好……"

堂倌把酒送来了，路加·兰都西啜了一小口，舔舔舌头，满脸赧颜地问："芬奇先生，我打搅您了吧？"

列奥纳多点点下巴："当然。我正在看一群鹳鸟北飞呢。它们想必是从那边飞来的，它们是要飞到尼德兰那边过夏天呢，说不定还要在那边生下它们的小宝贝。真想有一天把它们的翅膀再仔细地解剖一下，为什么能有那样强的升力和连续远飞的能力？……"说到这儿，他宽厚地一笑，把锐利的目光集中到对方脸庞上，和缓地问："您找我，有什么事吗？"

"啊，是这样……"路加·兰都西把系在长袍腰带上的一个厚簿子取下来，双手送到列奥纳多面前。

列奥纳多把那本子接了过来，只见自制的精致的羊皮封面，里面工楷抄写着女子式的娟秀文字。

"您的创作？"列奥纳多问他，"您想成为写诗的佩脱拉克，还是成为写故事的薄伽丘？"

列奥纳多所提到的佩脱拉克和薄伽丘，当时都已去世130余年，这两位佛罗伦萨的文学家与更早他们半个世纪谢世的但丁一样，是那以后每一位佛罗伦萨人都一听名字便如雷贯耳的。路加·兰都西不等列奥纳多话音落下便连连摆手，脸庞憋得通红；但列奥纳多这样一问，倒使得他思路和语言贯通起来：

"您可别这样说！我就算写诗写故事，也不敢跟他们的一根手指头脚趾头相比；我不过是写日记罢了——我是想给咱们佛罗伦萨记日记，可又不是像长老会议的书记官那样，或者像专写历史书的人那样去写；我是想通过我，一个普通的佛罗伦萨市民的眼光和心情，来写佛罗伦萨的变迁；我从 50 年前就开始写了……"

"50 年前？！"列奥纳多眯缝着眼，仔细地观察着眼前的人，"难道您比我年长许多？"

"啊，我想我是的，我比您大十几岁呢，您万万想不到，您很小的时候我就见到过您，当时您跟您的父亲就住在巴勃基斯杰圣洗堂旁边的巷子里……您跟韦罗其奥学画的时候我也见到过您，您帮韦罗其奥画完的《基督受洗》那幅画儿，左边那个跪着的犬使完全是您的独创，我还记得我头一回看到那幅画儿，看到画上那个小天使圣洁而温馨的目光时，心里头受到的震撼……可后来您去了米兰，您成了一个鼎鼎大名的人物，您前几年回到故乡来，我一直在找机会接近您，不是没有机会，也不是您不肯接近我这样的人，而是我本人缺乏勇气和自信……主啊！怜悯我……"

列奥纳多把身体在椅子上调整得端正些，说话的语气中增添了许多对老一辈人的尊敬："原来是一位大伯！说实在的，还真看不出您有 70 岁上下的年纪！您真是养生有术！"

"哪里，"路加·兰都西坦率地说，"我不显老，是因为我长得丑陋。丑人的优势就在于他似乎永远是那副模样，时间可以打倒美人却打不倒丑人哩！"

"啊嗬！"列奥纳多眼睛放光了，他从自己的长袍腰际拿起自己的速写簿来，那速写簿用一条丝带拴牢在他的腰际，但丝带很长，所以握在手中可以调整自如；他又从衣兜里取出一支笔来，对路加·兰都西说："请允许我把您那打不倒的相貌画下来吧。"

"不胜荣幸！"路加·兰都西在椅上躬躬身，任列奥纳多速写，一边说，"不过我还是希望您能翻翻我的笔记；我现在除了每天记可记的事外，就是着手整理以往的记录——这一本是七年前的，我已经整理好了；没有哪一年的日记比这一年的更难整理了，为了把它整理顺畅我几乎发疯。芬奇先生，我现在是诚心诚意地企盼着您的帮助——您随便翻阅几页，您给我判断！您给我信心！否则，我怕我会把几十年的日记堆起来烧个精光哩！"

列奥纳多暂不答话，只用心地速写着。路加·兰都西注意到，列奥纳多使用的速写纸是浅棕色的，笔是粗粗的黑炭棍；他是用左手作画，这证实了这位绘画大师是左撇子的传说；路加·兰都西还联想到，传说列奥纳多的一些私人笔记全是从右往左书写的"反书"，必得转映在镜子里，方可解读：他确信这位比他几乎小二十岁的画家是个天才，他想即使列奥纳多画一幅米兰圣玛丽亚·德拉·格拉齐耶修道院食堂里那样的《最后的晚餐》壁画，把他的速写像衍化成犹大的头像，他也心甘。

列奥纳多速写完了，这才又拿起路加·兰都西的那本笔记簿来，一边翻动着一边问："兰都西先生，您为什么企盼着从我这里得到信心呢？"

列奥纳多有一目十行的阅读能力，在路加·兰都西作答的间歇里，他已经读到了下列的一些文字：

"……好多人出于怕被驱逐出教不敢再去听萨伏那洛拉宣道，他们说：'不管对不对，反正我害怕。'我本人也如此，再不敢朝那讲坛走去……

"……这真难以置信！长老会议逮捕了萨伏那洛拉，并对他严刑拷打，比这更加可怕的是，那个我们曾把他妆作先知顶礼膜拜的人竟承认自己是个骗子！他从未从上帝那儿得到宣讲的那些道理，并且承认事实同他说给我们听并要我们相信的话正相反。宣布这个文件时我也在场。我惊呆了，简直不能相信自己的耳朵……我只能用这样的想法安慰自己：'主啊！一切都由你主宰！'

"……"

列奥纳多不愿再读，他合上了簿子。这时候他听见路加·兰都西对他说："我多次去往圣玛丽亚·诺微拉教堂观看您的《安加利之战》草图，每一回我总被您的气魄所震撼！我常常想，您在米兰一待就是十几年，您都成为半个米兰人，有人就简直把您叫做米兰的列奥纳多，可您回到佛罗伦萨却不仅接受了《安加利之战》的订画，而且还画得那么样地动魄惊心！您有着多么大的超越能力啊！您把您的这种超越力，分赐我万分之一也好啊！……"

一片阴云掠过列奥纳多的脸庞，虽不浓厚但也相当明显，他把那笔记簿送还给路加·兰都西，随即站起来，不礼貌地说："真是爱莫能助了——我对这样的东西既一窍不通，也确实缺乏兴趣。我也有几十年记笔记的习惯了，但我所记的是大自然的流水形状、花卉的构造、人体比例的研究、机械的传动、飞行器的设想、兵器的革新、小运河的开凿……咱们都各自把自己已经在做的事继续做下去吧——说到信心，来源于我们真切的感知……好了，我要回去了，再见！"

这时恰好午祷的钟声鸣响了，不仅近旁的圣·斯彼里托教堂的钟鸣响着，阿诺河北岸鲜花圣玛丽亚大教堂洪亮的钟声也传送过来。

路加·兰都西正待再同列奥纳多·达·芬奇讲说几句，后者却优雅地一躬身致礼，转身飘然而去了。

Ⅱ

列奥纳多·达·芬奇穿过托斯卡涅那街，朝彭特·维基奥老桥走去。他很喜欢这条古旧得甚至有点破败的老街。老街两侧既有颇具气派的富人家住宅也有狭小的石板墙、茅草顶的穷人居所，小街上的巷子狭得正午难见阳光，从中泛出一股股发霉的味道，然而列奥纳多常在巷口停留，为的是仰望那些古老的拱门，拱门上头的悬楼很有情调，透露出佛罗伦萨建筑师丰富的想象力与建筑技工的高超手艺。托斯卡涅那街的另外一个特点就是各种店铺杂陈，一个乒乓乱响的铁匠铺隔壁竟是一间纸香四溢的书店；一个细木工作场对面则是一间售卖现制药剂的药铺——有着一条长蛇缠绕着高脚酒杯的标志；一家专卖第勒尼安海鲜鱼的饭馆又紧挨着一家卖呢绒服装并兼卖银制锁子甲的商店……

列奥纳多从容地踱着步子。他身材虽不算十分高大，体魄也并不那么魁梧，然而却显现着雄性的全部魅力。他头上戴着一顶帽檐松软的薄呢便帽，帽檐的阴影落在他上半部脸庞上，然而他那一双精、气、神十足的眼睛却依然老远就令望者感到电光般明亮；他依然丰满的金发从帽子中泄向耳后和脖颈，发绺略带旋涡；

他两颊及下巴的胡子连成一片，既不过分浓密也绝不像山羊胡子那么单薄；他身上穿着玫瑰紫的薄呢长袍，在那个中午显得厚了一些；脚上则是一双深棕色的长靴；他走路时适度地抿着血色充分的嘴唇，尽管街道两旁嘈杂的声浪冲击着耳膜却绝不东张西望，而从小巷地沟中窜出来的秽气袭向他的鼻孔，也绝不使他那优美鼻脊下丰满的鼻翼翕动；他脊背自然地挺直，双手安详地叠放在胸下，他的移动从旁看去永远那么优雅闲适；难怪有的崇拜者因他而赞叹说：上帝啊，我们深信你对人类的挚爱，你创造出了多么完美的男子啊！

一朵艳红的玫瑰从一处悬楼上抛了下来，抛中了列奥纳多的左肩，列奥纳多是真的没感知吗？玫瑰滚落到身边后，他依然故我地朝前走去。

在悬楼上抛玫瑰的是一位年纪不算太轻的贵族妇女，她孀居已经三年，暗中发疯地爱慕着列奥纳多·达·芬奇；然而她那尚未出嫁的妹妹却总是放肆地嘲笑着她的痴情。此刻她抛下的玫瑰花未能使列奥纳多停步仰望，一旁的妹妹便幸灾乐祸地拍手高嚷起来："哈！您是不会得到芬奇先生半个眼光的！那回您在圣玛丽亚·诺微拉教堂门口把一捧郁金香献给他，他也没把眼角的余光赐给您一点，他只不过望了望那些郁金香的花蕊而已！而且没走上三五步，他就把那些郁金香送给在广场上耍把戏的艺人了！看啊看啊，您那朵红玫瑰已经被那头驮布匹的骡子踩得稀烂了！"

"去你的！"姐姐用手中的一把折扇敲了妹妹额头一下，反唇相讥说，"那么，你对米开朗琪罗·邦内罗提的追求就有收获么？不错，当大卫雕像正式树立在长老会议宫前的维基奥广场上时，你一直挤到了他身边，并且引得他两眼直勾勾地盯住了你——可你以为我就没听见他那句脱口而出的话儿？他说的是——'哪儿游过来这么一条鲽鱼？'真的，我的好妹妹，你把你那一双对眼治好了再来奚落我吧！"

"别胡说！"妹妹顿着脚抗议，"邦内罗提先生根本就没那么说！您怎么糟践我，我都暂且忍了，可我绝不允许您玷污邦内罗提先生的名誉！实话跟您说吧，您那位列奥纳多尽管是个多才多艺的大人物，可他那幅《安加利之战》可真没法儿看！画面上马呀人呀刀枪呀军旗呀搅成一团，活像魔鬼嘴里喷出来的邪火！看看我们米开朗琪罗的《卡西诺之战》吧！那些听见军号响，从河里站起来，跑上岸去的佛罗伦萨勇士们，一个个身躯有多健美！神情有多激昂！"

"你别忘了，长老会议给列奥纳多的《安加利之战》是 1 万弗罗林的酬金，而给你那位米开朗琪罗的《卡西诺之战》的酬金呢？才 3000 弗罗林！"

"这本来就不公平！"妹妹尖声抗辩说，"这只不过是因为芬奇先生比邦内罗提先生大 23 岁罢了！"

不提这两姐妹的继续斗嘴，且随列奥纳多的脚步朝前追踪，于是我们看见列奥纳多在一家书店门口驻足，并拐了进去。

书店门面不大，中午时分里面没有什么顾客，店主是个大胖子，正坐在收银柜后吃午餐——一钵用玉米粉与栗子粉混合熬成的波林达粥，一块散发着强烈的鳕鱼洋葱味和莫萨里拉奶酪味的比萨饼，他一见列奥纳多进来便立即中止咀嚼，一边忙不迭地吞咽着一边从收银柜后冲出来，满脸泛着红光，他很以列奥纳多频频光顾他这家阿诺河南岸的小书店为荣。

列奥纳多微笑着，用亲热的口吻对店主说："米开列托先生，真对不起，打搅您的午餐了——您不用让，我已经吃过东西，我只随便翻翻新到的图书。"

店主米开列托却竖起一根食指急不可待地宣布："芬奇先生，我为您准备着一桩惊喜！您再不来，我简直就要去阿诺河北边找您了！"

列奥纳多愉快地说："您把那惊喜留到您完成午餐以后再赐予我吧！惊喜是越储藏越有价值的，就像美酒一样啊！"

说完，列奥纳多便向陈列新到图书的台子走去。店主米开列托便回去继续他的午餐。

列奥纳多喜欢这家貌不起眼的小书店，实在是因为店主米开列托颇具眼光和情趣。陈列新到图书的台子上，放置着一只仿古希腊的陶瓶，陶瓶里插着三两枝新折下的月桂树嫩枝，仅此一举，就远比阿诺河北岸某几家大书店那种刻花玻璃大瓶满插紫红色玫瑰花的做派雅气。列奥纳多觉得这里的新书尽管每回种类不多而都颇可入目。他翻阅着一册威尼斯新版的《马可波罗游记》，这位百八十多年前已经死去的旅行家口述而成的著作，列奥纳多读过一遍但并不看重，马可波罗所讲述的东方在列奥纳多印象中是杂驳而夸张的，不能使他获得可以凝聚为具体感受的东西；24 年前他曾创作过一幅《东方三王朝拜圣母圣婴》，画过无数张草图并一度开始正式构图设色，但终于还是没有完成，那原因之一，就是他对东方三王的形象总不能聚集为一种真正的对东方人的感知或领悟，《马可波罗游记》没能帮上他的忙。他不想再读这本书，不过他觉得书印制得真不错，封面上的木刻装饰画清新可爱。放下《马可波罗游记》，一本托勒密与列吉奥蒙达努斯合著的《天文大全》扑进眼中，他略一翻阅，便决定买下。还有一本托斯卡涅里的数学著作和几册古希腊手卷的整理本，他也决定买下。

店主米开列托吃完午餐赶忙上来照应尊贵的主顾。列奥纳多把要买的书籍一一指明，对他说："请您捆好，下午我让塞瑞来取，并给您送钱来。"塞瑞是从米兰就跟随着列奥纳多的画徒，店主眉开眼笑地说："那没错！塞瑞真是个可爱的小伙子！不过，我给您的那个惊喜，恐怕他拿了书就再没法子拿了，您恐怕得让波尔特拉斐奥也来才行呢！"波尔特拉斐奥是塞瑞的师弟，也曾来这个书店取过图书，店主把他的名字也记得溜熟。

"那么，您给我的惊喜在哪儿呢？"列奥纳多问，并且感到自己的一颗心真像少年时代似的在以突然急促的跳动期待着，他很为自己有这种鲜活的期待感存在而高兴，他知道，这种感知的欲望是他创作的最重要的原始冲动之一，他不能想象，倘若有一天他不能为任何即将新展现的事物而心存急迫的期待感，他还能剩余着存活的价值。

"芬奇先生，您随我来！"店主米开列托诡秘地眨眨眼，把列奥纳多引到收银柜后面，那后面有一架长沙发，长沙发上不知摆放着一具什么东西，用一块布单蒙着，猛望上去会以为有个人在那上面躺着睡觉，然而米开列托把那布单一掀，显露出来的东西令列奥纳多不禁双手在下巴前猛地一握，孩子般欢呼起来："噢呜！"

——那是一具鳄鱼的标本。

"芬奇先生，自从您那次在敝店说起，您是多么渴望描绘鳄鱼的牙床和啄木鸟的舌头，我就一直在为您寻觅——恰巧我表哥去埃及跑驼毛生意，我就托他捎一条鳄鱼来，要牙床完整的，瞧，前几天他从亚历山大港回来，竟真给我捎来了！"

"太好了！米开列托，亲爱的！我真不知道该怎么感谢您！"列奥纳多竟弯下腰去，用手爱抚那鳄鱼的身体。

"不用谢！您知道，我为自己能为您带来惊喜而自豪呢！不过，当然，"店主米开列托突然涨红了脸，打着手势说，"那么远，又这么大……很费力的，不是吗？我表哥他……"

列奥纳多摆摆手："我明白，您不必说了。无论该酬劳他多少我都照付。说实在的，这惊喜的价值真不能用弗罗林来衡量！"

列奥纳多走出书店，还没同店主米开列托还完礼，旁边铁匠铺的作坊主卡波尼就把他迎过去了。

卡波尼是个红皮肤的瘦高个儿，不像米开列托那么故弄玄虚，他把列奥纳多请到机械加工的台子面前，直截了当地把几个特制的弹簧指给他看："您瞧，都做完了。完全按您的要求做的。可我真怀疑，您能用它们把锅子那么大的东西径直地升到空中吗？！"

列奥纳多拿起弹簧检验着。他已经画出了很多的设计图，试图让物体通过下面的弹簧与上面的螺旋形桨叶交互作用而径直离地升空。他打算正式做这样一种试验。为此他多次来卡波尼作坊与卡波尼切磋并定货。

"人应当飞起来。"列奥纳多并不望着卡波尼，但也不是自言自语，宣誓般地说，"人如果飞不起来，那就不算完美的人。人一定要飞起来。鸟为什么能飞呢？而且能飞那么高、那么远！我在米兰研究过鸟，鸟的飞动不仅要靠翅膀，翅膀的飞动力也不仅来自羽毛，还来自它们那特殊的肌肉和筋腱……我和塞瑞甚至试着装上鸟的翅膀从阳台上跃出，可我们都没能飞上去，而是跌到了地上，也许，人类想飞起来还得想另外的办法。这种直升的办法不知道能不能终于实现？嗯，人一定要飞，要飞！"

卡波尼很是感动，但他不善于表达自己的感情，他只是纯朴地说："芬奇先生，我愿意为您试验一切新鲜的玩意儿。就是您没有吩咐我的，我自己想到了，我也愿意去试。对了，我听说您为米兰大公路德维科·摩尔制作的老米兰大公的巨大骑马雕像，让法国人给毁了，真可惜！因为您没能把它翻铸成铜的，石膏的胎子，怎么经得住他们枪打棒击？我知道，那都是因为整个米兰城找不到一家作坊有那么大的熔炉，特别是有足够力量的鼓风机来为熔炉鼓风，您那雕像足有三层楼高啊！您知道吗？这些天里我一直在琢磨哩。也许，在我们佛罗伦萨，我卡波尼作坊，能制作出您在米兰没能找到的鼓风机和大熔炉哩！"

谁知列奥纳多对这一番话语竟是无动于衷的样子。他稍作沉思，便平静地说："那雕像毁了也不可惜。我更醉心于绘画。因为绘画是一门科学，而雕塑么，依我看来只不过是一项最机械的手艺罢了。"

卡波尼不能理解列奥纳多的观点，他憨直地反驳说："怎么会呢？比如米开朗琪罗·邦内罗提先生的大卫塑像，那难道只不过是一项最机械的手艺么？我每走过那雕像面前，总禁不住一阵阵的激动，多么美丽！多么雄壮！多了不起啊！那真是佛罗伦萨人的骄傲哩！"

一片阴云从列奥纳多眼内飘过，但没有浸润到面庞上来。他对卡波尼说："绘画，至少要考虑十个项目：光亮、暗影、色彩、体量、外形、位置、远、近、运动与静止……而雕塑呢，您仔细想想看，那只需考虑其中五个项目就足够了，无非是体量、外形、位置、运动与静止……"

卡波尼摇头："芬奇先生，您干吗要这样呢？干吗非把绘画说成似乎是一切艺术中最高的呢？仿佛那是王冠上最当中的那块最大最美丽的无价宝石！"

列奥纳多严肃地点着下巴说："正是。也许比你形容的还要至高至尊哩！"

卡波尼死心眼儿地抬杠："依您这么说，就连但丁也不那么伟大了，因为他只是写诗，而不是绘画！"

列奥纳多却柔和而执拗地向卡波尼提出一个问题："请问，一个瞎子，一个哑巴，哪一种创伤最重？"

卡波尼应声作答："当然是瞎子！"

列奥纳多点头说："是呀！绘画，好比是哑巴诗；而诗，却好比是瞎子画，绘画优于诗，不是显而易见吗？"

卡波尼哑然了。

送走列奥纳多·达·芬奇以后，卡波尼久久地坐在铁砧边发愣。他脑海里浮现出在米兰旅行时所看到的《最后的晚餐》与《岩下圣母》，那是列奥纳多·达·芬奇的伟大绘画。你不得不承认，这位画家的这两幅作品足够他鉴赏、体味整整一生。也许，至少列奥纳多本人有权利这样向世界和人类宣布，最完美最巅峰的艺术不是别的门类，而只是绘画。

III

娇艳的阳光慷慨地洒向佛罗伦萨城。阿诺河每逢开春涨水,春末夏初就变浅变细了。阿诺河上当时有四座桥,最有名的却是一座最短的桥,即彭特·维基奥老桥,传说当年但丁和他那终生恋人贝娅特丽齐,就是在这座桥上初遇而种下情根的。老桥修筑在河道最窄的地方,把南、北岸最繁华最重要的街区联结起来;它的另外一个特点是桥上两侧有许多五光十色的小商店,大多数是珠宝店,再有就是出售"卡索尼箱"的商店,这种成对成双出售的"卡索尼箱"上面绘有复杂的图案和盾形纹章,是一种婚礼用品! 此外当然也有些别的店铺。当那一天列奥纳多·达·芬奇走上彭特·维基奥老桥时,一股浓郁的紫罗兰香气朝他迎面扑来。

一个衣衫褴褛然而却并不憔悴的老年乞丐凑到列奥纳多身前,伸出手,深陷的两只小眼睛狡黠地眨巴着,嘴里念念有词地说:"主啊,您饶恕这位罪孽深重的芬奇先生吧!……"

列奥纳多停下脚步,微笑着掏出一块银币递到那个乞丐手中,乞丐凑到眼前一看,"啧"地吻了那银币一下,感激地嚷:"主啊! 一个索尔迪啊! "一个索尔迪足可买好几盘有火腿奶酪丝的番茄通心粉。那老乞丐把索尔迪藏进怀兜内,却并不让列奥纳多马上走开,他两眼闪着鬼火似的望定列奥纳多,压低沙哑的嗓音窃窃地说:"芬奇先生,上帝知道您现在心中的苦恼哩! 上帝让我救赎您这罪孽深重的人哩! "

列奥纳多开怀地笑了:"是吗? 我的救星,您就说说看吧! 赐我光明吧! "

乞丐更加凑近他,几乎是趴在他耳朵上,喘着气说:"您苦恼的是画那幅《安加利之战》的颜料总调和不好,不是吗? 您上星期刚画好的部分已经往下脱落流淌,您那用鸡蛋黄调制油彩的方法有问题啊,上帝怜悯您! ……"

列奥纳多吃了一惊,这乞丐竟真的知道横亘于他胸中的这一烦恼,他顾不得厌弃从乞丐身上泛出来的强烈秽气,任乞丐继续贴近他身体向他耳语:"上帝怜悯您,他让我告诉您,再不要用鸡蛋黄了,请改用鹅蛋黄,并且要公鹅授过精的鹅蛋黄……您这罪孽深重的人啊,上帝还是决定宽恕您! "

乞丐说完这话突然蓦地转身离去,眨眼就消失在老桥上来往的人丛中了。列奥纳多一边缓步向前一边微微偏头思索："鹅蛋黄？公鹅授过精的……"

他忽然心里烦躁窜动，不禁脚步加快，忽然，夹在两片珠宝店当中的一家画店门口陈列的一幅画闪入他的眼中，使他心中烦躁的干草"蓬"地燃烧起来。他快步走到那家画店，店主人刚一迎出来，他便一失往常的优雅礼貌，而是板着脸相当严厉地指着那幅画问："请问谁允许您这样做的？！"

那是一家专门售卖艺术仿制品的商店，原先主要大量贩卖仿古希腊古罗马的文物，近年来则开始增添许多当代画家雕塑家作品的仿制品，列奥纳多·达·芬奇现在指向的那一幅是《加罗法诺圣母》的一个摹本。《加罗法诺圣母》是他30岁时绘制的一幅作品，画面上的圣母垂下眼帘，右手搂着膝上的圣婴，因此一般观赏者都把这幅圣母的画称为《拈花圣母》。

店主是个酒糟鼻，他认出来者是列奥纳多·达·芬奇先生。不仅不为列奥纳多的严厉指责感到惊惶或生气，反而受宠若惊——须知像列奥纳多这样的艺术大师平日是绝上不这种店铺的；他左右环顾一下，感到不如把事态扩大，以唤起铺内铺外乃至过往行人的注意，这样他的店铺就能在这个中午声名大噪，从而财源滚滚了！

于是店主佯装没有立即认出列奥纳多来，而是扬声抗辩道："这位先生好没礼貌！我卖我的画，难道还要得到您老的批准吗？告诉您，您睁大眼睛看个清楚吧，这可是鼎鼎大名的列奥纳多·达·芬奇先生亲自指导他学生塞瑞临摹的，同原作一般珍贵哩！"

店主这么一嚷，果然围过一簇人来，围过来的人里马上有人认出列奥纳多并教训店主说："您才该睁大点眼睛哩！站在您眼前的正是芬奇先生本人啊！"

店主一方面佯装吃惊躬身赔礼，一方面又佯装仍在生气地嚷嚷道："芬奇先生您也别太挑剔了！连比您资格老的波提切利，他那《维纳斯的诞生》我们也卖了二十几个摹本哩！而且波提切利先生路过敝店时，看到也没说什么，甚至还翘着胡子笑哩！"波提切利当时已经六十开外，成名确比列奥纳多早。

列奥纳多在人群围绕中心气平和了许多，他耐下性子指着那个摹本说："你们或许会觉得这圣母和圣婴画得还几可乱真，于是以为这便是尝到我这幅圣母像的滋味了，其实这种临摹完全是隔靴搔痒！你们有机会仔细看看我的原作吧！请注意，在拈花圣母的头像两侧，我安排的这四扇敞窗，现在这摹本上所画的窗外风景，简直令我不能容忍——这位临摹的画匠完全不懂得浅透视、色透视、隐没透视三者之间的关系！在我的原画里，我用薄雾法描绘了特拉西美诺湖畔的山岩林木，你们知道吗？画上的阴影是极端重要的，因为一切不透明物体都被阴影和光包围，而阴影又有原生阴影和派生阴影……"

人群中一位观赏过原画的男子忍不住高声叫道："芬奇先生，您是我们托斯堪尼地区的骄傲！是您头一个把我们家乡如烟如雾的大气表达在了画面上并使之永恒！""啊，真的！"另一位妇人也议论道，"我记得芬奇先生画的圣母，身上那衣褶自然的仿佛伸手一拉就能拉动，可这幅画上的衣褶是怎么画的啊！简直像一团蚯蚓！"

这么一来二去的，店主也就顺坡下驴，连连向列奥纳多致歉，并表示宁愿把这幅摹本割破也绝不敢损害芬奇先生的名誉，又把芬奇先生请进店堂喝咖啡，连连向他点头哈腰，口口声声要他对所有的货品都不吝指教。这就使得小小的店铺热闹起来。

列奥纳多在店中坐定，且呷咖啡，店主从后屋取出一幅画来，立在列奥纳多面前请他观看，并诚心诚意地请教说："您过目，您听我说，这可不是名家的名作摹本。这是一幅不入流的画家的最新作品，是原件哩，您知道吗？这是波提切利老先生介绍来的，他说画技固然幼稚，题材可是惊人，也许会遇上特殊的买主，用高价买下哩！"

列奥纳多定睛一看，那竟是一幅《萨伏那洛拉受刑图》，画的是 1498 年 5 月 28 日在佛罗伦萨长老会议广场上，萨伏那洛拉被政敌处以绞刑并将进一步被焚尸的场面；列奥纳多不但完全不能进入审美的境界，连从一般技艺上评价这幅画的心思都荡然无存，他只觉得眼前见过的路加·兰都西的丑脸，脑中蓦地飘过路加·兰都西那笔记簿上有关萨伏那洛拉的文字……

IV

意大利的 15 世纪末至 16 世纪初，被一些学者称为文艺复兴的高峰期，出现了所谓"文艺复兴三杰"，即列奥纳多·达·芬奇、米开朗琪罗·邦内罗提、拉斐尔·桑蒂。其实，那时的意大利，政治生活动荡不安，社会中潜伏着许多的危机，就连专门的意大利史学家，往往也觉得难于准确描述那一时代各种社会力量的相互激荡，并且更难于冷静客观地对各种纷纭交错的历史现象作出准确的价值判断。

当时并不存在一个统一的意大利。简单来说，当时意大利境内有着若干大体独立的政治实体，比较强大的，有位于北部的米兰，位于东北濒临亚德里亚海的威尼斯，位于西北濒临第勒尼安海的热那亚，位于中间的佛罗伦萨，位于西南部的拿波里，以及偏南居中的教皇所在地罗马。

所谓"意大利文艺复兴三杰"的列奥纳多、米开朗琪罗、拉斐尔，都是佛罗伦萨人；列奥纳多大米开朗琪罗 23 岁，米开朗琪罗又大拉斐尔 8 岁；列奥纳多一生主要在米兰和佛罗伦萨度过，最后客死法国；米开朗琪罗和拉斐尔则一生主要在佛罗伦萨和罗马度过。

佛罗伦萨在意大利一度处于经济和文化都最发达的地位。15 世纪中期以来，佛罗伦萨表面上是一种民主共和的政体，由长老会执掌决策，然而大权都在富商美第奇家族手中，这个家族在佛罗伦萨政治上说话算数，经济上推动对外贸易，又大兴土木进行市政建设，当然包括为自己家族建造豪华的宅第和别墅；他们自己比较有文化教养，因而乐于资助、豢养以及在一定程度上放纵文学艺术家，特别是建筑艺术家、画家和雕塑家。从 1434 年到 1494 年这 60 年间，都是由美第奇家族的人在佛罗伦萨长老会议中主政，有的史学家称为"美第奇专权时期"。1492 年，主政的罗伦索·德·美第奇正值 44 岁的盛年竟溘然长逝，权力转到了他儿子皮埃罗手中。一般史学家都认为罗伦索主政时期堪称佛罗伦萨的太平盛世，然而皮埃罗一接手，情况便每况愈下，1494 年秋天，法国国王查理八世率军越过阿尔卑斯山进入意大利，皮埃罗出于对其那波里盟友费兰特国王的友情，反对法军入境，从而招致查理八世的挥戈进逼，皮埃罗在法军进逼时惊惶失措，主动跑往法军营地去求和，竟主动交出了当时属于佛罗伦萨的比萨城和第勒尼安海岸的三座要塞。这样，皮埃罗的卖国行径就把佛罗伦萨市民中压抑久远的对美第奇家族长期专权的不满引发成了一场革命，愤怒的市民赶走了皮埃罗及其家族，欢呼民主共和的重建。长老会议聪明地同法王查理订立了不算屈辱的和约，从而避免了法国的军事占领。

在推动市民推翻美第奇家族专权的过程中，有一位精神领袖式的人物，便是萨伏那洛拉。萨伏那洛拉其实并非地道的佛罗伦萨人，他出生在费拉拉，那个城市在佛罗伦萨东北方向一百多公里处；他1491年才作为多米尼克派的圣·马可修道院的副院长来到佛罗伦萨，发挥他的社会政治作用，那一年他已年近四十。

历史学家对萨伏那洛拉的评述歧见甚多。有的认为他是激进的社会改革家，有的认为他是个反文艺复兴精神的传统主义者，有的则认为他是个复杂难解的宗教殉道士。他激烈地反对美第奇家族的专权，揭露抨击这种专权所带来的腐败与堕落，他以越来越迷人的滔滔宣讲吸引着越来越多的崇拜者，因为他提前两年就预言了法王查理八世将进军佛罗伦萨，以体现上帝对佛罗伦萨道德沦丧的天罚，因而事态真正显现出来以后，人们简直把他视为上帝最亲近的先知。在佛罗伦萨市民推翻美第奇家族政治的暴动中，他成为众口皆碑的神人合一的民主领袖，又由于他在长老会议同法王查理八世谈判以阻止法军进占佛罗伦萨的过程中发挥了独特的作用，就使他的威望如日中天。然而所谓重建共和的各种暂时联盟的政治派别中也有他的死对头，例如多明我会教士，阿拉比亚党人，等等；当时米兰公爵与罗马教皇都急于拉拢佛罗伦萨组成一个抵抗法王的神圣同盟，教皇三次下敕书召唤他去罗马，第一次是以表彰尊崇的口吻，表示要亲耳聆听他从上帝那里得到的预言；第二次则老实不客气地要他即速动身；到第三次，则明确告诉他如不听话便将他革出教门，禁止他再在教堂中宣讲教义。萨伏那洛拉一次比一次更藐视教皇的敕令。1496年大斋节临近，佛罗伦萨大使请求教皇撤销对萨伏那洛拉的禁令，教皇表面予以拒绝私下却表示默认，这大长了萨伏那洛拉的志气。他在大斋节时仪态万方地登坛布道，讲解《阿摩斯书》，矛头直指罗马教廷，语及教皇的隐私秘闻，使听众们大为惊骇而又狂热拥戴，这样他就一次次地煽动起旨在反对腐败和堕落的宗教狂热运动。他的信徒们终于在1497年的狂欢节期间把那一运动发挥到极致状态。他们情绪激昂地高呼着纯净佛罗伦萨的誓言，疾风暴雨般地满城"焚烧虚妄"。他们不仅搜索店铺旅馆酒肆驿站，甚至还组织儿童团强入民宅，用暴力抢夺出一切他们认为是腐朽堕落、虚妄、有害的物品，不仅波及到淫书淫画纸牌赌台，还包括许许多多的日用品和文化用品；萨伏那洛拉声称科学不但无用而且有害，除了文法书、伦理学书及阐释宗教教义的书以外，其他一切图书都只能是败坏人的灵魂导致社会生活的腐败，因而掀起了一次次焚书的浪潮。据信史记载，1497 年狂欢节的最后一天在长老会议广场上举行了最大规模的"判决执行式"。广场中央竖立起一个像惯常焚烧罗马皇帝尸体的火葬台那样巨大的金字塔形的阶梯建筑，最下面一层上摆着以往狂欢节人们穿戴过的假须、假面具和化装服；上边一层是拉丁和意大利诗人的著作，其中包括薄伽丘的《十日谈》、普尔奇的《巨人传》、佩脱拉克的诗集等等，大多数这类著作都是用贵重羊皮纸印刷的版本或装潢精美的手抄本；再上一层则是妇女的装饰品和化妆品、香料、镜子、面纱和假发；更上一层是琉特琴、竖琴、棋盘、纸牌；最后两层则完全是绘画作品，特别是美人画，一部分是带有古典名字如璐克瑞佳、克利奥佩屈拉、芙期蒂娜等的想象画，一部分是美女本琪娜、莫瑞拉、兰吉等的肖像画；当时特别引起人们感动的是，一位名叫巴尔托洛缪·德拉·波达的画家赤足穿着素白的麻衣，背来了他所画的全部图画，跪伏着将那些他多年来的"罪孽"放置到最高层"最接近上帝之火"的地方，以待救赎，绘画中也有一些女人的雕像，不过鉴于比较难于焚烧，因而所置不多；一个偶然在场的威尼斯商人跑到长老院执政官前，提出他愿以 22000 个弗罗林来购买这个金字塔上的艺术品，回答他的是一片詈骂和嘲笑，人们告诉他连他本人的肖像也被取来加入了被焚烧的行列。当这个金字塔被点燃的时候，空中回响着歌声、喇叭声与洪亮而和谐的钟鸣声，然后人们退到圣·马可广场，在那里他们团团地围成一个中心分三圈来跳舞。人们在歌舞和钟乐声中欢庆佛罗伦萨的灵魂获得了救赎与更新！这真是多亏上帝赐给了佛罗伦萨人一个圣洁的萨伏那洛拉啊！

然而并没有经过多久，萨伏那洛拉的政敌阿拉比亚党就在长老会议中占了上风，他们在 1498 年的耶稣升天前那天发动暴乱反对他，罗马教廷根据阿拉比亚党的要求，宣布对萨伏那洛拉处以绝罚。长老会议却并不能就此达成共识，并最终要求罗马教廷撤销这道命令。罗马教廷拒绝。事态发展到这种地步，萨伏那洛

拉本人及其崇拜者却仍然自以为其奈我何。然而许多佛罗伦萨市民陷入了迷惘与
狂乱之中。说到底他们心理上还是与罗马教廷认同的。这时多明我会的一名修士
站出来扬言，如果有人敢于坚持这项绝罚无效，他愿同他一同经受火烧神裁。这
所谓火烧神裁，就是两个人分别站到柴堆上，当着公众由火焚烧，倘上帝认为一
方为对，则火焰并不能伤害他，甚至还能使木柴抽叶开花；另一方为错的，当然
只能是任烈焰烧成焦炭。热烈拥护萨伏那洛拉的弗拉·多门尼科信以为真，表示
应战。长老会议和市民们都赞助这一野蛮的裁断法。关于这次神裁的布告宣布，
参加者是弗拉·多门尼科和那一名多明我会修士，拒绝受火烧之考验或表现犹豫
者，即为失败；结果那名多明我会修士到时并未出场，神裁并未举行，萨伏那洛
拉本已稳操胜券，但这时候满城风雨，人们议论纷纷：萨伏那洛拉不是几年来一
直在讲上帝的意旨、讲神裁神迹吗？为什么事到这般关头，我们并未看到神迹出
现呢？第二天，阿拉比亚党乘机发动狂乱的暴民冲进圣·马可修道院，逮捕了萨
伏那洛拉以及弗拉·多门尼科和另一名门徒，经教会法庭草草审讯，转交世俗法庭，
判处绞刑与火刑，并在 1498 年 5 月 27 日长老会议广场执行。

V

　　立在列奥纳多·达·芬奇眼前的，便是以对萨伏那洛拉实行绝罚为题材的油画，
列奥纳多只觉得先是两眼发黑，嗣后便仿佛眼前净是跳动的火舌，他站起身来，什
么话也没说，只作了个表示疲惫和告别的手势，便走出了那家专卖艺术仿制品的商
店。店主对列奥纳多最后的神情与沉默颇为不解，但他心眼里是一万个感激——这
位不速之客的来临，使得他这本不景气的店铺不仅破天荒地一个中午便卖出了十幅
画，而且里头还包括那幅《拈花圣母》与《萨伏那洛拉受刑图》。

　　列奥纳多·达·芬奇继续在老桥上前行，一个中午两次受到关于萨伏那洛拉
其人其事的刺激，使他思绪纷乱而郁闷。他在年轻的时候就经常在心里自己对自
己默默地起誓："我要知道一切、理解一切。"感知外界和自我，这是人生至高的
快乐！然而，纷乱杂沓的社会变动，使他感到有一个领域于他来说是隔膜的，他

难以理解,并且也无兴趣作深入的探究。他30岁时离开佛罗伦萨去往米兰。那时候,佛罗伦萨正由罗伦索·德·美第奇当政,列奥纳多并没有感受到所谓美第奇家族的专权,相反,他觉得自己的才艺,正是由于直接得到了绰号"豪华者"的罗伦索赏识,才得以尽兴地发挥;而恰是在当年罗伦索欢宴米兰大公洛德维科·摩尔时,年方21岁的列奥纳多是当场献艺——用一架自己发明的马头竖琴演奏并唱了抒情诗歌,才引起那位米兰大公的注意,并终于在九年后邀他去米兰施展抱负的。洛德维科·摩尔的暴虐与昏庸固然令人厌恶,然而他对艺术家的供养与放任也确实促成了不止列奥纳多一个人的功成名就。

　　要不是战乱,列奥纳多也许不一定会返回佛罗伦萨。萨伏那洛拉的事他在米兰听说过,他对萨伏那洛拉发起的"焚烧虚妄"运动深感震惊而腹诽甚深,然而想到这位圣·马丁修道院教士最后的结局,他又心生酸辛与怜悯。他不懂萨伏那洛拉究竟在追求什么。他想,萨伏那洛拉也一定不会懂得像他这样的艺术家在追求什么。世上的人就是如此这般地相互绝不理解。他不理解法王查理八世为何要气势汹汹地越过阿尔卑斯山。结果这位法国国王并没有看到胜利就一命呜呼了。查理八世并没有子嗣,奥尔良公爵接了王位称路易十二。听说这位路易十二倒是个难得的艺术鉴赏家,然而列奥纳多又不理解一位有着绝高艺术鉴赏眼光的人物为何要继续进攻占据意大利领土。他并不同情米兰大公洛德维科·摩尔的临阵逃脱,但对其人后来的聚部一搏与被俘以及不知所终却深感怅惘。逃离为兵火搅扰的米兰回到佛罗伦萨,他也并不理解所谓"重建共和"的佛罗伦萨新长老会议,不理解为什么要给在1502年选出的政治领袖皮埃罗·索德里尼冠以"终身正义旗手"的称号。皮埃罗·索德里尼亲自出面,邀请他为长老会议大厦中的议事厅绘制大型壁画《安加利之战》,他接受了,同时邀请了比他小23岁的石匠的儿子米开朗琪罗绘制同一场所另一面壁画《卡西诺之战》。这本是正常的事,却引出了许多的私下议论,徒弟塞瑞告诉他,有人说把《安加利之战》派给他画,含有一种对他的讥讽,是为了让他难堪。他听后一愣。在长老会议大厦议事厅中绘制这样两幅壁画,无非是为了激励佛罗伦萨市民的爱国热情罢了。卡西诺战役发生在1364年,当时比萨还是个独立的小国,佛罗伦萨的军队在卡西诺地方战胜了比萨军队。安加利战役发生在1440年。此战是佛罗伦萨军队与法国军队在台伯河上游安加利地方击败了游击队。那些窃窃私议的人认为，列奥纳多既然30岁去往米兰并在那里功成名就，48岁才回到佛罗伦萨，他应算是个米兰人了，让他这样一个人画佛罗伦萨人同米兰人打仗的壁画，不就等于让他自己的一半同自己的另一半作对吗？列奥纳多对此种逻辑却不以为然，他并不存在这一半和那一半，他是一个鲜活的整体，并且只臣服于一个东西，那便是艺术，或者更具体地说，那便是科学化的艺术，也就是美。

列奥纳多快走到老桥北头了，他感觉到过往的路人中大有对他指指点点驻步观望的，可以感觉到他们几乎百分之百是在用一种尊崇名人的眼光和态度来对待他，有两位长裙拖地的年轻姑娘甚至在桥栏旁向他钟情地飞吻，然而匀速迈步向前的他仍感觉脸中淤塞着一种沉甸甸又苦涩涩的东西——那东西如要命名则只能叫做孤独。

忽然，一阵歌声朝他飘来，那歌声是委婉动人的女声四重唱，有小竖琴伴奏：

> 青春诚美好，
> 奈何似水流；
> 命运本无定，
> 何人尚优游？

他细听，还有童声加入进去，重叠着最后两句：

> 命运本无定，
> 何人尚优游？

列奥纳多·达·芬奇不禁驻足聆听，泪水涌满了他海蓝色的双眼。

VI

这歌声来自老桥北岸，列奥纳多寻声而去，在吉罗拉密巷口的又高又窄的拱门下，一个显然来自外地的流浪家庭站在那里演唱。四位妇女中一位已经白发苍苍，可以设想为祖母在唱着低音，一位中年的或许是母亲，唱着中音，两位鲜花般倚偎在一起用高音吟唱的或许是一对姊妹。她们四人侧面是一位皮肤黧黑满腮胡须的男子，弹奏着一个小型的竖琴——形态并非如今常见的那种 19 世纪才由法国人爱拉定型的竖琴，而接近古希腊的里拉琴即四弦琴的模样；四位女人身前则是一位天使般的男孩，尽管衣衫破旧然而容颜鲜美，两只明亮的大眼睛有着长长的、卷曲的睫毛。列奥纳多走到这一组人物面前时他们仍在重复地唱着：

> 命运本无定，
>
> 何人尚优游。

　　列奥纳多往男孩脚下一只倒放的帽子——显然是那成年男子的——里面掷下了一枚亮闪闪的弗罗林。他瞥了男孩子一眼，男孩子双眼向天，眼里闪烁着那么多的虔诚、率真与渴求，令他心中柔情与惆怅交注，辛酸与喜悦齐涌。他不敢让自己再多作停留，简直是有点慌张地离开了那一组卖唱者——他怕眼里的泪水当着他们流淌下来。

　　吉罗拉密巷本来就狭窄，两边的民房又比阿诺河南岸大多数民房高大，因而尽管是中午仍相当的阴暗。列奥纳多穿过这条小巷时爽性让泪水从眼眶流落面颊。在穿越这条小巷的过程中，他脑中闪过了无数画面，有的滞留较长，有的一闪而过，有的相互重叠：他出生地芬奇镇的石板屋，生母卡泰里纳圣母般的面容与爱抚他的那双温暖而结实的手，把这个私生子接纳到皮耶罗家族中的慈祥的祖父，似乎永远用一种吃惊的表情望着他的软心肠而挥金如土的父亲，指着一只鸡蛋逼着他反复进行素描的师傅韦罗基奥……歌声渐渐减弱、隐去，列奥纳多却越发地思绪翻卷。这首歌，他 21 岁那年，在罗伦索招待米兰大公洛德维科·摩尔时演唱过，那时人们都以为唱词是罗伦索所作，其实是列奥纳多自己的诗句。事隔多年，听到这个流浪家庭的演唱，列奥纳多更深切地领悟到，一个独立的个体如何绝对不能选择自己诞生的时间、地点以及自己的血缘、性别、相貌、指纹、遗传与秉性；而投入社会的个体，又如何难以把握与他人与群体的关系，如何难以捕捉住机会与缘分，如何难以把设想变为现实，难以把心中的领悟到的美完完全全地固置到作品中……

孤独。

深黑浑厚的孤独啊！你就像这条正午而不见阳光的寂静的小巷……

然而不知不觉中，小巷已到尽头。突然又阳光灿烂，眼界开阔，前面显露出宽敞的西诺拉广场——即长老会议广场。列奥纳多猛地感到强光眩目，他在广场边上停住了。

西诺拉广场一侧，是高耸的维基奥宫——即长老会议大厦。大厦整体像一个城堡，最高处以一个指向天宇的尖亭构成优美的形态。

西诺拉广场另一侧，是著名的兰奇敞廊。敞廊这种建筑是佛罗伦萨人首创的。兰奇敞廊高大华美。佛罗伦萨人习惯于在这半似房屋半似庭院的敞廊中风雨无阻地交谈、辩论、休憩、静思、散步、吟唱，他们认为这是该市民主精神和开放传统的一种象征。

那一天列奥纳多伫立在西诺拉广场旁边时，广场当心没有什么行人，密集的鸽子自由自在地在那里啄食，兰奇敞廊里人也不多，似乎只有一些长老会议的职员，穿着色彩特别鲜艳的制服，在那里指手画脚地议论着什么。

突然一阵马蹄声响，石板砌就的广场上的鸽群唿隆一下子飞散开去，有几只鸽子简直就从列奥纳多的肩上掠过，原来是一位衣着华丽的男子，骑着一匹马从维基奥后面走了出来。

那男子30多岁年纪，身材削瘦然而精神十足，他有着一张威严的面孔，最令人敬畏的是那只雄气勃勃的鹰鼻。列奥纳多把宽檐软帽向下轻轻抻了一下，然而那男子还是认出了他来，立即勒住马匹，翻身下马，摘下帽子，行了个先退一步再手挥帽子形成优美曲线大礼，并热情地呼唤道："列奥纳多·达·芬奇大师！"

那男子便是尼可罗·马基雅弗利，此人生于1469年，逝于1527年，史家都承认他是一位影响深远的政治理论家和军事理论家。他的《君主论》、《论战争艺术》等著作不仅被自他以后的历代西方政治家、军事家奉为必读书，就是20世纪的许多有威望的无产阶级革命家，也都研读过他的论著。他一生经历曲折、著述颇丰。他撰写篇幅浩荡的《佛罗伦萨史》，也编写过《曼陀罗花》、《克丽齐娅》等喜剧剧本，他的《论李维》一书又是著名的哲学著作，在《论李维》一书的序言中，他自负地宣称正开辟着"一条前人从未走过的道路"。

但那一天站在列奥纳多面前的马基雅弗利，却还没有写出上面提及的那些著作，他当时还不能静坐在书房中提笔，他以热辣辣的心情和风风火火的做派参与着佛罗伦萨的现实政治，1494 年皮埃罗·美第奇被赶跑以后，他在"重建共和"的长老会议政权中连续担任要职，负责外交和国防，几度作为大使出使意大利其他地区和法国；那一天他向列奥纳多施礼时，他的身份是显赫的共和国十人军事委员会秘书。

马基雅弗利恭敬地问列奥纳多："芬奇大师，您中午也不休息，就要去继续画那幅《安加利之战》吗？"

列奥纳多告诉他："我已经几天都没有做这件事了。因为我调制的新型颜料很不理想。我正试图解决这个问题。"

马基雅弗利立即满脸歉意地说："我光顾自己的那些事务了，竟没有时时关注大师的创作。说实在的，我小时候也曾幻想当一个画家哩！"

列奥纳多见马基雅弗利并不想把这次相遇当做一次礼节性的接触，浑身满脸显露出谈笑勃发的劲头，就知道佛罗伦萨贵族社会盛行百年的清谈习惯在这位年轻官员身上发作了，即使是出于礼貌，也不好拒绝对方。于是，列奥纳多便主动引出一个话题："在西班牙的那位哥伦布还活着吗？您认为他发现的那些新大陆究竟是不是东印度呢？"

马基雅弗利对于这个问题极感兴趣，他表情丰富地报道说："哥伦布这家伙可真了不起，大前年都 50 岁出头了还率领船队冒险出航，听说去年冬天才历尽艰辛返回马德里；他现在还一口咬定他登上的那些土地就是印度东面的岛屿，可我总觉得可疑……"

列奥纳多眉毛一耸说："正是！我相信大地是圆球形的，无论是从西朝东航行，还是从东朝西航行，大概总能回到出发点上，然而你在一个球面上画道线试试，回到原起笔点上并不那么容易！何况是在大海上航行！印度那边的东西，像宝石呀、象牙呀、茶叶呀、绸缎呀，佛罗伦萨人是常见的，可是从西班牙那边传来的关于哥伦布所发现的那些岛屿的消息，里面讲到有红皮肤的土人，有吃蚂蚁的狗，还有长得像橄榄树一般高的带刺的棍形植物，那可是从没听说印度有过的啊！……"

"的的确确，这大地上的人和事该有多么广博多么复杂啊，哪能轻易地作出结论呢？"马基雅弗利提高声调呼应着。

两个人都有点意外，他们竟可以谈得如此投机。两人在兰奇敞廊里并肩踱步，活泼地转换着话题。

聊着聊着，马基雅弗利忽然指着西诺拉广场说："世道转换得多么迅速啊，真像万花筒一样，请看这阳光普照的广场，谁能想到八年前这里举行过疯狂的'焚烧虚妄判决执行式'，而一年后又在这里把'判决执行式'的倡导者萨伏那洛拉本人烧成了灰烬呢？"

这是列奥纳多在一个中午里第三回听到别人出乎他意料地提到萨伏那洛拉，他眼里面泛出了乌云。他顿时尖锐地感到他同马基雅弗利之间有一深深鸿沟。马基雅弗利还在他耳边继续就萨伏那洛拉的话题喋喋不休，他却思绪纷乱，心神不定，他脑海中又浮现出路加·兰都西笔记簿中的文字，以及老桥上那家画店中的有关图画，而且他又突然想到自己那幅尚未完工的《安加利之战》，他竟一并产生出一种厌恶感！他突然深深地领悟到，创作《安加利之战》的烦恼，其实举凡人们以为派定他这个题目是使他这个米兰归来者尴尬的猜想也好，把他这样一位50岁的老画家同一位不到30岁的雕刻家推到竞赛场上比试的古怪处境也好，处理这样一种战争题材缺乏必要的资料素材又难以构思铺排也好，以及为了适应他那一惯的慢工细活创作方式而必须调制新型又不得成功的颜料也好……都算不得真正的烦恼，他内心深处潜伏着涌动着的那个最原始的烦恼，竟是他在创作过程中对残忍的排拒——以他的天性而言，他是不适合不愿把人类中残忍的人事和人性中的残暴一面在绘画上展现出来的，固然他也画过《最后的晚餐》，但画面上的十三个人中只有一个犹大是灵魂污浊的人物——但犹大的特点也并非残暴；他所钟爱的题材是圣母和圣婴——那其实就是意大利无处不在的充满慈爱的母亲与一些天真的儿童；他还画过《抚白貂的妇人》、《音乐家像》等世俗人物的肖像，那也都是些充满人性光辉的美好形象……仔细想来，他并非不懂得绘画也是一种揭示世间惨象与人性黑暗的利器，并且对乔托以来的前辈画家的这类作品，如弗兰西斯加的《鞭笞基督》、曼坦那的《圣赛巴斯克》（画面是被绑缚的圣赛巴斯克几乎全裸而身贯十一根利箭，其中一箭从他脖颈斜穿到额头）等等，从来都很看重更从中借鉴到某些技法，然而他的心性是既不可能把灵魂阴冷残忍的萨伏那洛拉讲道取为画题，更不可能把以残忍的方式对萨伏那洛拉处以绝罚的场面移入绘画的。他想到了那幅未完成的《安加利之战》，他在强制性前提下倒也能画出残忍的战争厮杀场面，他那幅至今仍在圣玛丽亚·诺微拉教堂展出的草图，使多少佛罗伦萨人发出最睁目咧嘴的惊叹，剩下的只是你喜欢或者不喜欢——然而人们万万不会想到，他自己内心深处也并不喜欢！因为这不是他的活儿！不是！天哪，他还能画完这幅《安加利之战》吗？

马基雅弗利并没有看出列奥纳多内心痛苦的思绪，他一路高谈阔论下去，并且升华为形而上了："……我对人性不抱乐观的评价。人是自私自利的生物，人首先关心的是自身的实际利益，只在极少的情况下，人才会做些宽厚无私之事，因而，为了把人群治理好，道德和宗教原理都无济于事，权力才是首要之务……我们应当建立一种良性的权力机制，来引导人们过一种合理而和谐的生活……"

马基雅弗利终于注意到列奥纳多的失于应答，这才致歉地说："芬奇大师看来我把您弄得太疲乏了。真对不起！尽管我还没有来得及吃午饭，但同您的这番交谈，真是一次难得的精神宴飨，愿今后还有许多这样的机会！"

列奥纳多反过来道歉："真不该影响了您的午餐。您快去进餐吧！后会有期！"

两人在兰奇敞廊分手了。人生真是聚难散易，从此他们再没有相聚交谈，直到各自谢世。

VII

14世纪末的佛罗伦萨人萨琉塔蒂在一篇《驳斥罗斯奇》的文章中对自己的城市作了如下评述："有哪一个城市，不仅在意大利，而且就整个世界而言，能够比佛罗伦萨在城垣之内取得更大的安全，在宫室建筑上得到更大的荣耀，在教堂建筑上数目更多、更辉煌壮丽，在城门上更雄伟，在广场上更富丽，在街巷上更悦目，在居民上更广大，在政治上更光荣，在财富上更无穷，在土地上更肥美呢？"他这充满激情的颂赞至少在一点上是能赢得那个时代大多数人共鸣的，便是佛罗伦萨市容的壮美。

佛罗伦萨景观的至美之点，公认是圣玛丽亚·德尔·弗诺雷教堂，即鲜花圣玛丽亚大教堂。

鲜花圣玛丽亚大教堂始建于 1291 年，1436 年才基本完工，历时一个半世纪之久。教堂的堂身、楼体与一侧高达 84 米的方柱形塔楼本已精美雄伟，然而它在视觉感受上引出的高潮，却是那唱诗席上方的壮丽圆顶，圆顶穹窿内径达 42 米，高 30 余米，具有古罗马与哥特式的双重风格而又绝对创新，它下面有拜占庭风格的八角鼓座，并不浑圆而略呈覆盅形的圆顶上有八条凸出的肋箍，汇聚为一个极为美观的亭形顶阁，人们从距离佛罗伦萨很远的地方，就能望见这个叹为观止的圆顶，它总高达 107.5 米，至今仍是佛罗伦萨天际轮廓线中最摄人心魄的部分。不仅是佛罗伦萨的骄傲，也是整个人类文明的瑰宝。

列奥纳多·达·芬奇从西诺拉广场的兰奇敞廊出来，一边思索着一边信步穿过了市场街，来到了鲜花圣玛丽亚大教堂面前。

这座他少年时代就极熟悉的大教堂，忽然在此时此刻引出了他许多全新的思绪。他用目光爱抚地注视着那用黑、绿及粉红色条纹的大理石砌成的墙体，目光从下往上移动，最后落定在那有白色肋箍的赭红色大圆顶上。他想到了使大圆顶终于从浪漫的想象化为了活生生事实的建筑师布鲁涅尼斯奇。布鲁涅尼斯奇生于 1377 年，1446 年谢世，列奥纳多在这位前辈谢世六年后方呱呱落地。布鲁涅尼斯奇在世人心目中是个伟大的建筑艺术家，除鲜花圣玛丽亚大教堂外，他还设计过以优美拱廊著称的佛罗伦萨育婴院，与鲜花圣玛丽亚大教堂异趣的巴齐礼拜堂，内厅雍容华贵的圣罗伦索教堂等等著名的建筑。列奥纳多当年向韦罗基奥师傅学艺时，韦罗基奥常向他讲述布鲁涅尼斯奇的种种轶闻，并一再督促他去观摩上述的美丽建筑。韦罗基奥向列奥纳多讲得最多的，就是当 1420 年长老会议征求实现鲜花圣玛丽亚大教堂圆顶建筑的设计方案时，布鲁涅尼斯奇如何在竞争中击败了昔日的对手吉贝尔蒂。吉贝尔蒂生于 1378 年，逝于 1455 年，比布鲁涅尼斯奇小一岁。1401 年时，鲜花圣玛丽亚大教堂西侧的巴勃基斯杰圣洗堂已经建成，这座精致的三层楼高、有八角形素白斜顶的圣洗堂的北边计划安装第二道有着二十八块青铜浮雕的大门，当时举行了公开招标的竞赛活动，共有七名雕刻家参加。招标竞赛的办法是每人都用《祭献以撒》这样一个共同的题目完成一件作品。附加的条件是很苛刻的，必须在预定好尺寸规格的一个有四个圆弧和四个三角的框格内构图，图上必须出现五个人物和一匹马，五个人物是亚伯拉罕、他的儿子以撒、一个飞动的天使和两个和马在一起的仆人，并且必须表现出这段《圣经》故事中所描述的最紧张也最神圣的一瞬：高达100岁的亚伯拉罕接受上帝耶和华的考验，上帝让他把爱若掌上明珠的儿子以撒献出来作为燔祭时的牺牲；亚伯拉罕瞒着妻子，在夜里带着以撒，并带着两个仆人，用马驮着木柴和干粮，走了三天到达实行燔祭的山下。亚伯拉罕让仆人留在山下，自己带着以撒登山，以撒背着木柴一边登山一边问："父亲啊，木柴和火都有了，燔祭用的羔羊在哪里呢？"亚伯拉罕说："儿呀，上帝会选择燔祭的羔羊的。"到了山顶，亚伯拉罕用石块砌成祭坛，把儿子捆起来，放在木柴上，举起尖刀向儿子刺去。就在这千钧一发之际，上帝派来天使，制止了亚伯拉罕，并对他的忠诚不贰给予奖赏——让他的后代像繁星和沙粒一样绵延不绝。在雕铸这两扇青铜大门的竞争中，吉贝尔蒂击败了布鲁涅尼斯奇。直到19年后，在征求鲜花圣玛丽亚大教堂圆顶方案的竞争中，布鲁涅尼斯奇才以旷世的巧思和缜密的计算赢得了远比雕铸青铜门巨大的胜利。所以韦罗基奥师傅常向列奥纳多说："吉贝尔蒂真是个了不起的雕刻家！布鲁涅尼斯奇真是个了不起的建筑师！"这观念多年来一直深印在列奥纳多脑中，他从未怀疑过。

然而1505年春末的这个午后，列奥纳多站在鲜花圣玛丽亚大教堂与圣洗堂之间时，他却忽然心有所动。在兰奇敞廊中所形成的那种皈依仁爱排拒残忍的思绪，一直萦回在他脑海中，鲜花圣玛丽亚大教堂那高耸的圆顶头一回在他眼中显得那般异样，他蓦地觉得那圆顶的辉煌和壮美乃是因为凝聚永恒的仁爱与安详，那绝不只是一座建筑物，那简直就是一尊有生命力的雕塑，并且在蔚蓝的天空衬托下，完全是一幅无与伦比的绘画。他顿感往昔对布鲁涅尼斯奇的价值实在是估计失当，他有着一种惭愧乃至悔恨的心情。

于是列奥纳多举步朝圣洗堂第二道北门走去。

忽然一个穿着灯笼袖衣衫的年轻男子跑到他身边呼唤着："师傅！您该回去休息一下了！"

那是挚爱他的徒弟塞瑞。

列奥纳多望定喘吁吁的塞瑞，把右手搭到他的肩膀上，左手掏出一方手帕替塞瑞擦干额上的汗珠，蔼然地对他说："亲爱的塞瑞，你打断我的思路了！不过我很高兴在这里遇上你。别担心，我在圣·斯彼里托广场那边吃过东西了。来随我再观赏《祭献以撒》……"

塞瑞随列奥纳多走到圣洗堂第二道北门。两扇铜门各有14块《圣经》故事浮雕，每扇竖列7块，横数2块。两扇铜门均系当年招标胜利者吉贝尔蒂所铸，《祭献以撒》是其中一扇的内边上数第二块浮雕。塞瑞遵从师训多次来观摩过这两扇铜门上的浮雕。他不理解师傅今天为什么还要他细看那《祭献以撒》。

"喜欢吗？"列奥纳多问塞瑞。

"当然！"塞瑞由衷地感叹。

"让我们再去对比一下。"列奥纳多领着塞瑞进入圣洗堂内部。在一个角落里，当年参赛的7块《祭献以撒》浮雕都陈列在那里，最后进行决赛的吉贝尔蒂的那块与布鲁涅尼斯奇的那块紧挨在一起。

"哪一块更好呢？"列奥纳多与其说是问塞瑞，不如说是问自己。

"吉贝尔蒂的这一块当然更好啦！"塞瑞应考般地答复说，"亚伯拉罕是那么样地坚定决绝，以撒是那么样地视死如归，仆人是那么样地镇定，而飞来的天使是那么样地神奇……整个构图多么和谐优美，笼罩着多么肃穆神圣的气氛……而且，吉贝尔蒂使用的是一次铸成的工艺，不像布鲁涅尼斯奇那样，由七块分铸焊接而成……"

这完全是当年韦罗基奥师傅向列奥纳多讲述的一套"标准答案"，列奥纳多很久以来也一直是这样地传给徒弟们的。

然而列奥纳多这一天的感觉完全变了。回忆少年时代面对这两块浮雕时的心理反应，其实就有过怀疑的根苗，此刻这苗芽猛蹿成了粗壮的植株，于是列奥纳多用清亮的语音向徒弟塞瑞讲了下面的话：

"亲爱的塞瑞呀，一个父亲用尖刀刺杀自己的爱子，这是一桩多么残忍的事情啊。一个挚爱父亲并且一直相信父亲也挚爱自己的儿子，忽然面临父亲的刺杀，这又是一个多么惨痛的瞬间啊——吉贝尔蒂对这一切居然心平气和，这当然是他的天性使然；然而你再仔仔细细看看布鲁涅尼斯奇的这一幅被淘汰掉的杰作吧——构图是倾斜的，整个笼罩着紧张而惨烈的气氛，亚伯拉罕捂住了以撒的脸，并且刺向了儿子的脖颈，但他脸上充满了痛苦；以撒在最后的一瞬惊恐地仰望苍天，脸上满是绝望；而飞来的天使一把抓住了亚伯拉罕持刀的手，天使脸上焕发出强烈的不忍之心；再看两个仆人吧，他们在不祥的预感中，一个悲哀地低下了头，一个仿佛在弯腰同疲惫的马匹对话，以求内心的平衡；而且布鲁涅尼斯奇还犯规地雕出了一只弯颈哀鸣的绵羊……亲爱的塞瑞啊，整个作品表达出了布鲁涅尼斯奇这位先贤内心中那宝贵而溢流的仁爱，这才是我们应当从中汲取灵感的佳作啊！让我们紧紧地拥抱仁爱而不要歌颂残忍和惨烈吧！"

"师傅……"塞瑞愕然地望着布鲁涅尼斯奇的浮雕，惊奇而惶惑。

"好了，塞瑞，今后我们还有很多机会来探讨这两件作品的得失，"列奥纳多拍着塞瑞的肩膀对他说，"我确实有点困乏了。我要回去休息一下，否则我怕不能做好下午的工作。你去河南边的书店把一件令人惊奇的东西帮我取回吧。一定要请米开列托包装好，并且你一路上小心不要碰坏了它；我等会儿还将让波尔特拉斐奥去提回一捆书来……"

塞瑞听话地去了，然而心里面很不平静。

VIII

回家的路上，路过圣·多里尼达教堂时，聚在一起的几个市民一齐恭敬地呼唤："列奥纳多·达·芬奇大师！"

列奥纳多只好止住脚步，相互施礼。

那个时代的佛罗伦萨市民，凡受过点教育的都极想附庸风雅，除萨伏那洛拉发挥影响的短暂时期以外，大多数附庸风雅的市民都有着跑到街头聚到一起大声进行"风雅谈话"的风气。所谓"风雅谈话"，不外乎讨论古典诗文或各自倾诉对市里最新建筑、雕塑、绘画的感受和评价。这一天列奥纳多所遇上的那群衣着考究的市民，正在讨论200年前本城大诗人但丁的《神仙·地狱篇》第一歌中的诗句：

> 正当我们人生旅程的中途，
> 我在一座昏暗的森林之中醒悟过来，
> 因为我在里面迷失了正直的道路。
> ……
>
> 看呀，在陡坡差不多开头的地方，
> 有一头"豹"，轻巧而又十分矫捷，身上
> 披着斑斓的皮毛。
> ……
>
> 一年中的这个温和的季节，
> 都使我对克服这皮毛斑斓的野兽怀着极大
> 的希望；
> 可我并不，我却因看到一头出现在我面前
> 的"狮子"而惊惧。
> 还有一只"母狼"，她的瘦削，愈显得她
> 有着无边的欲望……

几位市民围住列奥纳多，你一嘴我一嘴地陈述他们之间的争论并向他讨教：

"芬奇先生，我认为在这里'豹'代表着卑贱的淫欲，可他们却不以为然……"

"列奥纳多大师，你最博学多才，您认为'豹'、'狮子'和'母狼'分别代表着什么呢？"

"我认为但丁特别指明狼是母的有着特别的用意，可他们竟认为那狼的性别无关宏旨……"

列奥纳多很为故乡的这些热爱文学艺术的市民有这种街头探讨高雅问题的风气而自豪，但他此刻确实感到腰腿酸软、精神疲惫，实在无心参与讨论。而恰在这时，他透过面前两位市民的肩膀之间，看到米开朗琪罗·邦内罗提从对面走了过来，于是他便顺水推舟地对那几位兴头上的市民说："瞧，米开朗琪罗·邦内罗

提先生来了，我想他比我更有资格来表达他对但丁诗句的理解……"

几位市民扭头一看，果然是米开朗琪罗·邦内罗提走过来了，他们遂朝这位因大卫像的成功而红得发紫的艺术新星簇拥过去。

没曾想米开朗琪罗还没听完几位市民的话语，便突然排开挡在身前的两位市民，虎里虎气地几步抢到正欲离去的列奥纳多前面，也不施礼便极其粗暴地大声质问："您跟他们说我更有资格解释但丁，您凭什么要讽刺我？"

列奥纳多没有料到米开朗琪罗会这样，他愣住了。

两位历史上声名赫赫的"文艺复兴豪杰"，在那个下午就那样气氛紧张地相距几码对峙着。圣·多里尼达教堂的阴影正好斜覆在他们和那群市民的身上。

站在列奥纳多对面的米开朗琪罗，正当 30 岁的盛年，身体强壮得惊人。他那长方的脸庞血色充沛，眉梢高耸，狮鼻肥厚，一双眼睛闪着桀骜不驯的光芒；他从长老会议大厦的议事厅绘制《卡西诺之战》出来不久，穿着一件被颜料污染了的灰色长袍，乱蓬蓬的头发上很随便地扣着一顶红色的便帽，脚上的靴子有一只鞋底已经裂开了口；从他的眼光看出去，比他年长 23 岁的列奥纳多衣衫整洁、靴帽鲜亮，站在那里浑身显示着富有家庭的教养与富裕生活的优雅，这令他更加地不自在，他的情绪因而更加恶劣。

"亲爱的米开朗琪罗，"列奥纳多和颜悦色地解释说，"您误会了。我完全不是讽刺。事实难道不是这样吗？您写的十四行诗流传得很广嘛，您不仅是个雕刻家，您也是个诗人啊；而我，从未发表过一首诗作；解释但丁的诗句，您当然比我有资格……"

米开朗琪罗听不得"资格"两个字。"资格"？什么叫"资格"？"资格"无非就是年纪，就是资历，列奥纳多就凭他比自己大 23 岁，就凭他在米兰画过《最后的晚餐》，所以到了这里与他画同一个大厅里同样面积的壁画，就拿着比他多两倍以上的报酬！

米开朗琪罗先从鼻子里哼出几声，然后故意挑高调门说："十四行诗算什么玩意儿！您没发表过只不过是因为您懒得发表罢了：谁不知道您是个全面的天才，您制造过兵器，开凿过运河，琴棋书画样样得心应手，您不是还解剖过死尸吗？……"他把"解剖死尸"四个字说得怪腔怪调的，听来就好像是亵渎神圣似的。

米开朗琪罗是公然讽刺列奥纳多了，列奥纳多有些恼怒，但他沉住气，依然彬彬有礼地说："邦内罗提先生，我解剖尸体是进行科学研究啊，倘若您对艺术创作以外的科学研究没有兴趣，那么，容我做自己感兴趣的事吧，人各有志啊！……"

米开朗琪罗觉得列奥纳多是话里有话，他一气之下便一泻无余地说："芬奇先生，我可不会如您那么咬文嚼字，咱们是石匠出身，精通的就是雕刻，可是依我看呀，只有搞不好雕刻的人才会一味地去在画布上墙壁上涂抹。而且，就拿画画儿本身来说吧，也只有低能的人才会专门在风景上下工夫，什么画个岩洞呀，河流呀，树丛呀，雾呀，云呀什么的……"

列奥纳多一见面前的年轻人当众完全失态，反而为对方惋惜起来，他心软了，便以一个和解的微笑和一个表示到此为止的手势打算结束这个在众目睽睽下的不雅场面。米开朗琪罗却刹不住车，越发肆无忌惮地发泄着："……当然啦。您在米兰也搞过雕塑，那弗兰西斯科大公的骏马雕像，高嘛是高了一点，大嘛是大了一点，可您搞那么一个'低级艺术'，竟搞了十几年，末了还只是个石膏胎子的模型，如今，让人家法国大兵乒乒乓乓用枪子儿打成大筛子，哈……真让人笑掉大牙！这一回您搞的《安加利之战》，不消说是至高无上的艺术了，可您那个磨蹭劲儿啊！我是天天去画《卡西诺之战》，我已经快完工了，您的呢？圣母玛丽亚啊，我三天没在大厅里看见您的影儿了，而您那《安加利之战》上半部画完的地方，那您用'科学的方法'研究出来的'新式颜料'，啊哈，可就流汤儿，一直流到地板上去了！……"

围观的市民中，从情理上站到列奥纳多一边的居多，但米开朗琪罗的"横冲直撞"，倒也博得了一些年轻的明星崇拜者的喝彩——他们倒不是支持米开朗琪罗对列奥纳多的无端攻讦，他们只是喜欢他那雄狮抖鬃般的做派。这真是一个万古不变的规律：明星在明星崇拜者眼中，无论是长个疮打个嗝骂句人乃至于抽个疯，都永远只是增添着明星崇拜者对之的爱纵与狂随。

"啊，亲爱的米开朗琪罗·邦内罗提，我看您是工作得太久太兴奋因而太疲劳了，您应当赶快好好地休息；您说得很对，我的工作进度真是太慢了，而且，我真诚地认为，您那幅《卡西诺之战》画得好极了！至于我那幅《安加利之战》，也许，我真的难以把它画完，并且不仅仅是因为颜料上的问题……"列奥纳多把心态调节到最宽厚最诚恳的状态，他走近米开朗琪罗一点，几乎是要握对方双手的架势，米开朗琪罗本能地退后一步。于是列奥纳多用明亮深邃的蓝眼睛朝他送去一个温柔的告别眼色，又朝四周的市民微微笑笑，便斜过身子，沉稳地离去了。

米开朗琪罗·邦内罗提愣在那里，待列奥纳多·达·芬奇走开几步之后，他忽然在列奥纳多身后大声地送过去爽爽快快的一句："列奥纳多！您也要好好地休息啊！"围聚的市民们几乎全都轻松地笑了。

列奥纳多快走到他住的那条巷子的巷口时，一个显然等候他许久的20岁出头的小伙子，怯生生地迎上他来，嫩声嫩气地恳求他说："列奥纳多·达·芬奇先生，请您原谅我打扰您……"列奥纳多精力确实不济，他实在想赶紧到家躺下来歇息一阵，但他看到眼前的这个小伙子相貌清秀，穿着一身合体的黑丝绒服装，光亮整齐的金发垂到耳下，腼腆的表情中透露出一种女性般的温柔，一双清澈的大眼睛仿佛随时宣布着自我的无辜，便忍不住停下步子，谦和地问他："你有什么事情找我吗？"

"是这样的。这些天我一直在圣玛丽亚·诺微拉教堂里临摹您的《安加利之战》草图，明天我还想去，可教堂的神甫说，放置草图的那间厅堂要关闭一周，我恳求您跟他们通融一下，让我还能接着去，好把那临摹完成……"

"原来这样。"列奥纳多安慰他说，"他们是要清理那间厅堂里的圣器，所以暂时停止展出，不过我可以让我的徒弟去告诉他们一声，请他们特许您一个人进去……您能告诉我您的姓名吗？"

那青年羞怯地说："我的名字是拉斐尔·桑蒂。"

IX

塞瑞肩上扛着一只棺木般的大纸盒，在达文扎提宫附近的街上迎面遇上了气喘吁吁跑来的师弟波尔特拉斐奥。

塞瑞问波尔特拉斐奥："师傅让你去米开列托的店里取书吧？"

波尔特拉斐奥指着脖子上的汗水说："他说那个事不忙……塞瑞哥，老桥北头，吉罗拉密巷口上，还有一家唱歌的人吗？”

塞瑞莫名其妙：“好像有啊！……”

波尔特拉斐奥把手一拍说：“那就好了！师傅让我把他们请去哩！师傅还让我去告诉贝尔纳得托马戏团的小丑他们，今天下午不必去了，报酬照付！”波尔特拉斐奥在拔腿前往时忍不住问塞瑞：“你扛的是件什么东西啊？”

塞瑞顿下脚说：“你猜也猜不到哩！刚才路上还有人打趣我：‘喂，你扛的是个死尸吧？是不是你师傅又要领着你们搞解剖了？小心上帝惩罚啊！’其实这里头并不是人啊！……”

“那我去找唱歌的人！”波尔特拉斐奥嚷着跑开了。

“你要是在吉罗拉密巷口找不到，就往圣·克罗齐广场那边去找，他们好像在往那个方向移动哩！”塞瑞在波尔特拉斐奥身后喊着。

“好的！”波尔特拉斐奥头也不回，转瞬消失在街角了。

塞瑞一边往回走一边寻思：师傅今天究竟是怎么回事呢？

师傅这一年多来除了偶尔画点别的，以及用相当多的时间搞科学研究，算来只是马拉松式地画着两幅画，一幅是官府订货的巨大的壁画《安加利之战》，另一幅是皮货商人乔贡达订货的油画——乔贡达夫人像。一般情况下，师傅上午去长老会议大厦议会厅画《安加利之战》，下午则在家里画室画乔贡达夫人像——师傅把这幅画叫做《蒙娜·丽莎》，乔贡达夫人的名字叫丽莎，“蒙娜”是对贵妇人的尊称。两幅画画来画去总未最后完成。最近一个时期，塞瑞眼见着师傅对《安加利之战》的兴趣在减退——当然颜料的不如意是个因素——而对《蒙娜·丽莎》的兴趣，却在与日俱增。乔贡达先生在佛罗伦萨市是颇有名气的富翁，最近又选上了长老会议员，据说他极爱这第三任夫人丽莎，想尽一切方法使她快乐——丽莎却似乎永远快乐不起来。塞瑞头一回在街上看见乘坐在豪华马车上的乔贡达夫妇时，心里好生诧异——丈夫怕要比夫人大上四十几岁，相貌猥琐而粗俗，夫人呢，却娇小得像他的女儿，或者不如说像是一个美艳的小姐带着一位盛装的老仆同行。乔贡达夫人更加不幸的是，难产生下了一个天使般可爱的女儿，却只养活了四个月就忽来一场急病夭折。乔贡达先生让她到列奥纳多的画室来画像，原来的目的，也是为了减弱她内心厚积的悲苦，同时以此向她献上最登峰造极的殷勤——那时候简直只有王族权贵才订得起列奥纳多的肖像画，而且列奥纳多的惜笔如金与婉拒成性也是远近闻名。列奥纳多从米兰回乡的途中，在曼多瓦被他狂热的崇拜者米兰大公的姨妹伊莎贝拉羁留多日。伊莎贝拉竭尽全力恳请他为自己作像，论报酬就是献出一把金椅也情愿。就那样列奥纳多到头来也只给她留下了一张素描而终于没有画成油画呢。但是出身本来寒微的暴发户乔贡达先生却订准了列奥纳多的肖像画，而列奥纳多在接待了乔贡达夫人一回之后，也就再没有减退过他的创作热情。

塞瑞回忆起来，是在接纳了乔贡达夫人的肖像订货以后，师傅才大大地改装了他的画室。师傅回乡后购下的这座有内庭的楼宅，画室本已相当宽敞，然而师傅后来嫌落在乔贡达夫人身上的光线层次不够丰富，便将画室面对庭院的一面墙完全拆除，又从那里接出一个优美的凉棚，并从凉棚开始布置了好几重可以完全拉拢也可以不同程度闭合的帷幔。这些帷幔有的透明，有的半透明，有的完全不透明。伸出的凉棚并且把一座古色古香的喷泉收入了画室，使溅出的水珠串落入水池中的声响变得更加琤琮有味。师傅并责令他们徒弟每天都要使画室中的陶瓶瓷钵中有鲜洁的百合、蔚蓝的鸢尾与大簇的金盏草，这在有的季节你就是提着装满弗罗林的钱袋也很难寻觅到。这都不算离奇哩——近来，画像已从素描变为油画阶段。每当乔贡达夫人来画室充当模特儿时，师傅便请来贝尔纳得托马戏团的驯狗师与小丑，在凉棚内外作种种表演，说是要引出乔贡达夫人的笑容。有一回师傅本人干脆抛下画笔，拿出那架跟随他多年的马头形小竖琴，亲自弹奏起来。乔贡达夫人确实微笑了，师傅也确实画下来了。然而这些天来，师傅却总是对着那幅明明应当算作已经完成的肖像，抚摸着下巴上的胡须，自言自语地说："嗯，不行不行不行，还是不行……"

怎么会还不行呢？今天师傅上午出街散心，塞瑞同波尔特拉斐奥打扫画室时，他俩交换过彼此的感想。波尔特拉斐奥对塞瑞说："我觉得在师傅心里头，那幅占整整一堵墙面的《安加利之战》，在一天天地缩小着呢，而这幅《蒙娜·丽莎》，别看才这么点尺寸，却在一天天地放大着、放大着，简直要把师傅的胸腔撑破，充塞到天地宇宙哩！"《蒙娜·丽莎》一画现存法国巴黎罗浮宫，许多慕名前往瞻仰的游客刚走到画前时都不免有点意外，因为他们原来往往把这幅画估计得很大，但实际上按现今的尺寸算，此画只有 77 厘米长、53 厘米宽，在罗浮宫画廊里属于小型绘画。难怪波尔特拉斐奥当年那样感叹。塞瑞也说："是呀，这画明明已经完成了嘛，师傅却总不满意，天天下午要看来看去，想来想去，改改这儿，修修那儿。乔贡达夫人不来时就够他累心累力的了，乔贡达夫人来时，他简直是全忘记了自己的存在，他不是在用画笔和油彩画这幅画，倒是在用灵魂和鲜血画这幅画哩！"

塞瑞知道，师傅现在对《蒙娜·丽莎》的许多方面，是满意的——尤其背景的山水，从画上乔贡达夫人的右肩望过去，天地仿佛在往下移，人物仿佛在往上升；而从画上乔贡达夫人左肩望过去，天地又仿佛在往上升，人物又仿佛在往下飘；那些在如烟如雾的润泽大气包裹中的巉岩、溪流、小径、石桥，都是师傅从成千的实地素描中提炼出来的最引人情思的故乡风物。塞瑞跟随师傅去过特拉西莫美诺湖，光在那里他们师徒二人就足足画下了两厚册素描。这幅《蒙娜·丽莎》背景山水的一再改绘中，师傅听取了塞瑞的一些意见。师傅对画成的乔贡达夫人的双手也是满意的，尤其那只叠放在左腕上的右手。波尔特拉斐奥曾由衷地发出过这样的惊叹："师傅啊，这真是一只我从来没见过的最完美、最有活力、最迷人的手哩！"

"我说的不仅包括所有雕刻和画像上的手，甚至也包括真人的手哩！"列奥纳多对徒弟们的这种赞叹欣然接受，他对他们说："乔贡达夫人的这双手真是举世无双的，但她今年 24 岁，十年后就是 34 岁，再几个十年以后，她的双手就会完全脱形的，我总算使这双完美的手永恒地留存下来了，后世的人们永远可以看到这双充满柔情与祥和的美手，从中领悟到他们可能领悟到的真谛……"

师傅现在所不满意的，显然是画幅上乔贡达夫人面庞上的那个笑容，然而就在今天上午塞瑞同波尔特拉斐奥打扫画室时，波尔特拉斐奥还在喷泉边叫唤起来："这样的笑容，活灵活现的，怎么师傅还觉得不能定稿，还要修改呢？"塞瑞便告诉他："你记得师傅在米兰画的那幅壁画《最后的晚餐》吗？当中的耶稣说出'你们中间有一个要出卖我'时，他那眼神，你在那厅堂的任何一个角落里望去，都仿佛在盯着你哩！那说明眼睛是画成功了。我想师傅对这幅画上乔贡达夫人的眼睛，恐怕也是满意的；问题恐怕出在嘴唇的体现上——"波尔特拉斐奥走近那幅画架上的油画时，不禁又惊呼起来："啊呀，我怎么觉得这妇人的嘴唇，不像是在微笑，倒像是在……怎么说哩，就算是微笑吧，也太忧郁，太凄然了，不是吗？师傅究竟还想把什么更深奥的东西表达出来呢？"

是呀，那使师傅内心里不仅不能满足而且不能平静甚至充满骚动的情愫，究竟是什么呢？也许，师傅今天反常地贬抑了吉贝尔蒂而揄扬了布鲁涅尼斯奇，是一把解开这个谜的钥匙？……

塞瑞扛着那具装有大纸匣的原鳄鱼标本，渐渐走到了他们的寓所。

X

下午三点半钟，一乘华丽的坐轿来到了列奥纳多·达·芬奇的寓所门前。那坐轿不是中国古代的那种封笼式的轿子，而是一把宽敞的开放式椅子，前后的轿夫不是把轿杠放在肩上前行，而是双臂直垂紧握杠把朝前抬动。轿椅装饰华美，就是轿杠上也缠着金色丝带、垂着金色流苏；轿夫们都穿着崭新的制服显得相当神气。轿椅停放后，从上面下来了一位身材修美的贵妇人，那便是乔贡达夫人，也即是蒙娜·丽莎。

蒙娜·丽莎款步走进列奥纳多的寓所，塞瑞在前厅迎候着她，引她进入回廊穿过庭院进入画室的凉棚部分。庭院里的绿色植物高低有致，月桂树的枝叶同柠檬树的花朵飘出阵阵沁人心脾的馨香，凉棚下的喷泉边有大簇的素白花瓣金色花蕊的法国百合，画室中的几重帷幔都已调整到大部分拉开小部分遮垂而又交错有别的状态，使从庭院、廊柱和天窗中射入的光线构成几个层次。

蒙娜·丽莎近几个月每次到来时都不让仆从随进，而进入画室后主客双方简直也并不怎么出声说话，作画的和被画的全凭眼神、表情乃至心灵交流，却配合得相当默契，使画室里整个儿笼罩着一种既肃穆又温馨的氛围。

蒙娜·丽莎走到喷泉边后，波尔特拉斐奥便双手捧着一只硕大的造型优美的椭圆形银盘走到她身边，躬身将银盘凑到她身前，她便一如既往地先将一个西班牙式嵌金线的深咖啡色的镂花大披肩褪下来放进盘内，然后摘下垂着遮住整个脸庞的面纱的华贵帽子，再摘下勒在额上的镶有蓝宝石的金箍，随即又卸下耳上的金耳饰、脖颈上的珍珠项链，褪下长及手臂的长手套，摘下左右手腕上的玛瑙手镯和左右手上的三枚珠光宝气的戒指，将它们一一摆放在银盘中，这才轻轻地吁出一口气，抬起一双澄澈的眼睛，而这时列奥纳多·达·芬奇才走上前去，把她送过来的右手轻轻握住，送到自己唇边行了一个轻轻的吻手礼。

蒙娜·丽莎摘卸在大银盘中的那些价值连城的装饰品，都是她丈夫乔贡达先生要求她佩戴的，并且乔贡达先生一直以为订下的这幅肖像中会忠实地描绘出那些金银珠玉玛瑙珊瑚的额箍、耳饰、项链、手镯和戒指，可是第一回作素描画时列奥纳多就请她全数除去了——蒙娜·丽莎在除下这些装饰品的同时，心中产生了一种从未体验过的解放感和自尊感，她也从此开始暗暗地思索，这位鼎鼎大名的绘画大师究竟在寻求着什么？

蒙娜·丽莎在列奥纳多行完吻手礼后，便自动走到那个"老位置"上。那个"老位置"摆放着一张椅面比普通椅子高而椅背比普通椅子低的特别靠椅，蒙娜·丽莎可以似站似坐地斜靠在那椅子上，以免长时间地站立而过分劳累。

列奥纳多在蒙娜·丽莎到位后，便也站到自己的"老位置"——即立在画架上的已经成型的《蒙娜·丽莎》面前，眯起眼睛轮流注视着真人和画中人。

塞瑞在一旁为师傅准备着颜料板，波尔特拉斐奥在一旁准备着给师傅替换画笔。这一天他们之间竟没有一个出过一语，只有喷泉发出潺潺的水声。塞瑞朝蒙娜·丽莎望去，她像往日那样自自然然地挺直腰肢，左手搭在座椅扶手上。塞瑞再望望画上的蒙娜·丽莎。他一方面惊叹师傅那再现形神的功力，一方面惊叹蒙娜·丽莎的天然完美——他暗暗地想，倘若蒙娜·丽莎的脖颈挂上那珍珠项链，右手无论哪根手指戴上戒指，那简直是佛头着粪了！师傅一再强调的天然之美，真是美的极致啊！

波尔特拉斐奥却专心地观察蒙娜·丽莎的眼睛和嘴唇。蒙娜·丽莎那双长形的眼睛单独看去并不一定有多么美丽，然而她像往日一样自自然然地睁开着，坦坦率率地朝师傅那里斜视过去。而师傅呢，波尔特拉斐奥偷觑的结果，是验证出师傅的眼睛里有着某种同蒙娜·丽莎相呼应的东西——还不止是相呼应呢，简直是有着一种无形的勾连、交流、回荡、激发、沁入、深吟……天哪，他们是不是在默默地、苦苦地、深深地而又无望地相爱呢？那当然是一种不仅超越肉欲，而且也超越一般情爱的最浓醇因而也最清醇的爱情……否则，师傅怎么会把这幅画画到这种神圣完美的程度呢？不过，嘴唇似乎确实还不那么尽如人意，真的，蒙娜·丽莎简直看不出一丝微笑，画板上的蒙娜·丽莎那微笑又未免太有点凄清……

静谧。

塞瑞望着蒙娜·丽莎，捕捉着她脸上表情最细微的变化。她怎么还是那么样地安详呢？她为什么不感到奇怪呢？哪怕是稍稍表露出一点疑惑——以往每到这时总会有小丑翻着跟头出现在画室内外，而且会有曼陀琳或小竖琴的音响发生，还往往会有毛茸茸的小狗叼来一束香缬草……今天画室中却完全没有了这一切，难道她陷入了冥想而忘却了周围？

波尔特拉斐奥在蒙娜·丽莎到来前，遵照师傅吩咐将那一家流浪歌者邀来了寓所，并将他们引到了画室斜对面二楼的阳台上，让他们隐蔽在一架屏风后；波尔特拉斐奥找到他们时，他们所唱的那首歌听去十分哀惋，难道今天师傅想引逗出的，不是蒙娜·丽莎的微笑，而是她的惆怅和悲哀？这就怪了！

蒙娜·丽莎坦然地同列奥纳多对望着，她确实在冥想。她同时想到了最深的悲苦与最酽的喜悦。

列奥纳多取过一支画笔，蘸好一些涂着色的颜料，内心极度紧张地期待着……他在想，那歌声响起来之后，倘若蒙娜·丽莎的反应竟是悲戚与惆怅，那么他就彻底失败了，他就并没有真正进入到她的心灵深处，悲戚与惆怅的只能是他，而不应是她，画了这么多次了，他应当没有估计错，她的内心中有着比他更苗壮的慧根，他今天中午以来所体验到的那一切，她天性中早就都包涵着……

那边阳台上的歌声陡然响起，清亮地飘送过来：

> 青春诚美好，
> 奈何似水流；
> 命运本无定，
> 何人尚优游？

在女声四重唱中，加入进去的童声格外撩人心弦：

命运本无定，

何人尚优游？

蒙娜·丽莎并没有显露出吃惊，但她脸上的表情极为丰富，她忽然神秘地微微一笑——列奥纳多心中"啊呀"一声，立即用笔描绘，并且顿悟：在仁慈之上，还有着一种对人世凄怆乃至人性黑暗的大怜悯，人可能不得不无可避免地面对丑恶、经受厄运，然而人绝对有可能通过哪怕是对自己无能为力的了解与承认，终于达到一定程度的尊严与庄重，因而完美的人性应当是一个似蒙娜·丽莎的微笑，而他——列奥纳多在世上的最高使命，便是使之永恒！

1505 年春末的那个下午，在佛罗伦萨，人类拥有了《蒙娜·丽莎》。

1991 年 3 月

一窗灯火

一、钢叉下的阴影

门铃"叮咚"作响，裴菊吟本能地过去开门。事后回想起来，几秒钟里她脑海中也翻卷过几叠浪花：是丈夫邱宗舜忘带钥匙了？那又何必按得那么急促？正当晚饭之前，会有什么客人来呢？查煤气表的？前两天不刚查过吗？……

裴菊吟把门拉开一尺，门外是一个陌生的少年，脸膛涨得通红，两只眼睛仰望着她，仿佛放射着激光光束，她顿时吓得身子一抖，双腿发软。当她发现那不期而至的少年右手举起一把亮闪闪的钢叉，并且嘴里嚷着让她发懵的话语时，她不由得尖叫了一声"救命——！"她没能把门撞紧，便昏倒在地。

裴菊吟的婆婆正在厨房里准备煎鱼，油都已经倒进锅里了，听见媳妇嘶声的一嚷，顾不得关上煤气灶的火门，跟跟跄跄拐出厨房，去到门厅，赶到单元门边，见媳妇瘫倚在墙边，吓得一颗长了茧子的心顿时蹦到发堵的嗓子眼，不由手脚乱颤地跪到媳妇身边，惶急地呼唤："菊吟！菊吟！怎么啦？这是怎么啦？"

这时单元门被推开了，进来了住同一层楼的邻居樊大妈。樊大妈正买菜回来，乘电梯到达这第九层，她从电梯里迈出来时，正巧看见一个少年站在裴菊吟家门前，也看见门从里边打开了，这本没引起她特别的注意，谁家都有自己的亲戚朋友嘛，谁知她紧跟着又看见那少年朝门里举起一把钢叉，再接着便是门里一声嘶哑的"救命"，她正发愣，那少年又转过身来，并且同呆立在电梯门边的她对了个眼，接着便慌张地从楼梯口跑下去了。樊大妈到底见识多，心思深，她略一定神，便急按电梯的呼叫钮，待电梯门一开，她便嘱咐开电梯的姑娘："赶紧下到底层，跟传达室的老邢说，有个坏小子混进楼里来了，正往下逃，手里拿着把钢叉！"随后，她也顾不得把自家的菜篮子送回去，便赶到裴菊吟家，先掐裴菊吟人中，再让裴菊吟婆婆端来一碗凉水，自己含上一口，朝裴菊吟脸上喷去。

以往每当夕阳的最后一抹金光从邱宗舜、裴菊吟家的门厅里缓缓敛去、窗外现出马路对面座座高楼的灿灿灯火时，便是他们小小家庭最幸福甘饴的时刻。晚餐未必多么丰盛，但总有婆婆做出的家乡菜和裴菊吟照菜谱制作的"试验品"，进餐之间必要念叨几句刚考上大学远在西北郊的女儿邱裴蕙，不知她们那个食堂又有改进没有？这个星期六该不会又去参加舞会，又闹到夜里十点多电梯停了才爬上楼来吧？

这个傍晚可糟糕透顶。邱宗舜回到家中时，发现妻子躺在床上，面色苍白。厨房里一股浓浓的怪味——后来知道是油锅在火上差点爆出火球，邻居樊大妈急中生智把沙发上的靠垫盖了上去，再切断火门，才避免了一场火灾。而最令人惊诧莫名的是闯来过一个手持钢叉的少年。派出所的民警和居委会的治保委员都来了。他们不忍立即询问卧床的裴菊吟，便打开小本本，手里的笔不住挥动，一句接一句地问邱老太太，邱老太太其实也已心力交瘁，倚在沙发上只有摇头、点头的份儿。倒是樊大妈能顺畅而精确地回答一系列问题：

——那少年人大约多大年龄？什么模样？穿戴如何？

——总有十五六岁的模样。临逃跑的时候跟我对了个眼儿。说实在的，要不是他手里提着那么个玩意儿，一脸的慌张，拔脚就往楼梯口跑，我才不会疑他哩！我还当是宗舜的侄儿外甥什么的哩！眉眼有点像哩！他穿着件时下挺时髦的新潮茄克衫，银灰的吧，裤子颜色没看清，不外是黑的深灰的青蓝的，脚上一双高腰运动鞋，白底子的，从穿的看不像外地的盲流，也不像家里经济条件差的……

——手里举着一把什么样的钢叉？是不是流氓分子惯用的那种管叉？还是一种什么特别的叉子？

——我看就是一把吃西餐用的不锈钢叉子，叉子倒不怎么特别，特别的是他怎么跑到人家门口来舞这把叉子？

——你看见他用那叉子往门里叉了吗？也就是说，他有没有攻击性的动作？

——老实说我还真没看见他用那叉子往门里叉，他转过身来跟我对眼的工夫，右手还举着那把叉子，可也没有朝我叉，他就那么举着叉子从楼梯口跑下去了，我听见咚咚咚好响的脚步声！

——你听见他朝门里嚷什么话了吗？

——他嚷的挺古怪，他右手举着那把钢叉，朝门里的菊吟嚷："看见吗？看清了吧？还我爸出来！还我爸！"临转身逃跑的时候好像还嚷："你是！你不是！"什么是不是的？怪事不是？……

一周以后，这幢居民楼里的这桩怪事仍充当着若干家庭晚餐时的谈资，许多原本认为不必要的家庭都急着安装了金属防盗栅门。开电梯的姑娘对每一位眼生的乘梯客都要多问上几句："您找几楼的哪一家？"传达室的老邢则多次摊开双手对楼里的人们说："我一双眼睛偏有两张眼皮，它们总得眨巴不是？这楼又有南北两个出口，实在保不齐哪个坏家伙就从我眼皮子底下溜走，还是恳请各位自己注意也互相照应吧！"

邱裴蕙因为集中精力应付期中考试，家中事发后的那个星期六傍晚没有回家，待她兴冲冲地回家时，事情已经过去十来天；在电梯里她只觉得开电梯的姑娘和挤在一起的邻居们招呼她的表情多少有些异样，这倒没有什么，及至她走到自家的 903 单元门前，不禁大吃一惊——赫然安装上了一个铁栅花样繁杂的防盗门，她手头的钥匙已无法开启自家的门户了！只好按门铃，门铃响过十几秒，这才见防盗门里原有的木门露出一道缝，而且那木门上还又分明装着一条金属防盗链，从门缝里露出一张仿佛被压扁了的母亲的脸，两只眼睛饱含疑虑，倒仿佛她是个女强盗！

母亲以繁琐的手续开启闭合了那两扇门之后，邱裴蕙把旅游袋式书包往地上一扔，双臂搂定母亲肩膀，大笑着问："妈！怎么啦？咱们家遇贼了吗？把什么宝贝丢啦？！"

裴菊吟把发生的事讲了一遍。女儿听完笑得更是前仰后合，捶打着母亲肩胛说："哈！你们竟如临大敌！依我判断，很简单！那是个还不够精神病档次的患心理偏斜症的少年！也许把他请进来，跟他平心静气地谈谈，倒能既调节他的心理，又解了你们的疑团哩！安这么个防盗门干什么啊！跟咱们自己关进了监狱似的！真有强盗来，防盗门也拦不住他们！妈！奶奶呢？爸还没回来吗？今天晚上有什么好吃的？妈我想吃炸猪排！冰箱里里脊肉总有吧？我半路上给买回什么来了？你猜？面包渣！专为西餐炸肉排用的！还有色拉油，上海产的……咦，妈，你这是怎么啦？"

邱裴蕙在这个温煦的小家庭里长了这么大，头一回在自己家屋顶下感受到一种意外的冰凉。这是怎么啦？就为了一个只在门外露了一脸的毛头小子？他什么也没抢去，什么人也没伤，至多是把妈妈和奶奶吓了一跳，而爸爸这么多天里难道还安慰不过她们来？爸爸一米七八的汉子，建筑设计院的工程师，奔五十岁的人了，冬天穿上冰鞋到冰面上还能单腿飞雁、倒舞8字……难道会被一把西餐叉子，一把fork，搅得心慌意乱了吗？世上能有几个人会听到fork这个词而去联想到抢劫、杀人的呢？恐怕成千上万的人只会想到一盘蔬菜色拉或一盘火腿煎蛋哩！

他们这两室一厅的单元，布置得品位雅气而又非常实用。邱裴蕙和奶奶住一间屋，自从上大学以后，还是头一回她已到家而奶奶竟不见踪影，妈妈说是奶奶新近养成的习惯，傍晚时要到楼区绿地同樊大妈练一种什么太极功，据说如今地球上倒是傍晚的空气更比早晨含有日月的精华。爸爸嘛据说最近每天都回来得比较晚，有时候回来便说已在朋友家吃过，嘴里还有酒气。所以这天厨房里只有一秫秸拍子的切面，还有一锅黄花木耳肉片鸡蛋卤，谁回来谁自己下面条吃。当然，对蕙蕙，奶奶倒是在冰箱里给她留下了一碗头两天的咖喱鸡块，而妈妈也专为她准备下了一碟素什锦。邱裴蕙心中正疑惑着，走到自己床前，仰面往床上斜着一躺，这一躺之间，她忽然感觉失调——怎么搞的？每回她一躺下必然看见的挂在床那头墙上面的水彩画，怎么不见了？那是爸爸前几年画的，据说是回忆十几年前下放安徽"五七干校"时远望黄山的印象，下头还签着"烟雨黄山梦"的画题，钤着印章，妈妈一直夸赞说是爸爸画得最出色的一幅水彩画，当时刚上初中的邱裴蕙还奖给了爸爸一只大"奖章"哩——那是一个金箔纸包着的圆币形巧克力。

"妈！"邱裴蕙从床上翻身坐起来，大声地问，"爸的画儿呢？'烟雨黄山梦'哪儿去了？"

没有回答。邱裴蕙寻到爸爸妈妈的那间房间，惊讶地发现，妈妈正坐在床沿上悄悄地拭泪！

邱裴蕙哪里晓得，一个少年的身影，一把西餐fork，已经给他们一贯和美融洽的家庭，蒙上了浓浓的阴影。

当裴菊吟从惊恐中恢复过来以后，她脑子里总萦回着樊大妈那些古怪的报导：那少年的眉眼儿颇像邱宗舜！以至樊大妈起初只当他是邱宗舜的侄儿或外甥，但宗舜只有侄女而无外甥；那少年手举钢叉却并未向她进攻，嘴里嚷的是："让我爸出来！还我爸！"她仔细回忆，似乎那少年确乎有某些与宗舜相似的地方，而所嚷的，也似乎确有"还我爸！"这样古怪的话，那男孩子估计十五六岁，而十五六年前，她正同丈夫分居，丈夫随设计院去了安徽的"五七干校"，自己则仍在本地银行里干出纳……那古怪的眼神，那"还我爸！"的吼叫……难道？！她不敢往下想，然而又不能不往下想，仿佛一只飞进牛角的蚊虫，只往尖端里钻……

邱宗舜对这桩意外事件开始不过是心烦而已，对妻子接连几天的意态萧索，也只当是受惊所致，但当张罗着把防盗门安装妥以后，妻子仍然愁目不展，而且不仅性冷感，同处一个屋顶之下竟突然有了一种罩上冰笼的意态，对每天的晚餐也失却了精心张罗的兴致，试图同她坐下来谈谈，她却又淡然地笑着说："没什么没什么。"这就让他烦躁了。偏有一天妻子下楼打醋，母亲把他叫过去，压低嗓音说："宗舜呀，按说我不该插进你们两个人的事，可樊大妈跟我叨咕几次了，那男孩子怪哩！他嚷什么'还我爸！'你懂什么意思吗？本地人，女的生下野小子，小子找上生他的妈，要他妈给他指出那生他的野爸爸来，才这么叫嚷哩！你上干校那几年，我还在老家，就菊吟带着不解事的蕙蕙在这城里混，银行里又总时兴值夜班，唉，保不齐啊……"没听完邱宗舜就跳了起来："妈呀，您这说的都是些什么是些什么呀！"邱老太太却赌上了气："啊，我的话都不入耳了！算我没说！这屋子里以后我只当哑巴！"

夫妻、婆媳、母子之间，十来天之间已然织就了一张猜疑、嫌怨、提防而又回避的网，尽管生活似乎还在按部就班地流动，地板革依旧保持着洁净，窗帘依旧优雅地下垂，阳台上的盆花依旧绽圆了花朵，冰箱里也依旧没有空虚，甚至同坐在一组沙发上面对着同一架彩电，也依旧能共同把一组节目看完，然而一把fork 却把他们的心梗得黄瓜般直挺，并且还张着无数根细刺！

心理冲撞的第一回外化就爆发在那张小彩画上。那几天邱宗舜回到家里倒是逗留在母亲的房间里时间居多，一天裴菊吟拿着晾晒好的蕙蕙的衣裳进那屋去，要把衣裳装进衣柜，她发现邱宗舜正一手抚腮，凝视着女儿床尾墙上的那幅"烟雨黄山梦"，竟忍不住冷冷地从嘴里滑出来一句："啊，到底是黄山的梦香甜啊！"

裴菊吟的这句话声音很轻，有点自言自语的味道，谁知在家庭空气空前敏感的情况下，这句话竟如同炸雷般使邱宗舜心理上不能承受，他扭过头，猛吼一声："你什么意思？！"

裴菊吟本来并无意开战，精神积蓄不足，丈夫的一声吼，使她浑身一哆嗦，手里托着的衣裳便掉在了地上，惶急中她只是掩面哭泣。

邱老太太本在厨房洗菜，忽听有吼的有哭的，立即扎着一双湿手走了过去，一见儿子满脸紫涨，胡子楂儿直抖，就心肝酸疼，但媳妇只是在那里耸动着肩膀掩泣，倒也没有理由去直接数落媳妇，便双手一拍膝盖，冲着儿子发作起来："我说宗舜你是吃了豹子胆还是怎么了？这些天我咽下多少口气，也不敢招惹人家一星半点，你倒大吼大叫起来了？再像那拿叉子的野小子似的，把人家千金贵体吓晕死过去，咱们担得起责任吗？人家问咱们要他爸爸哩，他爸爸在哪儿呀？你见过还是我见过？咱们从哪儿找出来还给人家？……"

裴菊吟原本只是在疑心丈夫当年有外遇，没想到素日以礼相待的婆婆，忽然发出这么一番怪话，啊！闹了半天，他们倒是在疑心我有私生子呀！这一气一恼一惊一怒，非同小可，她大放悲声，紧掩面孔，弯腰转身跑回自己房间，扑到床上，把脸紧埋枕头当中，刹那之间，简直有了轻生的念头。

邱宗舜凝视那幅水彩，原是心态浮动中的下意识行为，裴菊吟的一句冷语，先令他吃惊而烦躁，继而忽觉捅破了窗户纸，原来妻子竟怀疑他在下放安徽时有外遇，他本想同妻子摊牌一谈，谁想母亲插进一脚，横着给了妻子一个强刺激，一切都乱了套！一切都错了位！一切都砸了锅！一急一气一躁一混，他伸手取下那幅水彩画，往地下一掼，镜框摔得粉碎，他更弯腰抓出那张精心绘制、并给全家带来了许多快乐的水彩画"烟雨黄山梦"，几把撕得粉碎！

当邱裴蕙大体弄清了这十来天的情况后，她紧咬下唇，自我发誓说："我一定要弄个水落石出！那个闯到我家的男孩子究竟是什么人？他为什么举着那么一把fork？他叫嚷那些话是什么用意？他究竟要达到什么目的？"

二、漂亮的菱角胡

城郊盖起了多少新居民楼啊！有所谓"三爪形"的塔楼,有所谓城墙般的"大板楼",有扇面形展开的巨型楼,也有一般的火柴盒形的矮楼……入夜,幢幢居民数灯火灿然,然而万家灯火之下,却有着千百种不同的人生和心态。

邱裴蕙任夜风吹拂着发烫的面颊,心情惶乱地漫步在楼区的绿地中。这片绿地延续了半条街,花木茂盛,还穿插点缀着不少尖亭圆雕,以及一些儿童运动设施。夏末秋初,有的树木叶片变黄渐红,有的飘落到草坪上,然而更多的叶片依然碧绿舒展。有人在花荫下的座椅上谈情说爱,有人在草坪上嬉戏,有人推着婴儿车在甬路上漫步,有人在小树林里练不同法门的气功……天没有黑净,路灯已经亮了,居民楼的剪影在黛色的天空中交错有致,许多扇窗户已经洒出黄光或银光。邱裴蕙站在绿地一角,呆呆地望定路灯照亮的一簇树叶,要是以往,她一定会认定那活像一束丛聚的彩蝶,而此刻,她却觉得那开始干黄蜷曲的树叶只象征着一种美好的东西所面临的危机……

她并没有彻底弄清父母之间在相互猜忌些什么,奶奶向着父亲而嫌怨母亲,这令她心酸,因为她以前未曾面临过这样的抉择;在某种微妙的"冷笑战斗"中,她究竟是应该给予妈妈还是给予奶奶一种宽慰的笑颜?或者换个角度说:她究竟是应该给予妈妈还是给予奶奶一个严肃的忠告?她在大学里选修了社会学,她当然意识到,这个神秘的一现而逝的手持钢叉的少年,必定牵动了父母乃至奶奶的某种隐私,但这隐私究竟是什么?为什么一家人不能坐下来平心静气地摊开谈一谈?她在晚饭后也曾提出过这样的建议,但父母都只是默默地各坐一只沙发同看一出拍摄得极其平庸的电视剧,而奶奶声称头疼,早早地就上床休息了。

当她走出那扇新安装的铁栅防盗门,下楼把自己沐浴在清和的晚风中时,她用少女那似成熟又毕竟没有成熟的一颗鲜嫩的心认真地想:家,首先意味着共用一个屋顶,当一家人和和美美的时候,那屋顶有多么可爱啊,仿佛通向仙境时飘升的华盖;当一家人各怀猜忌而又难以启齿的时候,那屋顶却显得多么狭窄多么沉重多么阴郁啊!

不知不觉地,邱裴蕙又绕回了她家附近,那里一连有五座斜竖着排列的塔楼,完全是按同一种图纸盖出来的，刚搬到这里来住时，连她都曾经错进过楼门，来访的客人弄混的时候更多。邱裴蕙家住五号楼，她却在八号楼前停了步。她忽然想到康叔叔。康叔叔是邱裴蕙爸爸小时候的邻居和同学。直到几年以前，他们还都住在城里同一条胡同里。她很小的时候就喜欢上了这位康叔叔。现在康叔叔住在八号楼上，而且住的也是 903 号单元。如今康叔是这一带人们传颂为英雄般的传奇人物。就在这十年间，康叔成了一个成就斐然的企业家。在大学的女生宿舍里，同屋的伙伴低声窃议男子汉这个话题时，她曾经这样形容过康叔："他比电影里、电视里的那些个男子汉，似乎更有魅力，因为至少对我个人来说，他更具体，更真实，也更神秘！……"同屋的姑娘们简直都听呆了。

邱裴蕙认作康叔叔的，全名叫康炳琦，上小学和初中时，他的成绩几乎总是全班一二名，邱宗舜则从没上过头十名，不过邱宗舜后来一帆风顺，考上了高中，上了大学，学的土木工程，毕业后就进了建筑设计院；而康炳琦因为家里经济条件差，初中毕业考的是中等专业学校，学机械制造，刚去四个月，父亲不幸因工伤死亡，他就提出退学，校方竭力挽留，愿提供他第一等的助学金，他的谢绝非常明朗干脆："助学金可助我一个人上学，可我妈和我两个弟弟一个妹妹靠我养活！"退学以后，他当过建筑工地上的小工，烧过锅炉，后来进一家工厂当了比较稳定的临时工，却限于某种政策总不能转为正式工，但他一边干活养家，一边自己看书自学，得空还练武术，钻研针灸按摩正骨，倒把母亲奉养得健健康康，把弟妹们拉扯得都上了高中、中专，有个弟弟还给送进了大学的门，并且时逢"改革、开放"的春风劲吹，他以七十八块五毛钱的投资、自家的半间破屋子、一张摇摇晃晃的桌子和三张破椅子起家，率领二十三位临时工兄弟脱离了原雇用单位，自己办起了建筑工程队，又由此渐渐发展成区级的集体所有制的建筑公司，后来更在此基础上实行了多种经营，他自己又到经济管理学院进修了两年，有了大专的文凭，如今他下属公司中的汽车修理厂最为著名，专门修复车祸中伤残变形的车，能够整破如新，并且工期短、收费合理，大受客户欢迎；他更广罗人才，已登记了四种通用工具的改型专利，并开始批量生产；他任总经理的公司又投资于旅游业，前年已建成一座中档的旅游饭店，专门接待国内的粤客、闽客与沪客组成的旅游团，所附设的卡拉 OK 歌厅也成为一般工资收入者的恋人们乐于聚集的"花费不算高，享受不算低"的有名场所……

邱裴蕙一边乘电梯上到九楼一边想：也许康叔现在很有钱，或者很有指挥权，或者挺有名（许多家报刊发表过关于他的报告文学，连电视节目里也介绍过），或者挺得意……可这都构不成多大魅力，因为世界很大，能人很多，远有比他大的富翁，比他强的高手，比他有名的人物，比他更春风得意的角色，难得的是他那地地道道的男子汉的气质，那活生生的力量与智慧！

邱裴蕙按门铃时，惊讶地想：康叔为什么并不安装防盗门呢？难道他不在家时，里面不有更多比自家值得盗取的财物吗？

门开了，一开就几乎是彻底地拉开，康叔站在自己面前，身上冲腾出一股热气，既不是烟气也不是酒气，邱裴蕙知道，自打康叔开始兴办建筑工程队，就发了誓并且真正做到了不仅不抽烟不喝酒不吃点心糖果花生瓜子等等零食，甚至于不喝茶不喝带颜色的软饮料，在宴请客人时他也只喝矿泉水，喝雪碧那就都显得有点破例了，据说他也从不宣称自己这样做是有什么深刻的道理，他就是只"正经吃饭"，只喝"正经解渴"的开水或干脆就只喝自来水；康叔身上冲腾出的那股热气当然更不是大学里男生宿舍里常有的那种不洗脸不洗脚的让人恶心的气息——也许，那是因为康叔练武术和气功都已达到相当段数，一种"场"的效应吧！邱裴蕙抬头望着一米八开外的康叔，把家里的烦恼事暂且忘怀了，她发现康叔有了一个新的变化——她有几个月没见着康叔了吧？康叔蓄上了胡子，不是络腮胡，康叔倒是把两鬓和下巴刮得青青的，他蓄的是上唇的胡子，不是"人丹胡"，不是"八字胡"，而是——邱裴蕙笑了："康叔叔，您的菱角胡真漂亮！"

康炳琦没想到这位女大学生突然来访，他已经吃完晚饭，正在听音乐——他所爱听的既不是西洋古典音乐也不是流行歌曲，既不是戏曲也不是曲艺，而是古琴曲，伴着古琴曲入静、走大、小周天，是他最大的快乐之一。康炳琦屋里有平面直角遥控21英寸的大彩电，有带激光视盘的音响，有录像机、电冰箱、滚筒式洗衣机及各种时髦的家用电器，也有一圈高档沙发，然而就是不像个家，到处扔着书报杂志，衣架上挂满衣物，而还有若干衣物不是搭在椅背上就是扔在沙发上，更有一些汽车零件一类的东西和一些金工木工器具和一些已成未成的模型随处摆置着。邱裴蕙走到沙发上坐下时脚被绊了好几下，刹那间她又觉得不管怎么说，还是自己那个家好——但那么好的家却蒙上了一把钢叉的阴影，人世间为什么会有那么多相同的屋顶和屋顶下大为不同的生活呢？

康叔给邱裴蕙倒上一杯雪碧——这是专为客人准备的，坐到她对面问："小蕙蕙，什么风把你吹到我这儿来了？"

邱裴蕙便一五一十把所发生的事讲给康叔听。一边讲，她一边观察康叔的反应。她觉得康叔有点心不在焉。也许真正的男子汉才这样对最古怪的事情也保持着最彻底的冷静？

她讲完了。她无比信任地望着康叔。没想到康叔非常直率地对她说："这事我也觉得古怪。可我好像一点也帮不上忙。蕙蕙，你虽然小，可也该知道，我结过婚，可失败了，离了，散了。如果我有帮助别人维系婚姻和爱情的能耐，那我自己也许就不会弄得到如今还是这么个窝儿——我简直就还没有一个家。"

邱裴蕙原是来求取援助和安慰的，却发现面前这位魁梧的叔叔倒似乎更需要别人的援助和安慰。这令她吃惊，也多少令她感到有趣。她毕竟属于所谓新潮青年的一代，于是她呷了一口雪碧，以一种平辈的口吻探问："您，现在这么样——又有名又有利的，又仪表堂堂，追求您的人难道还会少吗？您难道就那么挑剔吗？您成家还能有什么困难呢？"

康炳琦笑了："蕙蕙！你毕竟还是个小姑娘！慢慢你都会懂得的！"

接着他们随便聊了一会儿，康叔问了问大学里的情况，然后说："你来我这儿，跟你爸你妈说了吗？天黑了，你还是早点回去。我也许抽空往设计院打电话，约你爸在外头找个地方聊聊，我们打小在一起滚过，我想我们也许能理出点头绪来。不过我实在忙，忙得喘不过气。"正谈着，茶几上的电话嘟嘟地响了，邱裴蕙便赶紧告辞。

邱裴蕙猜得很对。随着事业上的推进，追求康炳琦的女人越来越多，来电话的这位便是其中最热火的一位。康炳琦把邱裴蕙送到门外，才坐下来接听电话，电话那边一串的微嗔："谁呀？值当你那么优礼有加？我可不是干涉你的事务，更不是刺探你的隐私，你我的时间都很宝贵嘛，我是为空白过去的那一分钟叹息！……"

那不愿空白过每一分钟的女强人也是一位企业家，她带领一群失学姑娘创办的精细化工厂目前已占领了大半个城区的洗面奶市场，而且近年来已有小批量出口欧洲，她与康炳琦自然是在某次表彰会上首先相识的，然后就几乎隔三差五地总见面，要么是在企业家联谊会上，要么是在某种赞助性的比如电视知识竞赛的现场贵宾席上，要么是在区政协常委会上，要么是在某个涉外的经济界酒会上……后来就发展到互通电话与忙中偷闲地找个经济实惠干净僻静的餐馆"共进晚餐"。这位女强人比他小七岁，在黑龙江生产建设兵团当过兵团战士。她追求他，他也并不讨厌她，但他与她倘若组成一个家庭，能安适而幸福么？"不愿空白过每一分钟"的事业型女人，能成为一名温柔可爱的家庭主妇么？家庭，难道不应该是事业与事业之间的一种空白，一种纯净的宁静的让心灵得以憩息的别样空间么？

他们在电话中谈了半天要不要两个企业联手投入国库券交易市场的事宜，那也许也是一种爱情，因为有默契，有嘲骂，有趣味，也有暗示，然而那可绝不是能孵出家庭的蛋。

康炳琦刚撂下电话，电话机又嘟嘟嘟地响了，他那电话机功能很齐全，他按下录音键，又按下放音键，于是他听到一个多少有点怯生生的声音："炳琦，炳琦，你在吗？是我，素娥，我想再跟你约个时间……"他把双臂绕到脑后，倚在沙发上，伸展着腰肢，他知道对方这时候正接收到一种电子合成的刻板声音："康炳琦此刻不在。请原谅。请留下您的姓名、电话号码和您认为适当的回电时间。他回家后会按您的指示给您回电。您也可将急于告知他的事简要谈出。谢谢。"

焦素娥，这是他在十七岁考上那所中专时，头一个记牢的名字。当时班主任指定他当班长，焦素娥任临时团支部书记，他们相处过几个月，而就在他们之间的初恋刚刚爆发时，就出了他父亲突然死亡的灾变，当他毅然退学时，焦素娥追着送他到校门口，当着许多的人，把一叠人民币塞进了他的衣袋中，他坚决要退给她，而她坚决捏住了他的手——他第一回惊讶于一个同龄女子的手有那样大的力量！

他退学以后他们继续来往。当然是她来看他。"文革"前她家里比较富裕，她每次去他家总带去一些肉菜水果，他的母亲和弟妹都喜欢她，只有他冷冷的，有一回他送她出胡同时还明白地对她说："我不需要怜悯。""文革"中她家遭了殃，父母因为历史问题都被"红卫兵"轰回了农村，并且死在了那里，亏得那时她已从中专毕业,分在一家印刷厂工作,但她又得了一场肺炎,身体虚弱,干不了机械行当的活,这就又改行学制板,后来制板也干不下来,就跟人学简单的装帧设计,在这种情况下,是他去看她并给她送去营养品了。他们在"文革"结束前结婚成家。同外界所流传的那些说法相反,几年后他们的离异既不是她未见到他的脱颖而出不甘穷困弃他而去,也不是他一跃而暴发反过来嫌弃她把她休掉,他们是在新潮滚滚的时代气氛下,在他已经初创基业,而她也由印刷厂调入到一个文工团搞上了舞美设计,双方都睁开眼看到了更宽广的世界、更艳丽的人生、更多样的选择可能以后,心平气和地谈开了去,好说好散的。他们没有儿女。她很快同文工团的一位演员组成了新的家庭。他却一直独身至今天。

与其叫做奇怪,不如叫做有趣,前两年她又离婚了。独居以后,她想来想去,竟还是康炳琦可爱。于是她又极其坦率地来追求依旧鳏居的前夫。

蓄着漂亮的菱角胡的康炳琦,对焦素娥的破镜重圆之求,真的完全无动于衷吗?不,至少当他想到"家"这个字眼时,他感觉最想得出、摸得着、品得味的,还是那几年里同焦素娥组成的那个小小家庭,尽管那时候他们只住着一间小小的平房,最值钱的一桩家产只是一架四喇叭的日本"三洋"牌收录机,然而在那小小的屋顶下,在屋顶上吊下的那盏小小的灯火光照中,他们确曾有过温馨与安适!

门铃突然响了。还有谁会像邱裴蕙那样天真得不懂事,不晓得他如今只乐于接待事先电话约定好的见面者,尤其是在私宅之中!

康炳琦从沙发上跑起来,过去开门。他把门拉开,一下子愣住了。门外是一个两眼发直的男孩,手里举着一把吃西餐的钢叉,对他嚷着:"你!怎么?!……还我爸!你是?……不是!"

三、定不住的游云

告诉我什么是永恒?

永恒只不过是一个流程

请问有没有凝住不动的白云

那定不住的游云便是永恒

悄悄告诉我，附在我耳边

大声地宣告，面对无数张脸

什么是什么是什么是永恒？

永恒是你刹那间的真情……

霹雳球灯旋转出十二彩光栅，光栅变幻把歌星果果那贴身的银币装一会儿映照成万点星光闪烁，一会儿映衬成灰绿诡魅的蜥蜴形状。歌厅里座无虚席，年轻的歌迷们随着果果身躯的扭动和沙哑然而强劲的歌喉击掌应和着。

邱裴蕙陪着爸爸妈妈坐在歌厅的一角。这天下午她还有课，下了课她就赶着回家，连说服带撒娇地把爸爸妈妈一块带进这座旅游饭店的这间歌厅。

这座名号金辉的旅游饭店是康炳琦任总经理的企业集团的分支部门之一。头几天他百忙中约请少年时代的老友邱宗舜到自家饭店的粤菜餐厅中找了个僻静的包厢座，给邱宗舜斟五粮液，自己以矿泉水代酒，对酌了整整三个多钟头。怀完旧，叹完人世沧桑之后，他对邱宗舜说："蕙蕙把你家遇上的那档子事跟我说了。我本不敢帮忙。但是后来我有了相当的把握——你听我的：那孩子不是溜门撬锁的小偷，更不是杀人越货的强盗，有点神经质可绝对算不上有精神病，他要找的人既不是你也不是你夫人……你不要急着问我为什么有这样的把握，我会再找个时间详细地跟你汇报，眼下时机还不那么成熟——现在我敢给你和菊吟嫂子出主意了，你们要敢于把心里嘀咕的、最难谈出口的疑惑，当面谈出来，安安静静地说出来，越正面说，越说得一清二楚，越好……当然，这很冒险，你知道我当年跟素娥散伙，恰恰就是面对面坐下，不吵不闹，安安静静地当面说个一清二楚，说清楚了也就散定了。可那时候我们两个心里头都不是存着问号，不是互相猜疑，倒是各自把心里头画得又圆又黑的句号，汤锅里舀元宵般地舀了出来。所以我想你跟菊吟嫂子不一样，你们一直过得和和美美，如今凭空闯进来一个野小子，用一把钢叉叉乱了你们各自的心思，你们心里头梗着的不是句号而是问号，问号跟句号的不同，就是多一把大钩子，这倒并不是散的兆头，也没有散的道理，所以倒是面对面地，一五一十地钩一番，也许倒能把钩子钩成一双握紧的手，重归于原来的和美和宁静，是不是？宗舜，咱们是男子汉，要敢于带头开诚布公，心平气和，把似乎是最难说出口的话，跟一个屋顶底下过日子的人说出来……"

邱宗舜试着去做了。在一个夕阳收敛的傍晚，邱老太太下楼同樊大妈练太极功去了，他主动坐到裴菊吟面前，极其平静却也极端坦率地说："菊吟，这些天咱们赌过气，也似乎摊开了谈过——我说我绝对没干过对不起你的事，你说你要干过丢人的事你立刻死掉，但那其实还不是开诚布公。现在我决心把心里滋生出的疑问都跟你摊出来。解释不解释都随你的便，我觉得再不吐出来，就把我自己憋死了。呐，头一个问题，我上'五七干校'那二年，你冬天为了省煤，也图用水和打饭方便，就带着蕙蕙住到银行分理处去，算是主动承担了一部分值班任务，那时候接到你的信，我心里就嘀咕过，你和蕙蕙住的那间办公室，夜里究竟从不从里头上锁？那另外的排班当值的保卫人员——自然都是男同志，他们值班的处所，究竟离你的铺位有多远？你们之间夜里来往不来往？我那时想到的'来往，只是坐一处聊聊天之类的，还没往深处想；再，你夜里如果上厕所，要不要路过男同志值班的房间？……你看这么多年，我潜意识里总有这些个，却总没跟你说出口过……现在爽性都说说……"

嘴里说着这些话，邱宗舜觉得脸上有点发烧，但一瞥妻子的面容，却不禁吃惊，意是漾着意外的欣慰与谅解。裴菊吟不仅极为琐屑地把当年如何带着蕙蕙住办公室的情景电影分镜头剧本般地讲给了他听，也一吐为快地倾诉开了："你在'五七干校'时给我来信，有一封信上说你们小组七个人进山砍竹子，晚上回不到营地，就搭了个简陋的帐篷睡觉，我知道你们七个人是有男有女的，那时候读到信上这一段我心里就很别扭，我一直想知道一个帐篷里你们男女之间是用什么东西隔开的，或者隔也不隔……可你从干校回来这么多年了，我直到今天才好意思问你：你们那一晚究竟怎么个睡法？……"

那天邱老太太从楼下回到家中，忽然感到儿子和儿媳妇的容颜、动作、声气都有了一种变化，或者说都有了一种还原，她竟有了一种失落感——这些天樊大妈在她灵魂上拴的那个篮子，似乎每天总得添点零碎才属自然，忽然无可加添，反在减少，这是怎么一回事呢？

过几天的周末，康炳琦又请邱宗舜和裴菊吟夫妇到他那金辉饭店的歌厅听歌，邱宗舜在单位接到电话时本能地谢辞："那怎么好意思！再说我们都这么一把年纪了，怎好上那年轻人去的地方？"康炳琦就告诉他，无妨偶一为之，也许可以进一步激活他们夫妇那渐次恢复的亲密感；康炳琦已经跟饭店的当值经理打了招呼，他自己很忙，就不陪了——但为了保证邱宗舜夫妇光临，他已让秘书特意同大学里的邱裴蕙取得了联系，让蕙蕙"押"着他们两口子来，结果他们就来了。

　　这类的饭店歌厅在这座北方大城市里早已星罗棋布好几年了，邱宗舜夫妇却一次未曾登堂入室过。蕙蕙这方面的经验也极其有限，但她至少对这方面的行情比父母"门清"。她在强烈的伴奏和演唱声偶尔低沉下来的间歇里对父母说："康叔叔这里的价钱算是中档里最便宜的了——最低消费只订成二十元，并且一律可以用人民币结算。今天竟然还请来了果果，你们哪里知道——前头那个唱'跑马溜溜的山上'、'回娘家'、'是否'的女歌星，不过是个文工团里偷着跑出来赚外快的四流角色，大饭店大歌厅她是进不去的，唱的净是些要么老掉牙要么也牙根摇晃的曲目——果果如今了得！听说上回二十层楼高的绿荫大酒店开业，两千块'爱弗伊斯'——就是外币兑换券——三首歌的价码，他都推说头晚威士忌喝多了太阳筋痛坚决不去哩！今天他倒来这间歌厅了，还唱了他最新创作的这首《定不住的游云》，唱得蛮卖劲哩！康叔叔可真有办法，把最晶亮的星给摘来了！听说果果的第三盘卡式带就要上市了，第一张大碟也快推出——"

　　"大碟？"裴菊吟莫名其妙。

　　"就是唱片。"邱宗舜满在行地对妻子解释，可他下一句话却又引得母女"扑哧"都笑了："这果果，究竟是男歌星还是女歌星呢？"当然是明知故问，可问得也确乎有理。

> 请问有没有凝住不动的白云
> 那定不住的游云便是永恒
> 悄悄告诉我，附在我耳边

　　歌声既缠绵悱恻，又忧怨空灵。歌厅的另一角落，一个绿萝缠绕成的图腾柱旁，坐着焦素娥，她呷着高脚玻璃杯里淡紫色的鸡尾酒，脸上是一个醉意朦胧的苦笑，她在心里笑自己——当年怎么会厌弃了康炳琦而狂热地爱上了眼前弓颈嘶鸣的果果？！

说来滑稽，但于她却是人生的真实——那爱的源泉竟来自于《红楼梦》！"文革"后期，《红楼梦》突然不仅不是禁书，倒成为了人人可以堂而皇之捧读的"阶级斗争教科书"，焦素娥对《红楼梦》真感到相见恨晚！那作为"一号正面人物"的贾宝玉为她开辟了一个崭新的爱情天地，贾宝玉的如宝似玉，贾宝玉的细腻情愫，贾宝玉的多才多艺，贾宝玉的万千情态……处处都反衬出丈夫康炳琦的平凡、粗糙、世俗、浑璞。"文革"结束以后，在文工团里，焦素娥惊讶地发现了一个真的贾宝玉——那就是现在的果果。不过那时候果果还叫着白富堂那样一个无味的名字，白富堂是位已经过气的舞蹈演员，在团里本已沦落为服装管理员，而港台流行曲的传入大陆，为这位并没有受过正规声乐训练却聪敏偏伶俐、绝对善于"跟着感觉走"的过气舞蹈演员开辟出了一个崭新的天地——在白富堂的命运转折期里，在他最困难也是最关键的时候他爱上了焦素娥，焦素娥也爱上了他，但那时他们已是一方"使君自有妇"一方"罗敷自有夫"！他们属于新潮涌起时的第一批勇敢者，他们坦然相爱，他们在众人訾议中各自离婚，双双结合。就在那时白富堂取艺名为果果，而这主要是焦素娥的点子，果果！你去体味，你去深思吧！你懂得什么叫做——果果——吗？

> 什么是什么是什么是永恒？
> 永恒是你刹那间的真情……
> 悄悄告诉我，附在我耳边

康炳琦没有什么缺点。焦素娥直到同他离婚时还这样认为。她只是突然感觉到她不爱他那种类型的男人。他夏天总爱光穿着汗背心，有时干脆光着脊梁，他脸颊和手背上的毛孔太粗，他身上的腱子肉太多，胸膛无论在任何状态下甚至睡下时也总鼓得像两块铸铁；他是爱干净的，他无论冬夏天天要冲凉水澡，焦素娥那时候不喜欢他并不是因为他是体力劳动居多他汗腺太发达或不爱干净，不是的，她只是突然觉得自己不喜欢那样的男人；一块上街时，康炳琦不喜欢同焦素娥紧挨在一起走，并且不习惯焦素娥挽住他的胳臂；在商店里康炳琦更简直不能忍耐焦素娥的反复检阅与仔细挑拣，他常常就跑出商店去站在橱窗外等候她，这都让焦素娥不喜欢；他做爱认真却粗鲁，他承担许多的家务却不喜欢养花弄草；他喜欢读书却几乎不读任何小说，《红楼梦》他就始终读不过前三回；他拿起针灸针来能毫不犹豫地在自己穴位上捻刺下去，并在给焦素娥救急时也能不动声容地刺灸捏捽；有一阵他们工程队承包了外地一项工程，那里气候阴湿，他小腿肚子上生了一个疽，回到家里一两个月还不见好，他居然有一天就用烧得通红的通火铁条把那顽疽滋滋冒烟地烫死，一周后小腿肚上留了一个伤疤却从此再不长疽……这一切一切都绝不可恨，绝无舛错，甚至有的还可列入可歌可泣可叹可佩的谱系，但焦素娥那时突然感到她不爱这样的男人。

她忽然发现了白富堂，那是上帝赐给她的果果！果果有着颀长的身材，活脱脱是贾宝玉式的面庞，光润的面皮如羊脂玉雕成，一双多情的大眼睛，明晰的双眼皮上有长长的天然睫毛，希腊式高鼻梁长鼻管——这似乎比贾宝玉更完美了——还有一对红润鲜突的不薄不厚的嘴唇。果果的肩膀削瘦，果果的胸脯扁平，果果的腰肢细弱，果果的双腿似乎过分细长，果果的十指也似乎过分纤弱而光腻，这在别人眼里也许都是缺点乃至缺陷，然而那几年里却令焦素娥无尽地爱怜，无比地喜欢！更不用说种种贾宝玉式的情态了。在公园僻静的角落，果果一边用纤纤小指剥鲜荔枝，垫着香味擦手纸喂给焦素娥吃，一边用绵绵细语给她讲《基督山伯爵》的故事——那时候据之改编拍摄的影片尚未上映，可后来看到影片时，焦素娥反倒觉得远不如果果那细腻讲述来得生动感人，果果陪她逛商店，不是用耐心，而是用几乎同样浓厚的兴趣跟她一起观览所有货架和进行淘金式的左挑右选；有一回果果陪她去医院看病，用自行车推着她，遇到路上正"开膛"挖沟埋管子，果果怕沿着沟边推过去颠着了她，便先当着许多路人把她抱过了那一段，再回头去推过自行车，再用自行车推她……情深到浓处，他们忍不住要行那"不才之事"了，果果那份温柔，那份小心，每一个细小的动作之前，都要怯生生地问："可以吗？"唉唉，她焦素娥喜欢的就是这种类型的男人！

一天晚上，她同康炳琦摊牌。康炳琦早等着了。他们两个平平静静地和和气气地画了两个句号。很快地康炳琦"发"了。然而焦素娥随着果果似乎"发"得更足实。康炳琦毕竟是个企业家，发的首先是企业，他逐年倍增着上交国家的利税，也逐年扩大着再生产的投资，至于归到自己手里的，当然比一般工职人员多多了，也比国营企业和老集体所有制企业的经理人员多多了，但怎比得了只靠着"天生丽质"和一副歌喉便"黄金万两"的歌星果果呢？有一阵果果和焦素娥过着货真价实的"高等华人"的生活，他们有私人小轿车，经常不是在家里而是在宾馆里开房间过夜，每天晚上不是去品尝生猛海鲜，就是去享受法式大餐，要么吃辣得哇哇叫的重庆毛肚火锅，要么吃淡得毫无意趣却昂贵得惊人的日本料理，还有韩国烧烤，印度抓饭，爪哇鸡杂，葡国乳猪——焦素娥的珠宝首饰一度达到过超百的数目，她也曾双手套上过五种戒指出现在公众场合……

然而她后来忽然厌倦了。她猛地发现她既没有坚实的爱情，更没有个够得上最低标准的真家。外界都传说是她帮助果果成名而果果如今星座高移遗弃了她，有的小报小刊还发表出绘声绘色的"纪实文学作品"，配以刺激性极强的插图，同情大半在她这一边，她自己心里清楚：不尽然！

> 告诉我什么是永恒？
> 永恒只不过是一个流程
> 请问有没有凝住不动的白云
> 那定不住的游云便是永恒

焦素娥望着霹雳灯光栅闪扫下的果果，觉得那人是那样地陌生。十多年前，当阴柔美被"平反"而堂皇地进入生活中时，她迎上去拥抱住了她向往已久的集阴柔细腻之美于一身的活"宝玉"，然而这些年来，到处充斥着这种阴柔的男性美，并且有的比如果果，竟只剩下了阴柔而全然消却了男性感，你看此刻闭眼蠕动嘶声歌吟的果果，他已经无所谓阴阳，无所谓男女，他已化为一颗星，一种符号，当然，真到目前为止还有许多人乐于花很多钱来借这种符号宣泄、消遣、消闲……果果是很值钱的！

她终于又同这价值不菲的星座分手。她终于才痛切地意识到她曾经鄙弃过轻贱过的那种阳刚之气，那种真正的男子汉，才是一个既渴望爱情更珍视家庭的女子值得苦苦追求和兢兢守成的!

　　……果果在掌声和喝彩声中回到化妆室,一群服务员和走门路混到那里的崇拜者拥上来请他签名,他耐着性子一一挥就,然后毫不客气地把他们都"请"了出去。他把门锁定,还没走拢梳妆台前,从垂地的厚窗帘后忽然冒出一个少年人来,他先吃了一惊,迅即便判断为一个潜留的崇拜者,可那少年逼近他眼前后,却忽然亮出一把不锈钢的西餐叉来,直伸向他眼前……

四、谁知星心有多苦

　　果果神色自若地走出金辉饭店前厅,几位"的士"司机立即拥上前来——都知道他的那辆私车"蓝鸟"正在大修——争先恐后地愿为他效劳,果果挤出重围,对互相讽刺抱怨的司机看也不看地甩着头说:"谁都一样呀!都愿去,空车我也照样付钱!"说着已随意跳上一辆,得手的司机欣喜若狂,而也真有另一辆"的士"空车追随而去,他们都知道,果果"打的"时是简直不懂得看计程器的,停车后也是简直不耐烦听司机报价,并且好几次也果然下车后便再抽出一叠"爱弗伊斯"甩给空车随来的司机——到底是大歌星的大派头啊!

　　果果到达了另一家远比金辉气派的合资大饭店,步履轻快地进入了烛光西餐厅,那里只有穿白色拖地长裙的竖琴手抚弄素淡的雅曲,形成一种"鸟鸣山更幽"的高档气氛。他跟领座小姐说"要两个角落位",领座小姐认出了他,却维系住了规范的微笑与用语范畴把他引到了一处盆栽大朱蕉掩映下的小圆桌前。整座西餐厅的镶壁板和桌椅框架都维持着柚木原色。餐桌上细颈瓶里只插一株淡粉的香石竹,而盅形蜡盏里烛光摇曳。

　　果果且呷着开胃香槟,等候他约定的餐伴。

　　他哪里是贾宝玉!大观园里的那位贾宝玉何尝有过他那般凄楚的童年,那不堪回首的斑斑往事!又何尝能体味出他此刻五脏六腑内的绵绵愁闷和沉沉思绪。

　　他,白富堂,在他落生时,他的家庭早已发生过《红楼梦》"好了歌"中所概括的某几种巨变,当他懂事时,他身边只有一位永远在哮喘着的奶奶,他的坏出身，他那"文革"中被街道居民们批斗的奶奶，使他从小既自卑又自尊，因为在那种政治歧视和政治批斗中，也反衬出他血统的某种"高贵"和家族历史上的某种神秘的显赫……"文革"中期，他荣幸地被吸收为学校里"文艺宣传队"的队员，并且从背景上的伴舞员终于跳成了革命样板芭蕾舞《白毛女》中的大春——他后来暗自憬悟，即使是最最激烈的革命左派，当他们要使本阶级的英雄人物"美"起来时，到头来还不得不到"可以改造好的子女"中选材——因为只有在那一群人中，才最有可能找到娇俏的面庞、白细的皮肤、圆亮的眼睛、鲜润的红唇、颀长的身材、伸开超过身高的双臂和圆规一般伶俐的双腿……因为那样的"血统"和那种文化背景形成的积淀，才更可能有那样的遗传基因和天然气质……当然，在此基础上需要大大地加以改造，他也确诚心诚意地改造过。被破格选入文工团后，演出时如印演员表他的名字就变成了"富强"。他跳了一百多场"大春"，直到有一回下乡演出车祸中伤了腿骨；后来尽管康复，他却从此终结了"大春"时代。那时候他不过才二十岁，却仿佛已经穷途末路——与他多年相依为命的奶奶终于要弃他而去了，奶奶弥留前才把一只陈旧的小皮箱郑重地传给了他——那是"文革"后期发还的少量"抄家物资"，其中所装物品里最值钱的一件是用整块羊脂玉雕成的一尊玉佛，足有三寸来高，据说同北京团城承光殿里供的那尊一米六高的羊脂玉大佛造型完全相同……

尽管可以面对一尊羊脂玉佛浮想联翩，却无法排遣奶奶去世后的无限孤寂和空虚。那时他全然不懂爱情，却直觉到应当结婚成家，构筑一个安稳温暖的小巢。文工团的一位服装管理员——比他大四岁的一位大姐般的女子，看上了他，而经中间介绍人撮合，去了几次她家以后，他也就看上了她——她出身也不好，只有一位母亲同住，然而"文革"后期却已发还给了她们一座小小的独门独院，大小有五间房子，小小的院落中还有一株高大的古槐，她家所存留的旧物中尽管单拣出哪一件来也比不了他那尊羊脂玉佛，然而却处处显露出往昔的殷实与那时的特殊——他入赘到了那个小独院中，当他把那尊羊脂玉佛捧奉到了洞房中的柜橱中时（公开陈列在那时尚不明智），妻子和岳母的眼中脸上都增加了对他的尊重与钟爱。唉唉，那槐花飘香的时日，仿佛已经非常非常之遥远……

什么是家庭？果果呷着香槟默想，"家庭是爱情的坟墓"，这句格言他那时并不能体会，因为他与那第一位妻子又本无所谓情爱——他们也爱，但她爱他如姊姊爱弟弟乃至如母亲爱长子，他爱她则如弟弟爱姊姊乃至儿子爱一位可以接受的继母——所以他们的那个家庭绝不是什么"爱情的坟墓"，倒是"爱情的菌床"——是的，他们成婚一年之后世道就大变了，也成为服装管理员的他忽然眼睛一亮，发现了真可以成为爱侣的舞台美术师焦素娥，焦素娥当面唤他"贾宝玉"，悄悄塞给他的情书上却称他"甄宝玉"，他也坦然地接受了这个事实——他血管里必定流着相当成分的"宝玉血"，那是任怎么改造也只能压抑而无法清洗的，他觉得那尊已经堂而皇之地陈列在小院正屋中原来伟人像位置上的羊脂玉佛，构成一种刺目的象征，他从蒙昧中醒来了，身边的妻子至多只是个可敬可爱的李纨或迎春，眼前的焦素娥当然并不是林黛玉，也还比不上薛宝钗，但史湘云差可比拟，还兼有袭人的柔顺和晴雯的泼辣——"爱情的细菌"飞落到了那古槐掩映的发散着陈旧霉味的小家庭上，结果不是应验了"家庭是爱情的坟墓"，而是开创了"新鲜爱情是陈旧家庭的分解剂"或更干脆地说"爱情是家庭的坟墓"的例证。

……他记得死不愿同他离婚的妻子及其与妻子双位一体的那位岳母，在终于不得不面对严酷的现实时，所提出的那两项要求："一要留下儿子，二要留下羊脂玉佛……"她们原以为他至少要力争其中的一样，谁想到他乐于牺牲的比她们想象的还要多——他把奶奶遗传给他的那只皮箱连同里面的一切，即除了羊脂玉佛还有别的种种物品，统统留给了她们……

不仅那呆板的一对母女万想不到离婚不久的他几下就被时代新潮塑成了果果，就是焦素娥和他自己在成功突然来到时也不禁有种忽堕太虚幻境的飘忽之感，他们那一阵常常在不约而同的失眠中相互抚摸着喃喃自问也相问："这一切难道都是真的么？"

新潮是令人振奋的也是残忍无情的，它很快就逼得贾宝玉不得不将玉菌化，再秦钟化，再……化为《红楼梦》里再也找不出可比性的那么一种角色，果果越来越红，也就越来越异化，本是一尊羊脂玉佛，最后化为了一颗高升的星——星再落回地上，那就不过是一块黑丑的陨石，提前看出你是一块陨石，就好比把"风月宝鉴"反照，于是果果感受到了焦素娥对他的情爱的消失，而他对她的情爱的需求也日渐淡薄，于是他们再一次离异。

现在他愿忘记以往的一切,特别是他那在歌星群中已绝不能引人细算的年龄,有的歌迷甚至以为他仍然只有二十几岁,他既自豪又辛酸——他们哪里知道为此他想出了多少花招!付出了多少心血,也付出了多少钞票!

现在他渴望着什么?他渴望着走向世界!不要误以为他糊涂到打算在中国大陆以外去当一名歌星,他只不过想乘现在已踩就的云朵,不失时机地飞出国门,去见识一番那羊脂玉佛也未曾见识过的异域风光,他的归宿也许充其量不过是美国唐人街上的小小一爿饺子馆,楼下店堂楼上住家,然而至少在眼下,他觉得那是比槐花飘香的独门小院和霹雳球灯下的舞台更值得去追求的一种境界,当然,那时一定又有新的不满足,那就再去寻求更新的……走遍世界,尝遍人生,朴素到极点的追求,有什么不对头呢?但,谁能真正理解他?清澈而不掺污泥浊水地理解他?

尽管在沉思中,他锐利的目光仍然及时地认出了走近的餐伴,他优雅地起身迎接——那是一位金发碧眼的女郎,汉名叫碧雅羚。

碧雅羚落座后便笑着说:"啊,今天我们一加一……"

"OK!AA制,很好!"果果爽朗地应和着。

果果自信在中国海关辖境之内,他大约是最擅长与外客交往的国民之一。见着港客,他虽不能用粤语交流,但知道什么时候该说一句"太离谱",嘲骂一句"擦鞋",问碧丽宫又在上映什么新的西片,刘德华还劲不劲……见着台湾客,则言谈之中也能恰如其分地插入"蛮好的"、"蛮开心的"以及"蛮"这个"蛮"那个,议论中也能使用"共识"啦,"层面"啦、"定位"啦等等语汇;见着金发碧眼但学过汉学能听能谈中国话的洋人,则他便能绝不过分地在交谈中插入一点英语单词,更懂得是你请他或他请你或各管各一定要先讲清,懂得有的洋人绝对见不得海参以为那是只大肉虫,懂得当对方请你点菜点饮料时一定不能说"随便"……

除了各自都点了蔬菜沙拉和一盘汤以外,果果要了一份带血丝的英式牛排,碧雅羚要了一份蚝油菠菜泥。果果要了马提尼酒,碧雅羚不要酒,只喝矿泉水,他们边款款地吃,边轻松活泼地交谈。

碧雅羚在一家外资企业驻此地的办事处任职,同时也作为自由撰稿人给境外的一些报刊投稿,最近她正准备写一篇介绍中国大陆歌厅和歌星的文章,是她主动来跟果果取得联系的，他们已经谈过四次，双方都感到颇为投机。果果在上次见面时已经越出一般的谈笑，提出了希望碧雅羚帮他落实去美国留学事宜的要求——经济担保方面他自己已能解决，但希望有一所州立的大学艺术系能接收他为东方舞蹈艺术专业的研究生，并提供全额奖学金——他非常坦率地对碧雅羚说："我当然知道，即使美国的歌星，也都不是大学培养出来的；我想去美国，既不是梦想在那里当歌星，也并不是真觉得自己可以成为一个研究东方舞蹈艺术的专家，只不过是依我个人的生活史，我只有当过舞蹈演员、并且到国家级舞蹈学院进修过取得过文凭的那么一点资历拿得出手；我是想去美国闯一闯，试一试我剩下那部分生命的运气……"

碧雅羚答应帮忙。他们成了朋友。他头天约请碧雅羚在这里共进晚餐，碧雅羚答应了也践约了，尽管比约定的时间晚到了几乎半个小时，但碧雅羚道了歉也作了解释。绅士多等等女士在西方也该是平常的事。面对着一位活生生的西洋美女，又可以用中国话娓娓谈心，这是多么美妙的事！果果心情大畅。

碧雅羚穿着一件用中国贵州蜡染布缝制成的却大大暴露出脖颈和上胸的蝴蝶衫，颈上一串木变石的造型粗拙的项链，两边耳下两个大得夸张过度的仿木耳环，充分显示出她是一位酷爱东方文化的地道西洋女人。谈及中国舞蹈，她尖锐地批评说："以我见到的而言，我不懂你们现在为什么喜欢那个样子——跳舞的男人都很像女人，女人又都很像儿童，儿童又都很像木偶——为什么你们的舞蹈里，总让儿童们重复把头歪一边，再迅速歪向另一边，又再歪向一边……那样的一种木偶动作？你们觉得那很优美吗？可是我觉得很难看！"她说到那木偶式动作时便模仿起来，两只大耳环激烈地晃荡。果果忍不住笑了。他试图向她解释一下，并不都像她说的那样。但她的批评激起他高度同感，他就只是笑，只是点头。

"其实，中国有很男人的男人，很女人的女人很儿童的儿童……"碧雅羚侃侃而谈。果果完全懂得她表达的意思，却又忍不住笑她造出的句子。碧雅羚扬起一边的眉毛，认真地反问："难道，不是这样吗？"

果果笑着点头："OK！我就是很男人的男人嘛……"

果果本是顺口幽默，没想到碧雅羚以西方式的坦率立刻回应他说："哪里，你不很男人，很不男人……怎么说呢……我觉得你很少年，你喜欢少年的样子，对吗？可少年不算男人，对了，男子汉！少年就还不是汉，不是'一条汉子'……当然，也许你的职业需要你这样，歌迷们喜欢你这样……"

果果不笑了。他心里很不痛快。他懂得以西方的社交道德标准而言，朋友间的交谈越坦率就越有价值，而且碧雅羚的这番议论也简直算不上什么批评，不过是客观陈述她的一种印象。可是他毕竟是中国人，中国文化的产儿。他不喜欢这些话。他简直都要说出"我还少年？我都三十五了！"但他忽然意识到在申请留学的各种表格中他都为自己减去了六岁，因而一个美国人判定他仍像一个"少年"至少对他取得入学资格有利，他就没再搭话，并且想继续地笑，却又笑不成原来那样，便逼出了一个苦笑。

餐后他们都要了咖啡。在咖啡端来之前，果果想把所谓舞蹈学院的毕业证明交给碧雅羚——那当然是他迫不得已以钞票的威力在不至于触犯法律的范畴内弄来的——在文工团时他也确实一度入那时候的一种原舞蹈学院办的培训班学习过一阵，也确领到过一纸证书。他站起来，从圆桌附近的挂衣架上的风衣内兜里去取那份必要的证明，也许是他取得急了点，也许是他未曾预防——当他取出那装证明的信封时，一样金属的东西陡然也从那风衣内兜里滚了出来，重重地跌落到硬木镶嵌的地板上，发出一声刺耳的锐响，这把碧雅羚吓了一跳，也使得正在餐厅中抚弹竖琴的长裙女士不禁悚然中止了弹奏，至少两位餐厅小姐本能地朝他身旁走来，而他也在一惊之中，感到几乎全厅中的食客都不由自主地朝他这里望了过来……

滚落到地板上的是一把不锈钢的西餐叉。

首先走到的餐厅小姐俯身拾起了那把叉，未加思索地放到了桌子上，她本能地觉得是果果不慎将桌上的叉子碰落到了地上，没想到果果也几乎是本能伸手去抓那把叉，果果的手在餐厅小姐的手还没离开那把叉时便急不可耐地伸了过来，两只手有所接触，这就给旁观者形成了一种抢叉子的印象，并且安静的餐厅中响起了果果很不自然的一声喊叫："那是我自己的！"

拾叉的餐厅小姐和走到的另一位餐厅小姐大吃一惊。碧雅羚也瞪圆了双眼，双手十指交叉地紧握在胸前，不由得惊奇地"啊！"了一声……

五、摊开的牌

康炳琦让公司司机把丰田小轿车停在了离他住的那栋楼还有二三百米的绿地边上，他说他想散散步再回住处。他一身西服革履，手臂上搭着高档的薄呢大衣，同司机抬手告别后，便沿着绿地边上的人行道款步而行。入秋了，绿也已然不绿，一些树木的叶片已经落尽，但作为行道树的白腊杆枝条上还存留着不少明黄色的叶子，花坛中的单瓣耐寒月季——有人说那就是所谓"金达莱"，他没有考据过——依旧烂漫地开放着。他刚参加完一个涉外的经济界酒会，酒会上颇有一些实质性的关系着企业利益的有意"接触"，也有一些似乎无意而带有搜索性的"邂逅"，弄得他不仅心思很累，就连颜面肌肉因为不断调整微笑度也颇感酸痛。他深呼吸着清凉的暮气，款款迈步，思绪中只回旋着一个主题，就是"至少现在我什么也不要想"……

但当他走到公共汽车站边上时，恰好来了辆公共汽车，停住的车子里恰好下来了几个人，其中的一个首先唤了他一声："炳琦！"另几个也就都随着招呼着他，最清脆的一声是青春玉女唤出的"康叔叔"！

他停步定睛一看，原来是同住一个楼区的邱宗舜一家。连忙提起精神应答。互有询问之后，才知道邱宗舜一家刚从剧场看完戏归来。邱宗舜告诉他是上海京剧院来本城演出的全本《白蛇传》，夫人裴菊吟告诉他："三个白蛇，三个青蛇，都年轻漂亮，唱念做打都好……"邱老太太也兴冲冲地说："许仙也漂亮啊！好久没见过这么年轻的俊小生了！"邱裴蕙也接上一句："艺术本该属于青春嘛！我最怕胖成双下巴的老红娘，满嘴假牙的老张生了！"……康炳琦支应着。他对京剧完全外行。他告诉他们自己还要再散散步，双方就分手了。他看见裴菊吟主动挽着婆婆从斑马线过马路，看见邱裴蕙挽着父亲胳膊腻在父亲身边娇声娇气说笑着……这极平常的一景使他刚宁静下来的思绪"轰"地一下又旋转起来了……邱氏一家人是一块儿看完戏一块儿回家！自己呢？自己是一个人跟无数人分手后单独一个人回……回住处，对了，尽管他们住的是按同一种图纸盖出的楼，并且恰好都住903号单元，一样的水泥盒子一样的内切割方式，但人家那是个家，是在回家，自己那只是个住处，是在去往一个睡觉的地方！

　　邱宗舜自那次陌生少年手持钢叉搅乱之后，所以能复归于安宁，康炳琦本是起了最关键的作用，但此刻他目睹其全家观剧归来的和谐一景，却使他为这一家庭高兴的情绪旋到了底层，冲撞激荡到上层的情绪，竟是一种油然的妒嫉和苦涩的失落感……

　　不知不觉中他也走到了自己住的那栋八号楼附近。他抬头朝自己那个单元望去——门厅的灯亮着，那扇窗户泻出一窗灯火，但看去仿佛那是一个同邱家等邻居相似的一个温馨的家庭，然而灯火之下，却大有区别——他那个单元里只有萧索杂乱，只有冰锅冷灶……

　　几年来他一直保持着那样的习惯——不管外出多久，哪怕出差十天半月，他永不拉灭门厅的电灯——灯泡憋了就再换上新的，保证灯火长明。有人私下里把他的这一行为称为"怪癖"，有人判定他是因为"那么有钱又单身一人，那点电费对他算得了什么？"楼下传达室的老大爷和居委会的老大妈们却认为"康总经理这么点长明灯有理，溜门撬锁的见有灯光先手软七分，想找上门求这个闹那个的人，按门铃按不开，跑来问我们康总经理在不在我们也好答话——他那灯有没有人都亮着，我们也不知道他这会儿在不在……康总就是明明回来了不开门待客。事后愣说不在，被拒之门外的人也没话可说……"这种向着他的说法有那么一点道理，却也绝非康炳琦本心所在。康炳琦为什么有这么一桩"怪癖"呢？

　　自然只有康炳琦自己心里清楚。康炳琦承认自己生来感情就比较粗糙。同焦素娥的分手，他本是平静的。分手前他们已经搬进了这个903单元。有一天，也是大约这么晚了，他走到这栋楼，下意识地往自己住的单元望去，恰好那天几乎整栋楼各单元的窗户都至少有一扇窗是亮着的，唯独自己那个903里魅魅的成为了全楼的一块"暗区"——他才忽然粗中有细地回忆起来，当他同焦素娥还住在平房中时，每天干完活回家，他也总是习惯性地望一眼家里的窗户——那一盏灯火，实在是一个家庭实体的明显象征啊！不管一个家庭里有多少矛盾，多少争吵，多少冲撞，多少难处，多少悲辛，多少厄运，多少灾难，但不管怎么着，当你走近你居住的那社区时，在千百家灯火之中，你家的那一窗灯火，总意味着一种不可取代的拥有，一种不可混同于其他生活面的独特情调，一种作为社会人的完全感，一种应付于社会之余的身心返泊港湾的轻松，一种人生中不应舍弃的滋味……

自那晚之后他就使门厅的灯成为了长明灯。是一种自我慰藉？一种自我麻醉？一种自我调侃？一种心灵的自我支撑？一种莫可名状的隐秘渴求？

这晚回到自己住处，康炳琦完全不能也不愿再去想关于企业、关于社会、关于国家、关于世界等等方面的事情，他在一种不可抑止也不想克制的昂奋状态中，完完全全地来想他自己——他需不需要重建一个家？同谁重建？如何重建？

他需要！这已不必再与自己争论。那么，同谁呢？向他或明火执仗或"琵琶半遮面"或暗送秋波或朦胧挨近的可供他抉择的角色加起来至少已有一打，但其中使他为之心动并委决不下的，目前只有三位……

一位便是女企业家鞠卉。这天晚上的酒会鞠卉也去了。她一身中规中矩的藏青毛料西装衣裙，上装斜领中露出麻灰色的高领纯羊毛衫，除了在上装左领上别了一只梅花形的银饰针，她颈上、耳垂、手腕和手指上不戴任何饰品；她的发式也较简单质朴，脸上大概没有擦多少化妆品，身上也不散发出香水的气息——康炳琦首先赞赏她的这种妆扮。像个有事业心的女流！鞠卉身材中平，眼睛不大，颧骨有点高，颚骨有点方，牙齿雪白但不太整齐，绝非美妇人，然而大方得体的气度做派不止弥补了她容貌上的不足，反使她在康炳琦眼中次次有愉悦之感。这晚的酒会上，宾客如云，鞠卉只走到他身边一次，站了不足半分钟，举杯同他讲了三句话，便离开他微笑地向着另外的人打招呼，并走过去开展她的必要社交活动去了。鞠卉跟他讲的第一句话是："我也取的是装矿泉水的杯子。"说着，同他手中的杯子碰了一下并呷了一小口。第二句话是："我明天飞往意大利，十天以后回来，回来我听你的最后回答。"第三句话是："我昨晚往你住处打了电话，给你留下了录音，那是我最明确的也是最后一次的摊牌。"

康炳琦知道鞠卉这回很有可能在意大利打开她们那个厂一种产品的销路——不知内情的人可能会难以理解：意大利人会接受中国的美容产品？康炳琦却颇知底细：鞠卉这回搞的是一种专给猫犬等宠物洗浴的纯植物原料洗浴液，这就恰恰钻了意大利宠物用品行的一个小小的空子——那里的宠物豢养者们也讲究使用纯植物原料的制品来给他们的宠物美容，以防化学合成品的副作用！鞠卉的这着棋充分反映出她的才思、眼光和气魄！这样一位尽管已经三十三岁的老处女，在强悍泼辣地开拓事业的进展中，以对他康炳琦的一往深情展示出她追求爱情和组建家庭的同样强悍与泼辣，是不能不令康炳琦怦然心动的……

　　她在出国前又作了彻底的摊牌！回想到酒会上鞠卉讲的第三句话，康炳琦不由自主地按下了电话留言键。头一个留言是市电视台文艺部主任打来的，直言不讳地向他"化缘"，希望他那个企业成为明年年初春节晚会节目的头号"施主"；另一个留言则是一家刊登过关于他的报告文学的文学刊物的主编打来的，矜持地向他问好并希望他"别忘了您的允诺，来参加敝刊复刊十周年茶话会"，那"弦外之音"也很明显；还有已在外地安家立业的大弟弟打来的，代表全家向他问好并嘱托他代购一种健胃的新药……一直到第七个留言电话才是鞠卉的，她的语气还像在公众场合那么干脆而自信，但确也多了只有独处于话筒前才会迸发出的柔情与蜜意："……我想明年春天跟你成家。我还有能力为你生一个儿子或者女儿。咱们把你妈从你妹妹那儿接过来一块儿住。请上一个可靠的保姆。当然要有一套比现在你那个和我那个都要像样的大单元。事业上你我可以通力合作，感情上你我可以互相满足，咱们白头偕老，共走下半辈子的人生之路。也许会遇上大风大雨，也许会一块倒霉，也许到头来平平淡淡，可我们组成的家庭肯定能幸幸福福……我不想再多说什么，从意大利回来我听你的答复……"

　　康炳琦把那段录音又重听了一遍。他心摇意动，斜倚在沙发上用右手拇指和食指不断捻自己的菱角胡。"我还有能力为你生一个儿子或者女儿"，这一句尤其令他感动。是的，一个家庭，不能只是一加一，至少要一加一等于三……他同焦素娥共同生活的那几年，双方当时都不想"过早背上包袱"，所以一直采取着避孕措施，直到后来焦素娥对他性冷感并"和平解脱"……是的是的，他应该有一个血缘上同他有直接延续性的生命，看人家邱宗舜的蕙蕙，叫你"爸爸"和叫你"叔叔"该有多么大的差别……可是他重新检阅了一遍自认识鞠卉以来所积累的印象以后，他就觉得无法想象出作为家庭主妇的鞠卉会是怎样的模样，鞠卉有句"不能让任何一分钟成为空白"的名言，那"空白"的含意几乎囊括了事业以外的所有事情，而倘若他同她组建成一个家庭以后，仍然不能有"空白"，或总是在一种负疚的心境中渡过度少量的"空白"，那乐趣又到底何在呢？

　　康炳琦一边思索着一边斜躺到长沙发上，当他的头落到沙发一侧的全包厚扶手上时，他感到枕着了一件衣衫，他把那衣衫从后脑勺下扯出来，啊，原来是他前几天脱在那里还没有塞进洗衣机的全棉衬衣——那米黄色带浅条纹的衬衣散发出一种绝非来自他本身的巴黎香水气味，并在领口处有明显的唇膏印迹，那气味那印迹陡然又把他的思绪引到了另一个女人身上……

那是碧雅羚留下的痕迹！碧雅羚跟他交往已经一年多了，从工商业务的交往，深入到接受其采访并给其《中国有了新型企业家》一书出主意的程度（那本书先以单篇文章形式在国外报刊发表，后来印成一本汇集，据说销路颇佳），再后来就互相认作朋友，到最近碧雅羚以地道的西方方式坦率告诉他她爱上了他，要嫁给他，并在前几天发生了那对他来说惊心动魄的一幕——就在这间屋子里碧雅羚跟他聊着聊着，就自然地或者说突然地或者说是不知其所以然地坐到了他大腿上，用那双碧蓝碧蓝的大眼睛那么异样或者说那么并不奇怪地望着他、望着他，他不是柳下惠，也没有义务做柳下惠，他们热吻了……碧雅羚用并非纤纤然而火辣辣的手指解开了他的衬衫纽扣……他却突然 STOP，一下子把碧雅羚抱到三米外的一只单人沙发上放下，扣上被解开的衬衫扣，打出一个含意丰富的手势说："……你一定要懂！如果我们甘心于只做一对情人，我将同你一样毫无顾忌……可是，你既然郑重地表示了你要做我的妻子，甚至愿意同我在中国组建家庭，并今后主要在中国居住，那情况就不一样了，我想我们就该除了百分之一百的感情还得有百分之一百的理智：我们可不可能建成一个美满的家庭？……"

"当然！可能！"碧雅羚几乎是气冲冲地跳起来，跟他举出好几对在中国相当出名的中夫洋妇与洋夫中妇所建立的"中西合璧"家庭，那几个家庭几乎都经历了中国半个世纪以上的大变动中的风风雨雨，却至今仍显示着其美满与稳定……

"任何例证也不能取代你和我这两个具体的人所面临的具体问题。"康炳琦说，"我们两个的文化差异太大了！简洁地说，你是西方'性文化'的产儿，你爱我并愿跟我结婚是因为我是你看中的男子汉大丈夫，这一切的最大快乐是跟我上床做爱！而我是东方'吃文化'的产物，我承认我爱你并且我也严肃地考虑着跟你结婚的事，这爱情、这结合的欲望中当然包括着我觉得你是我眼下所见到的女人中最性感的，跟你一起享受性爱当然是快乐而美好的事，可对我来说，结婚成家的快乐，其中很重要的一点，是同家里人坐在一起吃家里自己煮出来的饭烧出来的菜的快乐，这快乐是非常核心的——你不要打断我，你跟我谈过你可以学着做一个东方式的家庭主妇，甚至可以先专门到烹饪学校去学习烧中国菜……可你永远不能像我那样深入骨髓地体验到——听到自己家厨房里把切碎的菜叶乍倒进油锅所发出的那种声音，该有多么美好！甚至我同我那离了婚的妻子分手好久以后，每当回想起她在厨房操作时发出的这种声音，我的心总还要发紧、发颤！你懂吗？碧雅羚啊？你不懂……"

碧雅羚痛苦地以双手掩面："啊，真的，不懂！我不懂！天哪，上帝，我不懂……"接着突然扑到了他怀中，而他也珍惜地拥住了她，抚摸着她的一头金发，安慰她说："我也并不深切地懂得你！亲爱的，我们面临一样的困境！可我们都摊牌了，让我们都再仔细地想一想吧，也许……我们还有时间，让我们明年春天再作最后的决定，好吗？……"

康炳琦把那件惹出关于碧雅羚的思绪的衬衫团起来扔向对面的空沙发，扇起一阵风使茶几上的一张信纸滑到了地板革上，那信是焦素娥新近写来的，一共写满了四张信纸，那也是摊牌——不要以为焦素娥没有再能打动康炳琦的地方，她的优势是能够诱使他回忆起往昔那些永不会褪味的人生蜜糖——当他从中专退学走出校园时，她在众目睽睽中追到他的身边；当他同寡母幼弟稚妹处在最困难的境况时，她带去肉馅和新荏韭菜，同他们全家一起制作那时最高级的美味——饺子；婚后她曾给他织出五种颜色的旧毛线拼成的巧为设计的毛衣；他曾指导她如何踩到他身上为他治疗腰肌劳损……焦素娥在信中写道："我重新追求你，在你在世人眼中会被视为厚颜无耻，我的确厚颜，所以我写下这一切，然而我不但没有羞耻感反倒有一种自豪感——我从虚妄的恋玉情结中醒悟过来了！我曾经丧失过对你的情爱，但我从来没有以虚伪来欺骗和伤害过你。现在我一如既往地诚实，我要告诉你，我要求同你复婚首先是为了追回我今生今世不该丢失的幸福，同时，你细想想，那位'女强人'也好，那个'洋婆娘'也好，她们哪一位能像我一样，可以使你现现成成地、轻轻松松地、不用改变习惯地重享家庭之乐呢？……"

康炳琦心乱如麻。

"叮咚"，门铃忽然响了起来。已是夜深人静，电梯都已停止。门外会是谁呢？

六、燃亮你的灯

"请观众们谅解，果果因为突发高烧，今天不能出场演唱，现特请著名歌手……"报幕员的话音未落，剧场中立即响起口哨声和抗议声，秩序大乱。邱裴蕙和同宿舍的三个同学气愤地退出了剧场。退场的观众颇多，有一小群人还在剧场前厅里吵嚷着要找经理论理、退票。几乎所有观众都是冲着最后一个出场的歌星果果而来的，而他竟"突发高烧"！邱裴蕙和她的同学们一边怨骂着一边走向公共汽车站。一个同学说："哼，什么突发高烧！我才不信，一定又是嫌开的价少了！"另一个同学说："要什么大明星的臭架子！愚弄了这么多观众！"邱裴蕙刚试图小做辩护："也许，真的突然病了，他那么单薄……"第三个同学立即拍下手说："哈！东边日头西边雨，道是无情却有情！"另外两个同学立刻笑弯了腰，邱裴蕙一边嚷着："什么话呀！不伦不类！"一边追着那位同学要打，那同学咯咯咯笑着藏到另两位同学背后……

邱裴蕙同许多那个年龄的姑娘一样，一颗心暂时还摸不准吃不透爱情。她对男性的审美追求，时常徘徊于对康炳琦那种阳刚之气的崇爱和对果果那种羊脂玉郎的怜爱这二者之中。好在她还非常年轻，且学业未竟，生活将给予她无数的机会，也将给予她无数的磨炼，我们祝福她今后能获得甜蜜的爱情缔结严肃的婚姻，组建幸福的家庭。

暂把邱裴蕙和她的同学们撇开，让我们看看，果果究竟在哪里？是否真的"突发高烧"？

果果在一处宾馆的客房里。他在该他上场的半小时前打电话给剧场的经理，宣告他确实发烧达三十八度五，因此实在无法按约前往（他总是在他上场前十分钟左右，开着自己的私车到达演出地点）；经理在电话那头哇哇地恳求和恫吓起来，他却没听几句就撂下了电话。经理赶紧往他家和估计他会临时下榻的饭店宾馆拨电话，都找不到他——果果这回来到了一所地点比较偏僻的、他此前未曾光顾过的宾馆。进了客房后他便将"请勿打扰"的标牌挂在了门外的门把手上，撂下电话之前又告知总机任何电话也不要接到他的客房里来。他跃身仰面躺到席梦思床上，甩掉双脚上的皮鞋，把双手插到后脑上垫着，望着天花板上的"烟雾报警器"，想他的心事。

　　在他临阵逃避的那场演出中，预定的曲目除了他自己编词作曲并首演的《定不住的游云》，还有台湾歌星潘美辰的《我想有个家》——他一般是不会演唱港台女歌星的曲目的，但潘美辰在台湾歌坛是以冷漠的中性造型而取胜的，连果果头一回看见潘美辰的相片和听到她的歌声时也不禁默问："是男？是女？"并不禁默答："是男！是女！"问完答完果果会心一笑——彼此彼此！他果果的魅力，不也是令人先问："是女？是男？"然后自答："是女！是男！"奥秘都在于"中性化"。不过这也还不是最主要的原因，最主要的是《我想有个家》的内容打动乃至打痛了果果的心，使得他乐于闭眼握拳地唱出：

<blockquote>
我想要一个家，

一个不需要华丽的地方……

一个不需要多大的地方，

在我受惊吓的时候，

我才不会害怕！

谁不会想要家，

可是就有人没有它，

脸上流着眼泪，

只能自己擦！……
</blockquote>

　　他本打算去那剧场以这个曲目宣泄一番的，临时却改变了主意——他在一个多小时前给碧雅羚打了一个电话，问她是否能在他去往美国驻华领事馆办理签证前，跟领事馆的人通通气，碧雅羚似乎并不以他提出的这种要求为怪，通话时语气仍如以前一样热情活泼，但拒绝得却十分干脆明确："啊哈！这不行。我是你的朋友，帮助你联系学校可以。但我是一个普通的美国公民，我不能去干预领事馆那样一个官方机构的事务，就像我不允许任何一个官方机构随便插手我的私事一个样。"搁下电话正发愣时，来了一个电话，果果原以为是剧场经理催场的，拿起话筒凑到嘴边便不耐烦地说："就去就去就去……"但稍后就听出并不是剧场经理而是一个少

年的声音："我是玉强……我今天晚上去您那儿，行吗？您一定等着我！我全给您带去……"他惶急躁动之中没听完就把话筒摔了——接着是打电话向剧场经理宣告"突发高烧"，接着是驱车来到这家宾馆……

然而宾馆并不是家，起不了"在我受惊吓的时候，我才不会害怕"的作用！果果在床上一个急转身，变成俯卧，他把脸埋进枕头，一手搓着他满头的长发，一手发狂地捶打床面……

那个往他住处打电话的少年，叫白玉强，是他亲生的儿子。

在他还叫白富堂的时候，他入赘到了那个古槐掩映的小独院中，他的妻子比他大，还有一个老岳母。结婚第二年妻子就生下了一个儿子，他给取名叫白玉强。中间那个玉字的灵感，来源于那尊羊脂玉的佛像。那佛像是白富堂奶奶给他留下的最主要的一桩遗产。全部遗产是装在一个陈旧的小皮箱中传给他的。除了羊脂玉佛像外，还有一串白檀木的香念珠，一对银烛台，两个内画工笔仕女的鼻烟壶，以及一套五件的不锈钢西餐餐具——这最后一项遗产最为古怪，然而也最有讲头——奶奶病笃时，曾把其中那把钢叉举起来为例，讲给他听，他才明白，原来他的曾祖父，曾在清末参与过洋务，被派往过德、奥、意、英、俄等国，在德国停留的时候最长，并在那里为自己一家订制了一整套西餐餐具，有十八套九十件之多——十八和九十都被认为是吉祥的数目——每五件为一小套，包括一把切肉刀、一把叉子、一把切水果刀、一把大些的汤勺和一把小些的甜食冷饮勺。不锈钢工艺在那时远未普及，所以闪亮的餐具本已显示着荣华富贵，最难得的是每把刀叉勺子的把柄上，正面都錾有他曾祖父提供给餐具作坊的图形——曾祖父当时是五品官，按"大清公典"规定，官服上可有白鹇的图案，但他却将二品官服上才允许有的锦鸡图案给了外国作坊——这本是大逆不道的僭越行为，但那时清朝已大厦将倾，他打制出这些餐具也只是在自己家里的私宴上过瘾，绝不用来宴客的（况且回国后所交往的一般官场人物和亲友也都不会使用刀叉吃"番菜"），不久清朝覆亡，也就无所谓僭越了——这套餐具一直在他们自家中存在了许多年，成为他家曾显赫过并玩过洋荤的明证——那刀叉勺子除正面錾有锦鸡图案外，背面还錾有中文"白宅"两个字，所以是绝不会与世上其他西餐餐具混同的。可惜传到白富堂手中时，那餐具只剩下孤单的一小套即两刀两勺一叉了。

白富堂后来与焦素娥相爱，双双冲破层层阻力，各自先离婚然后再"有情人终成眷属"，他放弃了白玉强，也放弃了从那尊羊脂玉佛到那五件不锈钢餐具的全部"白氏遗产"。白玉强那时还不记事，由于白富堂很快就一次性付清了法院判决规定的长达十多年的抚养费，并从此断绝了同前妻和儿子的联系，所以白玉强长大后全然不知父亲是谁和什么模样——母亲所留存的相片中，凡有他父亲的部分都剪了下去，单张的更早就毁弃，母亲和姥姥的性格都阴郁寡言，从不在他面前提及关于白富堂的事，直到头年母亲患肝癌去世，姥姥也日渐衰弱，而白玉强再也忍受不了同班同学关于"你爸是谁？"的询问，逼着姥姥跟他"坦白"时，姥姥才终于有一天拉着他的手，凄凄凉凉地对他说："你还不记事的时候，你爸就让一个坏女人勾引走了，你爸是个忘恩负义的白眼狼！那女人更是条阴险毒辣的笑面蛇！你妈就是让他们气得肝上长包儿熬呀熬不过，活活地给气死了！亏得咱们还有那么个小独院，现在卖给了房管局，算是手里有了笔保证咱娘儿俩不挨饿不受冻的款子，也足能供你念完大学——玉强呀，你可得为你死去的妈，还有我这风烛残年的亲姥姥争气呀！你可别学你爸，说变心就变心，让坏人一勾就走！你爸名叫白富堂，他们白家往早了说可是个大户人家呀，我屋里供的那尊羊脂玉佛，就是白家传给你的，实在混不下去的时候，这尊玉佛至少能变出上万的款子来，也能抵挡一阵哩——你爸为了那个妖精，把你和这玉佛全扔了，你说他还有心肝吗？"……

在姥姥的讲述中，总体而言，最激起白玉强仇恨的，是那个勾引走他爸的"女妖精"，他几次磨着姥姥，让姥姥告诉他那"女妖精"的名字和如今的住处，姥姥怕他惹出事端，都没有告诉他——但这年入秋时，白玉强和姥姥所住的那个单元被撬了。他们卖掉小院后，一直住在房管局分给他们的那个两居室单元之中。当时白玉强上学去了，姥姥下楼买菜去了——姥姥先回的家，一看傻眼了：那尊价值万元以上的羊脂玉佛，被率先盗走了！当时便晕了过去，后来一直卧病在床——白玉强就是在那样一种境况下和所引出的狂躁心情中，决定找到那"女妖精"和生父白富堂"算账"的——他倒并不是想粗暴地胡来，而是设计出这样的方案：用姥姥对自己讲过的那套西餐餐具中的叉子，当做自己身份的信物，根本不跟那"女妖精"对话，而直接找到白富堂，让他补偿自己和姥姥所遭受的惨重损失，不仅羊脂玉佛被盗，卖房子所得款项的定期存单也一并被盗——而且恰恰已过期数天，因而他赶到储蓄所挂失时款项已被提空！病中的姥姥终于告诉了他一个地址——是焦素娥同康炳琦曾经合住的那座八号楼的903单元，他姥姥哪里知道后来焦素娥搬出了那里，与白富堂另有更宽大的住处，只剩下康炳琦一个人鳏居——而头一回去寻找时，白玉强慌乱中竟错找到了样式完全一样的五号楼903单元，把与他毫不相干的邱家搅得好一阵子不得安宁；白玉强第二回才找到康炳琦那里，康炳琦接待他，弄清了他是谁和想干什么以后，劝慰了他一番，告诉他大人之间的事很复杂，不必那样仇恨那个弄得他爸和他妈离婚的女人——并且告诉他那个女人又已同他的生父离婚了；又告诉他他的生父现在已经不叫白富堂，而叫果果——这令白玉强大吃一惊，他只听姥姥恨恨有声地谈过他爸爸如今成了个"男不男，女不女，僧不僧，尼不尼"的"戏子"，却没想到竟就是常听同学们提到的那个著名歌星！幸亏他自己只迷足球不迷歌星，否则他心中会爆发出更多的狂想和激情。他后来闯进歌厅后面的化妆室，并用那把钢叉使得果果在惊悚中认了他这个亲儿子——果果当时便给了他两千块钱，收下了那把叉，并允诺再约定一个时间，请他把其余四件餐具也都拿来，然后再给他八千块钱——"这样，我算赎回了祖传的纪念品，你和你姥姥得到我的钱心里头也能安生，你们没有敲诈我，我也不是施舍……"

这天白玉强果然打来电话，要到果果的住处找果果……躲到宾馆中的果果心生七味，他忽然有一种同亲儿抱头痛哭的欲望！在中国他似乎什么都有了，然而就是没有一个家！他想跑到国境以外的世界上去"闯"，"闯"什么呢？此刻他心中空落落的，有一种浓酽的迷茫惶惑之感。难道在"外面的世界"，他就能找到一个理想的家吗？他已经破碎过两个家，并使得亲儿子玉强处在一种怪诞的处境之中，这也许绝不是舛错和罪恶，然而这绝对是迷失与不幸！果果一个人在那间魅魅的客房中神经质地哭泣起来——那些崇拜他的"追星族"，乃至那些鄙弃他的人们，有哪一个能够猜想得到，此刻的他竟是这样的一种存在！

天黑了，冬夜晴朗而寒冷，这座北方大城灯火灿然，个个居民院，座座居民楼，全都闪动着一窗又一窗的灯火——远望去，那些灯火十分相似，然而谁能诉说尽，每盏灯火下，是怎样的一种情景、怎样的一种氛围、怎样的一种人生？哪些是温馨而安宁的家庭？哪些是产生裂痕而尚可修补的婚姻？哪些是貌合神离而又没有勇气离或懒得离从而只能是凑凑合合地待在一个屋顶下的夫妻？哪些是爱情和婚姻都不存在危机，而婆媳间、岳婿间、父母子女间、兄弟姊妹间滋生出种种矛盾而一时间"剪不断、理还乱"的家庭？哪些是已破碎的家庭，只剩下鳏夫或孤妇，甚至像白玉强那样只剩下老人和未成年子女？哪些有过失败的婚姻体验的人，又正在渴望重组幸福家庭并采取着种种行动或频频被人推动？……我们就是再开列出一百个一千个问题，也还是概括不尽万家灯火之下的人生万花筒中的景象啊！

大千世界，有多少趣事奇人，我一时怎讲述得尽？况且对我所关注的人和事，我也一时难以把每个人的取向摸清，更难预测他们今后的前景，即如蓄着菱角胡的康炳琦吧，那晚正当他对三位完全不同的女性追求者取决不定时，究竟是谁按响了他的门铃？是三位中的哪一位？或者竟是另外一位？抑或只不过有急事来找他的下属或邻居？要么竟是失却父爱而在与他接触后产生一种依托感的白玉强？难道是更神秘的人物？不知读者诸君怎样想象估测？反正我是不及细察，信息不丰，尚难虚拟，只好有待今后揭晓！

读者诸君，想必都有至少一盏以上属于自己的灯，每夜燃亮那属于自己的灯时，你想象过从屋外望去的情景吗？或者你每次外出归家，在夜色苍茫中走近住处时，也曾凝望过家中那一窗灯火？心中是怎样的滋味？

燃亮你的灯吧，你住屋中的，你心灵中的——祝一窗灯火永远灿然、温馨、安宁！

1991 年 9 月—1992 年 2 月

杀 星

她不知道该怎么形容自己的心情。

幸福？岂止！

幸运？当然！

幸亏——

幸亏歌星下榻的这个宾馆，恰恰是她有门子能闯进来的。就别问她是怎么闯进来的吧，保密！

她坐在有套间的客房里，坐在外客厅窗前的沙发上，尽量摆出一个迷人的姿势。她有信心——既然已经突进到歌星的包房，那么，令千人羡万人妒的美好瞬间，便一定会到来！歌星单独地呈现在自己面前——不是在成千上万的歌迷顿着脚狂喊的体育馆，隔着汪洋大海似的几十米距离，与千万双眼睛共享歌星的风姿，与千万双耳朵共享歌星的喉音，而是近距离地、恬静地独享歌星那活生生的存在，哗，太美了！也许、也许还会出现童话般的局面，白马王子千不爱万不爱，偏偏爱上了她这个灰姑娘，于是、于是……

她紧紧地闭上眼睛，不敢再往下想了。

那时候同学们会怎么说？还敢打趣她是"白日梦专家"么？那个高二(3)班脸上有颗大黑痣的家伙，还敢炫耀什么跟歌星"握过一次手"么？才握过一次手？别是把别人伸向歌星的手乱提了一下，真正歌星的一根手指头也没摩擦上吧？哼，臭什么美？那时候爸爸妈妈他们又还有什么好训斥好唠叨的？别看他们一个口口声声说："歌星有什么值得去疯狂崇拜的！"一个成天价警告："唱歌跳舞的有几个正经人？"哼，一旦白马王子真用金马车去接灰姑娘，他们的嘴脸一准儿变！

爸爸看晚报时不也惊呼过吗："怎么？！歌星一次演出就拿那么多钱？！"妈妈不
也有过那样的话吗："唉，什么时候咱们也能有几万块钱存在银行里，每月干拿利
息过日了就好了！"……不过这些个想法太庸俗！简直丢人！他们懂什么？世界
上有比金钱更重要的东西，那就是爱情！伟大的爱情！奇异的爱情！对，对，歌
星是怎么唱的？

爱情好奇怪

你找呀找呀找不到

你盼呀盼呀盼不来

奇怪奇怪真奇怪

雾蒙蒙的早晨

橘子颜色一样的傍晚

转身，睁开你的眼

爱情就在你身边

就在你身边……

　　她睁开眼，没有转身，而是两眼直勾勾地盯着客房的门把手，她听见"咔嗒"
一声，是钥匙在门外插进了那圆形门锁的插孔，她整个灵魂猛地抖动了一下……

　　一秒钟。
　　一秒钟里，歌星开门进来了。她觉得眼前金光四射。确实是歌星。歌星本人，
活生生的歌星，单独呈现的歌星，近距离与她共存的歌星。她的心脏本该狂跳，
却反而凝固如一团热铁……歌星穿着一件碧绿的 T 恤，T 恤的胸兜上有标志着大
名牌的花绣；歌星的发型和最近一期杂志上刊出的照片上的样式有所不同，令她
惊奇，更令她欣喜……她在歌星一开门时候从沙发上站了起来。手里紧捧着一个
厚皮簿，又本能地用那厚皮簿抵着自己的胸口……一个朝思暮想的伟大瞬间，终
于来临！
　　歌星一顺手关上门便发现屋子里多了一个东西，是他最厌烦的一种东西，他

每到一处都事先严厉警告下榻地的经理，绝不允许他们将他的房间号泄露出去更绝不允许他们开后门让三亲四友来找他签名给他献花或搞些什么千奇百怪的打着崇拜他的名义搞出来的名堂，连电话未经他应允也不许接过来……而这里的经理竟然混账到如此这般的地步——胆敢让一个大活人先他而进入房间！当然，他见得多了。这倒也并非空前，有一回在Ｓ市他深夜回到客房，那个大活人所占据的位置比这位更离奇——事先躺在了床上脱光了钻进了被窝！

一秒钟里。

歌星大吼一声——"滚出去！"

一声炸雷。

她万没想到会在近距离听到歌星爆发的这样一种吼声。她的心不再凝固，转为狂跳，全身的血仿佛都聚到了脸上。

她本能地哭了。

"你是谁？你怎么进来的？"

歌星仍旧怒气冲天，但也仅仅用了两秒钟，歌星便作出了判断：这姑娘不像是楼下大堂和酒吧里出没的"国际女郎"，也不像是贼心盗胆心怀讹诈玄机的妖妇。原来因为姑娘背光，他没有看真切，现在他凑拢仔细观察，确信站在身前的不过是个普通的"追星族"成员，一般的"发烧友"而已，她浑身还都明白无误地显示出一种高中女学生的纯净与天真。

歌星换了一种语气：

"你是怎么进来的？"

她便抽抽搭搭地抹着眼泪说："我表姐……她……客房部副经理……我爸的关系，她才当上的……"

眼前显然是一个还没有出道的纯情少女，老实到如此程度，问话还不过三，便立即用几个破碎的句子，供出了一切，歌星完全理解。各个码头的这类星级宾馆，大半属于合资，而中方经理人员，又绝大半是当地官场人际关系的派生物，这类派生物经常又受当地人际网络的牵动，不管你宾馆表面上有多么严格的西方式的管理制度，到头来还是要再派生出一些诸如此类的特色现象，要完全杜绝这类现象几乎是不可能的。

歌星不再发怒，但冷若冰霜地问："你来我这儿干什么？"

她不再哭。她突然意识到歌星不仅是近距离地与她单独待在一起，而且简直是面对面，俩人当中的空隙绝不到一米，她闻到从歌星身上飘出的一股气息，不仅是令人神清气爽的香水味儿，更有一种令她神迷心醉的体臭……她仰起脸，哗！歌星那张她从画报上看熟了，并且从画报上剪贴在自己床头的那张脸，现在不是平面的而是活生生地凸现在她眼前，她因幸福和激动，使自己的脸庞开放成了一朵早春的海棠花……

歌星看到了一朵早春的海棠花在自己面前羞涩而烂漫地开放，心软了，便伸出右掌拍了拍她肩膀说："小妹妹，你这样走后门进我的包房是不对的，不仅不道德，而且违法，你懂吗？"

自己朝思暮想、倾心崇拜的偶像不仅身体贴近自己，竟伸掌拍击着自己的肩膀，她心中漾溢着蜜水儿，整个身子几乎酥成一堆薄片儿。

她脑子几乎已不能思维，只是点头。她的眼里又涌出了泪水，这样的脸庞就更像一朵盛开的海棠，而且是带着晨露的海棠。

歌星用恢复正常的声调问：

"你到这里来究竟想干什么？"

干什么？她到这里来干什么？究竟想干什么？……她在幸福感充溢全身的情况下，简直回答不出来，真的，她究竟想干什么？

啊啊啊……她想起来了，想起来了，她想干的很多很多，首先，首先是——她把一直捧在胸前的厚皮簿递了过去……

歌星接过厚皮簿，翻开一看就明白了——这样的本册他已看过许多，里面无非是从各类报刊上剪贴下来的关于他的各种报导、专访、他写的短文以及黑白和彩色的照片……但这回接过的这一本好像有点不一样，嗯，很不一样……他粗粗一翻，用眼草草一瞄，便发现这姑娘几乎在每份剪报和照片下面，都用娟秀的字体写了一首诗……"我的心是空空的烛台，只有你歌声的蜡才能将它燃亮……"虽然狗屁不通，但爱心可嘉……

"你是想——"

　　歌星正问，姑娘正欲作答，忽然门铃"叮咚"作响，歌星犹豫了一下，便将厚皮簿还给姑娘，拎着她胳膊往门边送，送到卫生间门口，想让她暂且藏进卫生间里，却又临时改变了主意，又转而把她带到大壁橱前，拉开壁橱门，简单地问了她一句："愿意吗？"姑娘幸福地用劲点着下巴，他便将手捧厚皮簿的姑娘关在了壁橱里。

　　歌星去开房门。

　　那壁橱很大，她站在里面并没有陷在笼子里的感觉。壁橱里只挂着几件歌星的衣服，壁橱门一关她就什么也看不见了，但她可以伸出一只手抚摸歌星的衣服，最近的一件显然是西服外套，料子很轻很薄很软很挺，散发出缕缕最高档的香水的气味，是男士香水，引出她许多的联想……壁橱的双扇门下半部是百叶形状。因而透气良好，并且能够传送来歌星和来客对谈的声音。开始那问答的声音都比较模糊，后来两个人不知怎么搞的突然都扬高了嗓门——

　　"……我找你干什么？原声带怎么也找不见了，剩下的是清一色的伴奏带……"

　　"我不信！……就是真丢了也能到街上买一盘去！你这就给我买去！告诉你，我这回坚决不能动真的，就他妈这么个条件！……"

　　"……你跟我嚷嚷有什么用？谁让你这阵子名气闹腾得这么大哩，满城里再买不出一盘你的盒带来！你就勉为其难吧——"

　　"我勉为其难？我嗓子这几天不舒坦，难道你不知道？不是你硬把我连蒙带骗连讪带诈地弄到这么个风景没风景特产没特产的鬼地方来，我现在能待在这么间臭烘烘发散着霉味儿的鬼屋子里还他妈的活见鬼吗？……"

　　她听到这些话语，有些莫名其妙，有些莫名惊诧，有些不知所措，因而有些心慌意乱，她不由得身子一晃，弄出了一个响声……

　　"这他妈什么三星级？什么套间？净他妈是耗子！"歌星对进屋的那人顺口骂去："才三吨的出场费，就想听到我四首的真腔真调？别把我当做非洲黑奴了！"

　　"唉！"来人不想跟他再吵下去，落座到沙发上，点燃一支烟说："吵什么？咱俩都熄火吧！利益是共同的，对不？离出场还有七八个钟头，都来想辙吧！我琢磨着，买不到原声带，在这城里找个什么歌迷借几盘你的带子，凑合着用也是个办法……"

"咦，那倒也是……"歌星仍旧站着，不坐。他偏着头想了想说："不过这事一定要保密，一定要那歌迷代我保密，必要时可以……嗯，这就是个办法，你能在这地方找着合适的人选吧？你是有个针眼儿就能钻过去的穴头儿，这事能难倒了你？不过……"歌星恨恨地咬咬牙说，"原声带究竟是怎么落下没带来的或是带来了究竟让谁偷了藏了的，早晚得查个水落石出！哼，想跟我为难，那么容易？没门儿！"

"当然！这也算吃一堑长一智！以后带子咱们就该自己随时带着，其实又不占什么分量！……"

她在壁橱里好半天才理顺出了一个逻辑，一条思路，她有点伤心，因为……但她又颇为得意，因为在晚上那演出现场，所有的观众里将只有她一个人知道这个秘密！她万没想到歌星的嘴里会冒出那么多个"他妈的"，但细一品味，又觉得惟其如此，才更显得帅气和有趣！

不知不觉之间那人已经离开。歌星猛地拉开壁橱门，强烈的光线猛然向她袭来。她本能地用右手挡住眼睛……

待歌星把她牵回到沙发前时，她的双眼瞳孔已然迅即回缩。她看清楚歌星望着她时脸上竟漾着一种柔和的微笑，她全身又有一种酥软的感觉。

"你说你是想——"歌星回到原来只有他们两个人面对面时的话题。

"啊，我、我、我太、太……崇拜您了……我想让您看看我写的这些诗……还有，请您给我签个名……您要能再给我题上几句话，那、那就太、太……"

"太幸福、太幸运、太高兴了，对不？"歌星脸上的笑意增加了厚度，他接过她双手递上去的厚皮簿，匆匆翻阅，草草浏览，很快翻到了后面的空白处，于是便找笔，近处没有，便对她说："对不起，小姐，请您到里边台子上把笔取过来，递给我，好吗？"

他叫她小姐！请她为他服务！她感动得不行，慌乱地进到里面一间有大镜子的台面上，去找笔，却一时没有找到，于是她又听到歌星那柔和的指导声：

"在那个人造革的夹子里面！照例会有的……"

她发现了在彩电旁边的那个深棕色的人造革夹子，夹子封面上烫金印着这家宾馆的名字和徽号，她赶紧翻开，里面夹着些彩色的说明书、信封、信纸，还有小小的针线包和火柴盒。果然，还有一支插在套环里的笔杆光亮漆黑有着两道银箍的圆珠笔……她把那圆珠笔取出，送到外厅似乎已等候多时的歌星手中，歌星立即在自己的一张彩照上签了个花体名字，并标明了时间，是用西洋方式先日子后月份再年头，月份是 6 月却写成 06。她等待歌星在空白面上为自己题词，歌星偏着头，问她："你最喜欢我哪一首歌？"

她说："您唱的哪一首歌我都喜欢！"

歌星还问："非要你挑出一首呢？哪一首你最最喜欢？"

她脸红了，仿佛盗窃犯被迫坦白似的说："什么时候爱都不晚。"

的的确确，她只要一听录音机里歌星唱的那首歌发出最初的一组伴奏音，便不由得浑身激动，仿佛狂风中柔弱的柳条，及至歌星以低诉般的声音唱出：

> 不晚，
>
> 永远不晚，
>
> 落花满地，
>
> 晚霞满天，
>
> 一个涟漪般的思念，
>
> 一个偷渡的港湾，
>
> 伸出你的手，
>
> 望着我的眼，
>
> 悄悄溜走的是辛酸，
>
> 轻轻飘落的是情缘，
>
> 你我无论青丝白发，
>
> 什么时候爱
>
> 不晚，都不晚……

她便往往忍不住仰倒在小床上，望着天花板上斜铺过的一道从窗外泻入的光亮，双眼发涩，鼻子发酸……

歌星对她挑出的这一首，显然自己也很喜欢。歌星提起笔，又问："我出的盒带，你都有？"

"当然！"

歌星的笔就要落下去了，却忽然传来了敲门声，确实，不是门铃声而是敲门声，敲得并不急促，却很清晰，并且挺有节奏。歌星立刻站了起来。

……当歌星在开门时，她又回到了壁橱中，手里依然捧着她那个厚皮簿。

来的那个人一进屋没等门关紧，便扑到了歌星身上，歌星有点被迫地搂住她，于是两个人就热烈地接吻，地点正在壁橱门外。

不错，歌星有若干情人，这是他最钟爱的一个。他们有个约定，不管歌星下榻在什么地方，只要有那种节奏的手指弯儿敲击声，便一定是她飘然而至，则他必然会为她敞开屋门。

歌星拥着她走到长沙发边，自己先坐到沙发上，她便斜坐到歌星腿上，用双臂搂着歌星的脖子，歌星则用手抚弄着她那一头秀发。他们又一阵上够和下俯的热吻。

"这个地方你也敢来……这地方条件太差了，而且我只待两个晚上就走……你开房间了吗？"

"没有，不用……亲爱的，我是特意赶来跟你告别的……"

"告别？！"

"唔，亲爱的，别生气……我后天就飞走了，飞往多伦多……"

"你怎么早不告诉我？怎么一回事儿？跟谁？"

"当然，不用说你也能猜出来……啊，千万别生气，你要生气我的心就碎了，我想你能够理解，并且谅解……"

"心碎的是我！这太残忍了！"

"我知道这会伤你的心……可你仔细想想，我们都该理智一点儿，这么下去总不是一个办法……谁说的来着？'天下没有不散的筵席'……我错就错在一直没有勇气跟你讲，这个决定一个月以前就有了，那回我们在王府饭店屈臣氏自选店遇上的时候，他就跟我正式订下来了……"

"你爱他？"

"嗯……我爱，没有办法，爱……"

"胜过爱我？"

"不，你别，别……别折磨我！"坐在歌星怀里的那个女子哭了，"我左思右想，也许，这对你，对我，对他，都是个最好的办法……"

关在壁橱里的她对听到的声息先感到难堪，后来就越来越好奇。好奇心战胜难堪以后，因为这一回把她关进壁橱时歌星没有把橱门关紧，留有细细的一道小缝，她就索性把那小缝推得再大一些，这样她就恰好可以透过那道缝窥见沙发上的歌星和歌星的情人。

当她把歌星怀里的情人看清楚以后，不禁心中五味丛生。原来并不是前些时小报上哄传的那位影视女明星！为歌星该不该同那位影视女明星"拍拖"，她跟同班的"发烧友"们还很有一番争吵，她是少数派，多数都认为那么一个差劲的三流货怎么能跟歌星般配，唯有她和一两个同道觉得那专演苦戏的影视女明星确实如小报标题上所说的：楚楚可怜，小鸟依人，由爱心厚重的歌星拥入怀中，恰可构成一幅诱人的图画……但现在呈现于她眼前的，却绝非小鸟依人，简直是胖鹅入怀！那位坐在歌星怀中撒着娇告别的，竟是一个丰满到胖乎乎程度的……嗯，羊脂球，没错儿，她想到前些时候读到过的一篇法国小说，莫泊桑写的，就叫《羊脂球》，那里头的羊脂球是个妓女，当然，莫泊桑挺同情她的，可眼前的这位，整个儿一副妓女的做派，却完完全全引不出人的一点儿同情！哼，怎么会是她呢？壁橱里的她真为那演苦戏的影视女明星抱不平，并且心中渐渐充满嫉恨，究竟是代那位娇小玲珑的影视女明星嫉恨，还是自己嫉恨，她自己也搞不清……

歌星一边同怀中的情人说着话，一边用眼瞟壁橱那边，他注意到壁橱的门没有关紧，他想那姑娘一定在里面偷看，他很怕那姑娘冒失地竟把壁橱门的缝隙推得更大，发出响声还在其次——那壁橱里有冰箱灯那样的装置，门再开大些，便启动了开关，壁橱灯便会大亮，这样万一怀中的情人一扭头，说不定就能一眼看见壁橱里有个大活人。

歌星便把情人抱起来轻轻放到一张单人沙发上，那沙发靠背正好对着壁橱，这样那情人落座在沙发上便很难发现壁橱里有人。

"……你别再哭了，再哭我的心就更碎成粉了……我给你倒杯水吧……"歌星便拿起茶具柜上的一只套有"已消毒完毕"纸罩的玻璃杯，褪下纸罩，说了声："他们常用嘴对着这纸罩子吹气……还是再冲洗一下保险……"便拿着杯子往卫生间去，路过壁橱时，他不动声色地把壁橱门关拢关紧……

她只觉得一线光明顿然消失。她沮丧，甚至有些气愤，但她忍耐着，她感到壁橱里闷热，并且渐渐感到压倒一切的气味并不是歌星衣衫上的香水味，而是壁橱里固有的一种木料和油漆混合而成的气味。她把厚皮簿更紧地搂在胸前，她迷迷糊糊的，都有点闹不清她是怎么会藏在那么一个地方的，但她仍隐隐有一种得意感，世界上有几个歌迷，能像她这样幸运，被歌星本人珍重地给藏在壁橱里呢？将来讲出这一段经历，高二(3)班那个长黑痣的家伙肯定头一个不信。嗯，她说握过一次手，那算什么！让她嫉妒去吧！一头撞死去吧！我跟歌星穿的衣衫紧紧靠在一起，待了这么久！说不定我还能与歌星本人的躯体这么紧紧地靠在一起呢！……

她也不知道在那壁橱里究竟又待了多久，忽然歌星来把那壁橱门又打开了，她这回双眼更加不能忍受猛然出现的亮光，几乎跌倒在歌星身上。歌星把她扶进了卫生间，当她终于弄明白身在何处时，只听歌星对她说："可怜的一朵玫瑰花！把你给捂蔫了！快，洗洗吧，洗洗就轻松了……"

她不知所措。这么漂亮的卫生间她还从未使用过。除了天花板，整间屋子用乳黄色的瓷砖铺敷，洗脸池在一个灰色的大理石台面上自然地凹陷显现，台面上方是宽及全壁高达一米的整块玻璃镜，洗脸池上的水龙头银光闪亮，造型为她头回所见，池的两侧是形形色色的洗漱用品和化妆品，有的印着宾馆的标志，有的是歌星自己带来的，令她眼花缭乱……

"你洗把脸……其实最好不如洗个澡……我在外面等着你，我想不会再有人来打扰我们了……"歌星说完出了卫生间，把门拉紧，还在外面嘱咐说，"你可以在里面扣上保险——按一下手上的圆钮就行！"

说实在的，真想洗个澡，她望着那有遮蔽帘、有带蛇形管的淋浴喷头、有大小六种浴巾挂在一侧备用的雪白的大浴盆。犹豫了一阵，终于还是决定只洗洗脸、脖子、手臂和手，当她意识到自己是在歌星所下榻的宾馆的包房里享用着为歌星而设的卫生设备时，心里绽开了有生以来最美的花朵，花冠胀得浑圆……哪一种化妆品是歌星自己用的呢？她拿起一个日本原装丝宝的粉红色扁瓶儿，挤出了一点点奶液，在手心里揉匀，便激动地往自己双颊上擦抹起来。望着镜子中那真如夏日清晨的红玫瑰般的面影，她简直不敢相信，那是自己？

……她出了卫生间，容光焕发地走到外客厅，歌星并不在那儿，她自然而然地寻觅到里间，发现歌星正和衣仰卧在床上，直接卧在带暗花的织锦大床罩上，双手枕在脑后，双腿交叠着，而双眼圆睁，直勾勾地望着天花板上从窗外斜射进来的一道光影……她心中一惊，又一喜，因为那正是她自己在家中常有的一种姿势……但又随即一疑，又一惧……

歌星仿佛直到她走拢床前才忽然想起了她的存在，很灵活地一下子跳坐在床上，对她笑笑说："对不起！"

她的心一下子几乎酸裂成了两半。歌星的双眼潮乎乎的，仿佛一个刚受到别人欺侮的小孩子；歌星跟她道"对不起"，倒好像在她面前做错了什么事似的……唉唉，她真恨不能一步迈过去，把歌星那颗带着那么多忧伤的头颅一下子拥到自己的怀里！但她毕竟还是羞涩，她在离歌星两步远的地方站住，一时不知道自己该说什么做什么……

"你要的话，我给你写好了……"歌星把床头柜上她那个厚皮簿递还给她，并且还说，"你的诗情真意切，我很感动，真的……"

她接过厚皮簿，仿佛接过无法承受的幸福，浑身微微颤抖，她双眼一时竟迷乱到不能冷静认字的地步，差不多半分多钟以后，她才认出歌星在空白页上写的是：

谁信人长久？
独自望婵娟！

她似懂非懂，忽懂忽疑，忽疑忽懂，忽然全懂，忽而懵懂……
"这个世界上，真有叫做爱的东西吗？"
她听见歌星发出一声凄惋的哀叹。歌星唱过那么多关于爱的歌，到头来却坐在这么一间屋子里，当着她，发出这样的一句喟叹，这是怎样的一种情境啊！让她一颗少女的心，如何承受得住！

　　她便倾尽全灵魂地对歌星大声地宣布："怎么没有？有！我就有！我就爱你！真的！我爱你都爱得……人家都说我疯了！"

　　歌星站了起来。逼近到她身边，从她手中取过那个厚皮簿，顺手扔到床上，然后将双手搭到她肩上，盯住她的双眼，痴迷地问："你爱我？真爱我？你能永远爱我？我暂时不能跟你结婚你也爱我？我今后可能也不能跟你结婚你还爱我？有个外国人或者外籍华人追你要你嫁给他，他很有钱，长得也帅，答应把你带到外国比如说带到美国、加拿大那样的地方去，你还能继续爱我？我不红了你也不变心地爱我？我潦倒了病了老了，所有的报纸杂志上再没有我的名字消息照片了，你还能爱我？我死了你心里头也还爱我？……"问到最后，那歌星的一双手简直是用劲地在捏压她的肩膀，她只恨自己找不出一种最能体现山盟海誓的语言和方式来表达她对所有这一切问题的肯定答复，她憋红了脸，几乎是流着眼泪地仰望着歌星，使劲地从嘴里重重地吐出来一句："我……就是你的婵娟！永远的婵娟！……"

　　歌星一下子把她揽到了怀里，吻了一下她的脸颊，她在一刹那间觉得自己已然在幸福中飘升或融化，可是歌星却忽然极冷静地小声问她："可以吗？"她使劲点头，于是歌星便又吻她的额头、双眼、脖子……最后吻到她的嘴唇……她觉得自己化为一缕青烟，一道溪流……

　　忽然有一种响亮的声音，猛然间出现，使他俩本能地分开，并都产生出瞬间的惊恐和憎厌，那是床头柜上的电话机发出的一串串蜂音。

　　歌星极不情愿地拿起了电话机，嘴巴一对着话筒便愤怒地说："不是跟你们说了不要把电话接过来吗？"

　　那边提出了一个歌星未曾料想到却又无论如何不好拒绝的理由，歌星软了下来，他无可奈何地说："好，那就请他们过来吧！"

　　歌星这一回把她关在了卫生间里。

　　是从楼层服务台打来的电话，要见歌星的是一位香港人士，他还带着一位女秘书，他又是台湾一家音像公司的代理人。他说下榻此间宾馆后得知歌星恰好也在此处，于是急欲与歌星约见一面。因为关于歌星的个人专辑大碟（唱片）的录制和发行港台的问题，出现了一些变故。他觉得还是越早告诉歌星越好……

　　变故？什么变故？歌星本来可以摆一点架子，拒绝在客房里相见而另约在下面咖啡厅或别的什么场所，甚或可以表示现在不方便没有时间而另找时间另约地点……但他从"变故"这个词语上感觉到了不祥，而且那港客竟然爽性把这样的话当着楼层服务员讲了出来，分明是有点逼宫的意思，尽管最后又把话筒递还给服务员让服务员问他可肯接见。他欲知底细心切，又哪能拒绝？

歌星少不得换上另一副面孔接见那港客和那位打扮得尽管极为精致却于他绝无魅力可言的女秘书。

他从客厅的小冰箱中为客人取出两听粒粒橙，招待他们。

矮胖的港客甫落座便搓着手说："真抱歉之至！唐突之至！但这事是越早告诉仁兄越好……我们方面对出版您的专辑大碟的意向是一点儿也没有变化，但现在台湾公司方面收到这边寄去的两封信，都说我们双方拟定好的八首歌子中的一半并非您首唱，更不能承认是你自词自曲……"

歌星一听脑袋便嗡地涨大了，他不用猜便知道是些什么人在拆他的台！好家伙，真有他们的！小报告都打到台湾去了！完全是诬蔑！胡说八道！天方夜谭！

但歌星在外方人面前只能是强作镇静，压下怒火。抖抖肩膀，现出一个潇洒的笑容，缓缓地说："啊，是这样，这很好笑，这完全是出于对我的嫉妒，是经不起检验推敲的嘛！是不是我首唱，这是有案可查的嘛！是不是我自词自曲，有登在报纸上的歌子，那署名清清楚楚嘛！写这两封信的，不知何许人也？这样的人，大陆这边叫'打小报告的'，专门捏造材料污蔑陷害良善之人……难道你们就信他们的？"

港客边听边点头，还附和地说："是呀是呀，这边的人际关系，我们也听说了很多，其实香港、台湾也一样，总有人嫉贤妒能……"

歌星忽然想起，便站起来到里间屋，从床上抓起那本厚皮簿，拿出来递给港客说："正巧，一个歌迷送了我一本她自己剪贴的关于我的资料，真比我自己保留的还要周全！从我的名字头一回上报直到上一周关于我个人专辑大碟将由您录制出版发行港台的报道，全都有……瞧，这份剪报纸都发黄了，那是我首次在公众面前亮相。我的曲目，这上面不是都列举了吗？再看，这儿，这儿，我的歌子，都署了名嘛，刊登它们的都并非胡闹的小刊小报……"

港客和他的秘书就都伸过头去看，很认可的样子。

"这份资料，我可以暂且借给你们，你们复印一份，然后再还我好了……如果复印的不作数，就由你们暂存也可……"歌星感到自己已然排除了那下蛆者设置的障碍。

谁知胖胖的港客却并没有将那本厚皮簿接过去收进他的公文包，只把脊背又靠到沙发背上，托托鼻梁上的眼镜架，叹口气说："究竟我们是一国而两制，乃至于一国而三制，三处的法律不尽相同……倘若今后真闹起版权纠纷来，我们都吃不清，哪有那么多的工夫应付！现在真真是为难……"

歌星有点着急了，他脸上的微笑有点挂不住，抖抖的，说话声也开始微微抖动起来："能闹出什么版权纠纷来呢？他们真闹，这边我尽可以对付，他们非输了不行！您犹豫什么呢？……"

港客便直截了当地说："台湾方面已决定暂缓签约，市场因而减少一大半，我就是爱兄如己，那也不能不考虑面临的风险……"

歌星心里怦怦然，难道眼看挥笔一签便起码几万港币乃至十几万港币到手的买卖，就这么眼睁睁地看着它从自己身边出溜到阴沟里去了？！

他不得已，用一种几乎是哀求的口气说："实在不行，我不录原来挑定的那四首，换上另外的……我甚至可以专门为这个专辑演唱谱写四首崭新的歌子，保证不让其美！"

"唉，"港客叹口气，开诚布公地说，"仁兄盛情可感，我本无言以对，但我们那边的市场，比不得这边，慢上几步还容易追上……须知，我们略一耽搁，另处两家搞大陆歌星专辑的公司就定然已将他们的大碟推向市场了，我们那边的市场本来就很小，大陆的歌子往外推风险原本就很大……我们等不起啊！再说，原本也是看中了那四首歌子，才决定和你签约的呀……"

……她在卫生间里，原本无心听取外面的谈话，她面对着那面大镜子，望着镜中人，真有一种灰姑娘坐在金马车上的感觉……渐渐地，谈话声清晰地传进了她的耳膜，她虽不甚清楚所谈为何，但却感受到了歌星那新的挫折与不幸……原来歌星的生活并不像她和她的同伴们想象的那么美丽与圆满，他也会被人遗弃，被人暗算……唉唉，她爱他，她感到更有必要给他以慰藉和温暖了……

她从一系列声音里听出歌星是把客人送到门外了，她便主动出了卫生间，她看见歌星沮丧地坐在客厅沙发上，两只胳膊肘撑在大腿上，双手捧住两腮，仿佛一个刚被老师惩罚过的小学生，她便怜惜地走过去，紧挨着歌星坐下，然后大胆而热情地用一只手搂住歌星的脖子，一只手伸进他浓密的烫成一堆小卷卷的头发里，抚摩着他的头皮，用真诚而甜蜜的声音对他说："别难过，别难过……"

歌星便也搂过她，将她揽到自己怀里，对她说："真对不起……你都听到了吗？他们把你的那个厚本子拿走了，我也没事先征求你的同意……他们开头还不想拿哩，那些个混蛋！我不是骂他们……他们最后总算拿走了，看能不能说动台湾那边的老板，别信那些个'小报告'！可希望很小很小。唉！眼看下个月就能成行的香港录音兼公开演唱会，就要黄了！订金也拿不到了！到手的上万港币说不定还不止四位数……全玩完了！"

"你别难过，你这么难过……我真难过死了……"她在他怀里仰望着歌星，歌星为她纯真的双眼和喷火的双颊而感动而再难以抑制……

歌星把她抱到里间床上，把床头柜上电话机的耳机摘下来往旁边一扣，喃喃地问她："亲爱的……可以吗？愿意吗？你答应吗？……"

她嗓子发哽，像被一团什么东西堵塞着，她觉得天旋地转，有一种她朝思暮想过而一旦来临却犹如电闪雷鸣狂风暴雨般令她恐惧的事情正在切切实实地发生……

大约一个小时以后，当穴头匆匆地赶到歌星的房间，按门铃要进去见歌星时，却发现那门只是虚掩着，并没有锁定，他便推门而入，结果进去便发现歌星正同一位少女面对面坐在玻璃茶几两边的沙发上，斯斯文文地下象棋。

穴头便说："哎呀，老兄，你怎么还有这份闲情雅兴？你知道你把我累成什么样了吗？我跑遍了全城，也没找到一盒像样子的原声带！今儿个晚上，你老兄就委屈委屈，动动你的真嗓子吧！"

歌星却不慌不忙地跳了一步马，这才抬起头说："早知道你这回是骆驼穿不过针眼，所以我才调来了这位亲戚……你也跟着我叫她二表妹吧！"

穴头便坐到长沙发上，端详着那二表妹，不无疑惑地说："你这儿有亲戚？怎么原来没听你说？"

歌星便歪歪嘴角："你当我卖身为奴了，我的三亲四友都得在你这儿登记入册呀？"

穴头便问："我说二表妹，你把表哥要的原声带都拿来啦？"

她拱了一步卒，抬起头，脸上红晕浓浓的，明显羞涩难耐，却很从容地回答说："我从学校直接来了这儿。表哥说，等一会儿跟我坐车一块儿去家里取，您放心，我保留的有表哥全部的原声带。每盘带子，我都只听到三两遍，就另用白带子录了，把原声带收藏起来……误不了事儿！"

穴头却说："收藏久了不用，会粘连，闹不好放一半出怪声儿，或者漱口似的……"说着把头偏向歌星，"你忘啦？那一回在湖南，就因为伴奏带忽然大走音，你虽然还真卖力气给那儿唱，汽水瓶子不也砸到场子里来了吗？如今歌迷们耳朵更刁，脾气也更躁了，今天晚上要是得罪了他们，那你就别想全蹄全爪地回这儿来了！"又把头偏向她，"怎么着，二表妹，还没把你表哥将死啦？我说事不宜迟，咱们这就取带子去怎么样？取来了我先试听一下，保险系数越高不是越好吗？"

她便望着歌星，歌星便把棋盘一推："言和吧！"又伸个懒腰，看看腕上的表说，"急什么？来得及！吃完饭再取去！早点儿吃！我不想在这下头，咱们出去吃去，听说有一家韩国烧烤不错，叫什么来着？反正误不了上场就行呗！你要试听，让前头那一对说相声的马虎点儿，你工夫不就足够啦？……"

忽然里屋电话又响起一串串的蜂音，歌星说了声"谁又来捣乱"，但还是起身进去接了那电话。穴头和她坐在一起却无话可说，于是两个人都不约而同地耸着耳朵听歌星打那电话。

歌星的头一句话照例是："不是跟你们说了不要把电话接进来吗？"但很快也就认可了那电话的来头，开始接听。那是上海方面的电话，歌星在那边有代理人，代他炒股票，所以有关的电话是必接无疑。歌星的代理人问他是不是按计划投入20万港币购买一种B股股票，歌星原想一与港台公司签约，大碟头批上市，怎么少算总也有几万十几万港币的头茬酬金与版税，加上自己原有的，先买20万港币B股股票全然不成问题，但万没想到一个多钟头以前风云突变，他现在已无力实行此项计划，而电话里又不便详加说明，那边却絮絮叨叨只当他没有魄力，劝说个没完，他便暴躁起来，快刀斩乱麻地嚷："STOP！不买B股！就这么定了！A股股情如何？"对方便向他汇报起当日下午的股价，飞乐音响开盘时是361.00，现在是371.50；爱使电子开盘是440.50，现在仍无变化；飞乐股份开盘是182.00，现在是176.00……他果断地指示对方："做空头！今天给我做空头，买进飞乐股份，100股！"其实飞乐股份如此下跌，恐怕短时间内难以反弹，搞不好还会持续下跌，说不定买下就要被套住，风险极大，但歌星此时此刻有点赌气，谁说他炒股胆小如鼠气细如猫？他现在敢做空头，说明他气魄如山胆壮如虎，他就不信自己怎他妈的一连串的败兴事儿！

听着歌星电话炒股，她莫名其妙，尽管她和歌星的关系在一个钟头里面已有一种神奇的变化，但现在她对歌星突然有一种针刺般的陌生感，她觉得洋溢在这间客房里的那种神妙的光彩不知怎么的现在有些个黯然失色，她心头涌起一些蚂蚁爬动般的感觉，是微微的后悔，还是隐隐的恐惧？……

穴头听着那电话却只在嘴角挂着一丝冷笑。歌星究竟出名出得上了瘾，凡发财一类的好事总想露出来显摆显摆，还全然不懂得唯有真正山高水深方是成大业绩的前提……其实他也在深圳那边炒着股，比歌星火得多了，但歌星跟他混了这么久，竟丝毫也没有觉察出来。难道他会像歌星这么傻吗？歌星什么时候听见过他用"大哥大"指挥深圳的代理人抛出买进？

歌星接完电话，刚回到外间客厅，忽然门铃叮咚作响。歌星双眉紧皱，大为不悦地落身于沙发之上，穴头便去开门，原想把来人堵在门外，只问他所来作甚，告诉他歌星正养精蓄锐，准备晚间体育馆的演出，暂不接待，但心里虽这么想，开门一看那阵势，却又不得不把外面的人放了进来。

外面进来了三个人。其中两个人捧进来一只用粉玫瑰、什样锦、红石竹、紫鸢尾、黄菊花、绿蕨草加满天星等鲜花草叶组合成的大花篮，花篮上斜展着红缎带，红缎带上有预祝歌星赴该市演出成功的金色题词，落款则是一家生产洗发香波的厂家。

引领花篮走进来的是一位已经三十多岁但打扮得俏丽新潮的女士，是那家工厂公关部的一位公关能手。

公关小姐不待室内的人招呼接待，便指挥捧花篮的人把花篮搁放在了客厅中的玻璃茶几上面，然后笑吟吟地见面熟地跟歌星打招呼说："我们招您讨厌来啦！这只花篮是个小的，叫做预祝成功花篮；晚上开演以前搁在一进门大厅里的是只中等的，叫做欢迎莅临我市演出花篮；等您唱完以后还要往场子上捧去一个特大的，叫做祝贺演出成功花篮……看，我们这么讨人厌！要一次又一次地越来越厉害地招人讨厌！哈哈哈……"

穴头便请他们坐，给他们递烟，又让"二表妹"帮着取饮料招待。歌星却不给花篮更不给他们三人尤其是那公关小姐一个正眼儿，冷冷的，仿佛自己真是在酝酿晚上演出情绪。确实也是，他对什么成把的鲜花呀，花篮呀、报屁股上的报道呀、刊物上的演出照呀、电视新闻里闪几闪的大特写……早已觉得腻味，那于他来说确实都是些过眼烟云，他现在关心的只是不带水分的实惠——究竟能付多少税后报酬，而且一律只要一棵一张的现款！

获得了"二表妹"这样一个临时身份的她，却对眼前鲜花簇聚的大花篮感到十分新奇，十分兴奋，她为歌星高兴，为歌星自豪。什么时候，她的生活中也能拥有这么多这么鲜这么艳的花朵就好了！啊，现在，那前景不是已经开始展现了吗？她坐到角落里，望着那些鲜花感叹不已，浮想联翩。

穴头当然知道来者不善，便单刀直入地说："大家都是场面上的人，时间都比金条还贵重，有话请直说——这么捧场，究竟要我们为你们做点什么？"

公关小姐依旧咯咯地笑："好眼力！那我少不得就讨厌到底了，死讨厌！讨厌死！哈哈哈……其实也很简单，就是只求唱到那首《用爱洗个澡》的时候，临时改一句词儿，就是那一句——"说着便唱了起来：

> 玫瑰花瓣一样的早晨，
> 用爱的露珠洗个澡……

又说："改成——"又唱：

> 玫瑰花瓣一样的早晨，
> 用爱露丽娅洗个澡……

"爱露丽娅"是他们厂出品的一种"护肤润肤止痒祛斑洗浴液"的名字。

歌星不待她唱完便突然一下暴跳起来，把所有的人都吓了一跳，尤其是"二表妹"，她的心境本处在艳羡与庆贺之中，万没想到歌星会是这样一种反应。

歌星把胳膊一挥，把脚一顿，大喝一声："住嘴！岂有此理！我的歌，版权所有，谁也不能乱改！"

跟着那公关小姐来的两个人不禁吃惊，也颇尴尬，公关小姐却稳坐在沙发上拍着手咯咯咯笑得更甜也更响："好呀好呀，果然讨厌了不是？我就知道我们招你们讨厌来了，往枪口上撞！不自量力！哈哈哈……人生难得一见名人怒啊！我们真是福分不浅！"

穴头却不急不躁、不卑不亢地盯住那公关小姐："你们究竟打算为这讨人厌付出多少代价？改一个字是论棵还是论吨？"

"二表妹"懂得"一棵"是一百块钱的意思，"一吨"是一千块钱的意思，她听了这话只当穴头是故意夸张，谁知那公关小姐却立即笑吟吟地回答说："改几个字细算它干什么！'爱的露珠'、'爱露丽娅'，'爱'和'露'字算改了算没改？谁去细算？细算就不是讨人厌而是招人恨了！我们很干脆，出了'爱露丽娅'这个音，就献上一方的现金——当然，这说的是给唱的，至于您这个组织者，我们另有两吨的薄酬，当然更不成敬意，更招人讨厌了……"

这话一出，穴头眼睛都绿了，忙向歌星使眼神，站在花篮前双手叉腰的歌星，仿佛蜡像般定在了那里——他没有想到厂家竟能这么爽气地开出这么个价来。一方！那就是一万块钱！比他两场八首歌合起来的税后酬金还多出一半多！他有点后悔刚才的暴跳如雷，但一时又怎能撂下架子，便装出似乎没有听见公关小姐报价的样子，依旧保持着一种倨傲不屑的表情，踱到窗前去朝外眺望。

作为"二表妹"的她简直不能相信自己的耳朵。她不理解眼前所发生的一切。

穴头和公关小姐头靠头地叽咕了一阵，公关小姐便站起来告辞，歌星不起身送客她也毫不见怪，只是一边咯咯咯地笑着往外退出一边说："既然讨人厌，就得知趣，我们抱惭而退了……"临到走拢门口又扭身对穴头嫣然点头："拜托了拜托了！"

穴头送走了客人，便过去同歌星商量。他们倒都不避讳"二表妹"。她坐在沙发上，望着站在窗前的两个成年男人，一种隔膜感和距离感又浓酽起来。她听不大懂他们所说的那些话，更弄不清他们争辩的是些什么，但他们两个人的眼睛里所喷出的那种异样的光，却分明是由那一方加两吨的"讨厌"勾出来的，这份聪敏她还有,她心里有种发堵的感觉,她忽然觉得往昔那种隔着几十米乃至更远的距离观星的梦幻般情怀已然丢失,她吃惊,自己怎么会陷入了这样一种鄙俗的真相之中,这是完完全全出乎她意料的!

忽然又响起了门铃声,穴头和歌星几乎是同时跟她打招呼:"别理它!"

她当然就不去开门。但她忍不住扭头朝门那边望去。门铃响了一次又一次,终于不再响。但她看见从门底下的缝隙里塞进了一份报纸。穴头和歌星仍然在窗前商议着或争论着什么,都没注意到那份报纸。于是她便过去把那份报纸取了过来。因为穴头和歌星只顾站在那里打着手势争论甚或可以说是吵架,没有人理她,她便且翻看那份报纸。那是当地的一份小报,是当天才出版的。她在第二版上看到一条消息是——

《爱露丽娅添加剂可疑洗浴后皮肤发炎数例——消费者投书本报要求有关部门处理》

她的心猛地一抖,有一种突然咽进了苍蝇的感觉。她想马上把报上的这条消息告诉那两个在窗前争吵的人,望了望他们以后却又失却了勇气。她在惶乱中翻到第四版,第四版的头条是一篇介绍影视女明星的文章,配有一幅玉照和一幅剧照,所介绍的恰是前些时所盛传的与歌星"拍拖"的那位专演苦戏的娇小玲珑型的女明星,她便忍不住把那文章浏览了一遍,那文章讲了女明星正拍新戏《过尽千帆皆不是》,还讲了她个人私生活中的一些琐事,但只字未涉及歌星。她读完有一种怅惘的感觉,正当心上长草且是荒草般的不自在时,忽然报屁股上的一篇文章题目映入了她的眼帘——是关于歌星的,然而,却破天荒是一则攻击性的消息,标题非常耸人听闻……

《歌星一阔脸就变亲生父母拒门外》

她心里怦怦乱跳地读那不足千字的小文,文章的每个字几乎都是跳动的,仿佛一些尖利的石子儿击落在她的心上——那篇短文说前些时暴雨成灾,歌星父母因所住平房老屋漏雨，便赶往郊区歌星花巨款购置的豪华公寓，谁知竟被歌星拒之门外……

这时她不得不喊叫出声："……有人写文章，登在这报上，骂您一阔脸就变，不认亲生父母！……"

歌星被她的喊叫惊动，跳过挡在她和自己之间的长沙发，又一把抓起玻璃茶几上碍事的那只大花篮毫不吝惜地粗暴地掷到屋角，冲到她身前，一把抓过那张报纸，立即凑拢眼前浏览起来。穴头也很快绕行到他身后，伸长脖子眯起双眼一起看那篇文章。

歌星看罢气得浑身乱颤，大声问："这报哪儿来的？！"

穴头也愤慨地说："偏登在今天！"

她便指指房门说："从门缝底下塞进来的！"

歌星一想，刚才有人敲过门，便立即冲到门口，把门拉开。没想到门外果然立等着一个人，那人立刻闪进了屋里。

不待歌星开言他便自我介绍："我是记者，就是您拿的这份报纸的记者。"

歌星也不把他往里请，就在卫生间门口那儿跟他吵了起来："你们凭什么造我的谣？！"

记者是个瘦高条儿，戴着眼镜，手里提着个袖珍录音机。他谦恭有礼地说："我个人对四版编辑这样轻率地登出这篇文章也很有看法。我认为像这种事关名誉的事情，即使材料确凿，见报也要慎重！"

歌星跟他吼："确凿！确凿个屁！你们岂有此理！这完完全全是造谣污蔑！我抗议！我要你们报社赔偿我的名誉损失！我要到法院去起诉！"

记者却越加谦恭："您的心情我完全理解，您如起诉我全力支持，我来这里恰恰是为了给您一个澄清真相的机会，我可以把您的话整理出来登在报上以正视听……"

歌星这才把他让到沙发上落座，穴头便问那记者："你们总编辑怎么回事儿？那稿子他胡乱地登了，能认错吗？你反驳那稿子的文章，他能又登吗？"

记者笑着说："正是我们总编派我来的。实话实说，如今我们报纸自负盈亏，不登点道听途说，耸人听闻，也没人买没人看没人哄没人传……这么着先耸听一下再澄清一下，或许销量就能升上去，要是惹出官司来，那看着是祸其实是福。世道已然如此，我看大家还是心平气和才好……再说，这么先一耸听再一澄清，不也给当事人一个重新扬名社会的机会吗？总是一味地捧，越捧味儿越淡。街头巷尾，谁还把你当做茶余饭后的作料？这么着一来，不是您那名字又得让千人万人在嘴边念叨上千遍万遍了吗？……"

歌星一听气又涌了上来："岂有此理！我们名人是你们的玩物吗？这么闹腾来闹腾去的，你们报纸还有什么报格？你们编辑记者还有什么人格？"

记者却依旧心平气和地说："我们能有什么格？不过是些个社会填充物而已！至于名人，说实在的，您刚才无意中算是说对了，名人是一种公众共享物，尤其是像您这样的歌星，其实质，也确实是公众又特别是少男少女的青春偶像，也就是青春期大玩偶——您别生气，咱们这是谈社会学，谈集体无意识，谈文化现象，谈文化心理……话说回来，我们报纸登那篇文章，也并非毫无根据，毫无道理。文章署名您一看就知道是假名字，笔名，但您读了也就不难猜出是谁的手笔，人家是文责自负，说是亲眼所见，眼见为实嘛，没有百分之百的实，也总有百分之七十的实……"

歌星便恨恨地说："哼，我知道谁干的了，他妈的！混蛋！"

记者便诱导地说："所以您应当及时予以驳斥、澄清……好，那么，我一环一环地问您，您回答我，好吗？——您父母，是住在城内的平房里吗？"

"那又怎么样，"歌星说，"那平房是老旧了一点儿，但很像样，他们住惯了，舍不得离开……我当然有心给家里所有的人买房，但你也该知道如今的价儿，我一下子买得起那么多吗？再说，他们二老就愿意住平房，他们不乐意住楼房，我什么时候亏待过他们？……"

"好，"记者又问，"那么，那一天，下大雨后来成了暴雨的那一天，他们是不是因为平房漏雨，没办法才去投奔了你？"

"平房是漏雨，听说这一回是漏得比以往厉害……他们去找我，这很正常嘛，我怎么不孝顺他们了？"

"你是不是将他们拒之门外？竟然不让他们在你那据说装潢布置得金碧辉煌的单元里留宿？"

"胡说！我怎么会对他们不好？你可以去找他们，当面问他们……我一听说他们那儿漏雨，心里马上就起急，我跟他们说天一晴我马上就雇人去给他们修理，费用自然全包在我身上……"

"可是你却并不让他们在你那个单元里留宿……"

"那又怎么样？我亲自把他们送下楼，叫的出租车，嘱咐司机把他们送到玫瑰园宾馆，我回到单元里就打过去电话让他们开房间，还让给他们住的房间里送夜餐……他们住下后我又打电话到他们房间里问候，嘱咐他们使用卫生间洗澡时要小心跌倒……试问，如今能有多少人，像我一样为父母避雨付出那么高的代价？"

"啊，这些那文章却没有写，只写你没有把他们收留在你那单元里。人们都知道你还并没有结婚成家，因而读了他那文章一定都会困惑不解：您为什么不让他们在您那单元里住呢？难道住一夜都不行？那是什么原因？"

歌星又发起火来："岂有此理！我有我的私生活！凭什么非得让我公开？"

记者微笑了："啊，明白，清楚了，我不问了，谢谢！"

歌星同记者对话的过程中，她坐在一旁心里滚着一团乱麻。她感到记者一边同歌星对话一边用眼角余光瞟视着她。歌星的一连串回答固然澄清了一些事实，却也仿佛进一步剥去了一层层神秘感，使她更惊异于他的并非白马王子，记者那关于歌星"实质是公众尤其是少男少女的青春期大玩偶"的话，她还是头一回听说，但听了一遍便粘在意识上再拂不去，她不禁用一种新的眼光审视歌星。她惊讶地发现，那原本似乎裹着歌星全身的一种光晕，已全然消失，甚至就仅仅外貌而言，歌星其实跟街上许许多多的那个年龄的男人也并没有多大差异，她头一回在心底里悄悄地然而战栗地问自己：究竟是为了什么，她那样狂热地追求他，以至将自己最最宝贵的东西奉献给了他？她为什么待在这么古怪的一个地方，面对着这么古怪的几个人？……

在她不知不觉之中，记者已经走了，是穴头把他送出去的。歌星仰靠在沙发上，张开胳膊和双腿，仿佛一只死蟹。那张报纸已被扔在了她的脚下，她也没有去捡。她想到那报上还有一则歌星和穴头也该读一读的文字，但她只是在心里想，她没吱声。

穴头把屋门关拢以后，走回来说："这一轮又一轮的轰炸！他妈的！这鬼地方再也不来了！"

歌星甩动了一下双臂和双腿，用一种难听得要命的声音说："我他妈的今晚上不唱了！"

穴头意识到，当此关键时刻，可千万不能"误导"，便立刻满脸堆出笑来，安慰似的对歌星说："谁要你今晚上去唱了？给他们现上真身，张张嘴摆几个姿势就行了嘛——当然，到那一句，你使劲对着麦克风喊一声'爱露丽娅'，也就罢了……好了好了，时间不多了，怎么样，你们，二表妹，是不是这就去那家韩国烧烤？"

她便不由自主地说："我不饿。不想吃。"

穴头便笑吟吟地对她说："咂，哪能不吃。你表哥好不容易请你一顿。去了咱们先叫开胃酒，还有韩国开胃小菜，辣菜墩儿，腌海石花，胃口保证给你打开……"

歌星把姿势调整为正常的坐姿以后，打了个呵欠，懒懒地说："我不想出去吃了，就待在这儿吧，打电话让餐厅把菜送上来……"

穴头讨好地说："这个构思挺不错！韩国烧烤吃了容易上火，闹不好那烤焦了的东西还有致癌物质。干脆，咱们叫三份西餐，让他们用小推车送上来……看点什么汤什么菜？二表妹你也喝一点儿洋酒，拿破仑威士忌，如何？不喝？那就来饮料，如今最时兴果茶，要不你喝果茶？我们喝威士忌，就不要啤酒了吧？配一点椰子汁还是番石榴汁？餐后甜食，二表妹我给你点个草莓冰激凌加苹果怎么样？然后我们都喝咖啡……"

歌星似乎从气恼和沮丧中缓过点劲儿来。他打了个榧子，漱漱嗓子说："好呀好呀，管他妈的三七二十一，先吃点香的喝点辣的再说，关键是主菜，穴头你自然是带血丝的英式嫩牛排，正合你的身份，你有宰人不留情的一副铁下水；我要一客法式烧羊腿；二表妹，我推荐你一客意大利番茄奶汁鱼，怎么样？"

她便点点头。说真的，她还从来没有吃过西餐。但她已失去了刚闯进这个世界时的那种新奇感和兴奋感。她甚至都想不吃饭而站起来告辞了。

穴头进里屋去打电话订餐。在那空隙里，歌星与她的目光相接。歌星对她笑了笑，笑得很妩媚。要搁在从前，哪怕搁在三个钟头以前，光这么一个特意送给她的笑容，便能让她感激莫名，回味不已，然而她惊奇地在心底里发现，现在她对那微笑并不怎么感到新奇。细想起来，在和同学们相处时，这类的笑容不是常常出现吗？为什么自己以往对出自同学，还有亲人们的这种微笑，就那么不以为然，不知珍重呢？其实，那些普通人的微笑可能更自然，而且也更真诚……

她把目光从歌星脸上移开，移向了屋角，于是她看到那只被歌星粗暴地毫不吝惜地扔到屋角的花篮。那些鲜嫩娇艳的鲜花被摔得七零八落、梗断苞残，真是触目惊心、惨不忍睹。她忙把目光又从那里移开，结果那张已被歌星踩在脚下的报纸又进入了她的眼帘。她立即想到了消费者对爱露丽娅洗浴液的投诉，想到了那位公关小姐一句一个"讨厌"的公关技巧，她那古怪的咯咯咯的笑声，以及关于一方和两吨的酬金数额……她感到恶心、气短，她觉得再不让歌星看到那则消息良心上实在过意不去……

"你怎么了？"歌星问她。

"那张报……"她想说出来。

"啊，管它哩！"歌星从地毯上抓起那张报，哗哗撕成几片，又使劲一团，也朝扔花篮那个屋角掷去，歪歪嘴角说，"下流小报！"

她便不想再说什么。

"你不舒服吗？"歌星问。

她想点头，结果却是摇头。

穴头打完电话回到客厅，搓着手说："半个钟头以后给送来。怎么样，你们二位再杀一盘？我去看电视，这会儿已演动画片，我还最爱看那个！"

说完穴头便把原已移到茶具柜上的棋盘给他们端回到茶几上。

穴头到里屋看电视里的日本动画片去了，歌星便同她再下象棋，这象棋是她同歌星在一阵狂风暴雨之后，她在卫生间洗浴时，歌星自己到服务台去借的。她望着棋盘只是发愣。上初中时，她曾获得过校队象棋比赛的亚军，但自打升入高中迷上了流行歌曲又尤其是迷上了眼前这位歌星，加入了"追星族"，成为了"发烧友"，她的棋术就倒退到了生疏的地步了。她也曾幻想过有朝一日自己作为灰姑娘同白马王子般的歌星居然对坐下棋，那该是何等的幸福！现在好梦成真，歌星就坐在自己对面，并且在催促自己走步，她却突然兴味索然。人心为什么如此难以把握，又尤其是自己腔子里的那一颗心？

"该你啦——"歌星又一次提醒。

她便拿起一个卒子。但她意识里突然一片空白，犹如一部电影在放映中从热闹到枯燥到突然断片，银幕上只有一片刺眼的没有意义的强光。

歌星伸出手去握她的手，意思是帮她下决心将那个卒子拱过界河。她却猛地将手往后一缩，仿佛躲避一只带着毒针的马蜂，使歌星吃了一惊。歌星本能地朝她脸上望去，更感到迷惑不解——少女的五官竟全都往一处收缩，歌星怎能猜度出来，此刻她逃避歌星的轻微接触正犹如逃避瘟疫一般！

"你究竟怎么了？"歌星开始不快，歌星自从被"追星族"奉为一颗高悬的亮星以后，还从来没有被歌迷厌弃过，哪怕是小小的冷淡哪怕是轻微的拒绝，眼前的这位少女本是送货上门，自愿献身，一个多钟头以前还海誓山盟地表现出宁愿为他粉身碎骨的万丈热情，怎么只不过、只不过有那么张小报登了那么段下流的文字，就让她犹豫起来了？他妈的，还真不能光是由记者写篇澄清真相的访问记就罢休！眼前已同自己有肌肤之亲的歌迷尚且被之迷惑成了如此这般模样，那么千千万万街头上的观众席上的不明真相的歌迷，又该有多少从此丧失对自己的崇拜和痴迷？

想至此，歌星便把棋盘一晃，说了声"好，别下了别下了！"接着便高声呼唤穴头，穴头走出来问："怎么着？三步两步就死了？"

歌星便气冲冲地说："把你屁兜里的'大哥大'递我，我这就给我的法律顾问打电话，非起诉他们不可！"

穴头问："起诉谁？那破报纸？那他们不高兴死了？等于给他们推销！"

歌星伸出胳膊，张开巴掌："少废话，把'大哥大'递我！"

穴头便对他说："绝不蒙你，电耗光了，我一忙乱，忘充电了，你就是真起诉他们又何必这么急赤白脸的，回去以后商量个法子从从容容收拾他们不结了？"说着偏头问她，"二表妹，你说是不？"

她便点头。穴头望着她，也感觉她有点不对劲儿。怎么回事？穴头脑子里飘过一个问号，但懒得去细想。

穴头把棋盘挪开，劝慰歌星和她说："大家鼓舞起来，好好吃上一餐，比什么不强？吃完了还要去取盒带对不？晚上的钱不挣白不挣对不？今朝有酒今朝醉，揽那么多烦恼事儿干什么？"

门铃连串响。

穴头说："这不，西餐到了？"

穴头去开门。门外猛地窜进几条彪形大汉，他还没反应过来，一个彪形大汉已然将门锁得死死并把守住了那门，另一个彪形大汉便麻利地取走了他屁兜中的"大哥大"，还有一位则迅雷不及掩耳般地冲到里屋，先剪断电话线，又"刷"地拉紧厚重的窗帘。与此同时，又有一位冲到客厅的窗户边"刷"地拉紧了客厅的窗帘。因为原来没有开灯，所以包房顿时变得漆黑。而另一位为首的便严厉地同时宣布："我们是公安局的，你们三个一个人一个屋犄角，老老实实站过去，把双手搁到后脑勺上！"

她全然不能反应，瘫在沙发里，每一根神经都仿佛被惊吓得寸寸断裂。

倒是歌星反应得最快，他立即跳起来抗议："你们要干什么？！我要报警！"

为首的那人打开了照明灯。穴头这时已被一个来人推至了一个屋角，他乖乖地面角而立，将双手搁放到后脑勺上。

另一个彪形大汉便去拉歌星。歌星怎能受此奇耻大辱，失声呼叫起来："救命呀！我抗议！岂有此理！"但转而变成了一声凄厉的惨叫："哎哟！"他被那人手中的一根高压电棍电了一下，他刚要再提抗议，那人便毫不留情地扇了他左一记右一记耳光。他在晕眩中被推到另一个屋角，恰是花篮和破报纸狼藉的那个角落。他站不稳，又被人从背后一踢，便扑通跪在了那儿，他还想强，那人又用电棒要捅他，他才迫不得已将双手搁放在了后脑勺上。

这一切事情都发生在大约不足十秒钟里。她瘫在沙发中瑟瑟发抖。对付完了那两个男的，才有一个来人把她从沙发上拽了起来，骂着："臭婊子，你他妈的还不动！"把她像小鸡子似的扔向第三个屋角，她便哭了起来。那人立即喝了一声："再哭就捅了你！"她本能地咽回了哭声，浑身乱颤如风中枯叶，那人便粗暴地将她的双手拿到了后脑勺上。

三个被制伏的人里，究竟还是穴头见多识广，能够应变。屋里声息刚一停顿，他便姿势不变，好言好语地说："几位兄弟，我们服了！你们是公安局的也好，不是也好，我们都服，大家混事由都不容易，要我们怎么着，好商量……"

"先没你事儿！少多嘴！给我乖乖跟那儿戳着！"为首的吆喝完他，便命令那歌星，"滚过来！"

歌星已被搜完了身，兜里所有的东西，包括手上的金戒指、腕上的金表和金手链，全被没收解除。他被一个随从给拽回到了沙发上，落座在为首那主儿的对面。为首的那主儿戴着副镜片很大的墨镜，鼻子底下有簇浓浓的一字胡。歌星化妆经验丰富，一望而知那胡子是假的而非蓄成。

"你们是谁？"歌星问，声音已失去力量。

"我们不是公安局的，可我们跟公安局的也没啥区别。我们掌握你白昼嫖娼行淫的证据，懂吗？"

"胡说！诬蔑！"歌星本能地反驳。

"诬蔑？我们能随便诬蔑谁呢？"为首的那位打了一个手势，"拿点儿给他看！"

一个随从递过一叠照片。歌星一看大吃一惊，他不明白那照片是谁用什么法子拍出来的——照片依次是他同"二表妹"拥吻、解衣、上床、做爱、事毕、依偎……

"你们侵犯我的隐私权！"歌星脸色煞白，嘴唇哆嗦着，"你们犯罪！我要控告你们！"

"谁犯罪？你大白天奸淫少女，你倒想控告别人？"

"我没有强迫，是她自愿的，不信你们问她！"

"现在问的是你！你说，她叫什么名字？"

"……"歌星直到这时才后悔自己竟一直没有问清楚那姑娘的名字。

"她今年多少岁？"

"十八……"

"不对，她上学上得早，今年年底才满十七，现在她才十六岁。你奸淫的是未成年少女，罪加一等，你懂吗？"

"她自己愿意的！"

"那你也犯了诱奸罪！"

"你们……圈套！这是你们的圈套……原来，她是你们……搞的美人计！"

"呵呵呵……"那为首的人笑了，"承蒙您夸奖，我们真是受宠若惊了！可我们干吗那么笨，搞什么美人计呢？尤其是对你，愿意跟你上床的美人多的是！我们要搞美人计，还得给美人付工资，只赚你一头，那我们不是亏了吗？"

"你们……"

"我们怎么样？我们现在是人赃俱获，你还有什么话好说？你诱奸少女，逼良为娼！"

"什么？逼、逼良为娼？！"

"那还有错！你看这几张照片，清清楚楚！"

那人推过另几张照片去让他过目，照片逐张显示他将自己脖子上的一条水波纹项链解下来，系到那个少女脖子上去，而少女抚摸了一阵后，又把那金项链解下来，揣进了刚穿上的衣服的衣兜中……

"把那婊子带过来！"

便有随从把她从屋角拖到了沙发上，那原该是她坐着吃西餐的地方。那戴大墨镜的人便让她看那些照片，她在无比巨大的恐惧和羞辱中让那些照片烙入了她的眼中心上。

"你这是卖淫行为，懂吗？"

她哆嗦着。她确实不懂。

"你得判刑！你得送去劳动教养！"

突然门铃叮咚作响。

穴头仍乖乖地按指定姿势站在屋角，但他主动交代说："是给我们送西餐来的。我们半个多钟头以前订的。"

那头领倏地站了起来，压低声音威胁说："谁嚷嚷谁立马死在这儿！"

三把利刃同时架到了穴头、歌星和她的脖子上。

门铃叮咚叮咚叮咚响了好几遍。送餐的服务员很纳闷，难道走错了门儿？门上的号码与派定的号码吻合无误呀，怎么会没人开门接受？

歌星内心里进行着紧张的盘算，拼死叫嚷或许还有获救的希望，但事后又怎样跟救援者解释那些摊放着的照片？难道只能甘受他们这群黑帮的宰制？……

她的灵魂已全然崩溃。现在她心中残留着的片段意识里只有无限的懊悔和对歌星无比的痛恨……

穴头却镇静地保持着原姿势说:"给我'大哥大',我打电话给服务台,就说是外头打进来的,由于有紧急的事,我们已经外出了。这餐不用给我们送了,全部费用照付,记在我们账上……他们必撤,咱们可以坐下来商量……"

那戴墨镜的一示意,便有一个随从将他们自带的"大哥大"按好服务台的电话号码,递到了穴头嘴边。而拿匕首架在穴头脖子上的人,便将匕首的利刃紧挨着穴头脖子上的动脉。穴头却一丝不乱地完成了那个退餐电话。

门铃仍在叮咚作响。

屋子里静寂无声。所有人仿佛都是蜡像。

门铃终于静寂下来。

所有人仍仿佛都是蜡像。

经过了心理上认定送餐手推车已经远去的判断过程,那戴墨镜的头领才率先由蜡像变成了活人。他走到穴头身后,让持匕首的人让开,拍了穴头肩膀一下,夸赞说:"真有你的!兄弟,你过来,咱们一块儿商量这笔生意!"

穴头算是被解放了出来。他也坐到了沙发上,现在沙发上坐着四个人:歌星、她、穴头和那头领,头领的三个随从分别手持利刃站在歌星、她和穴头身后。

"我们也不想在这儿多待。说白了吧,我们也不想见血,不想杀人。"那头领先对歌星说,"你想买这些个照片,还有全套胶卷,就把你这儿密码箱里的一方全交出来。我们费了老大的劲儿,哥儿几个也不容易。一方还不行,我们知道你穴头儿那里至少还有现成的两方,让他先借你,他要愿意送给你是你们哥儿俩的情分,我们不管。怎么样,三方,一手交钱,一手交货,这买卖还不便宜?"

穴头便给歌星使眼色,让他认倒霉,歌星想了想,便说:"胶卷得齐全,照片你们要多印了呢?你们得印了多少给我多少!"

那头领便骂:"他妈的你当我们跟你们那个破文艺界似的,整起人来黑得没有边儿?我们他妈见血见刀的事都敢做,可就是从来撂出话来不掺丁点儿假!你说三方干不干吧?不干,我们就往公安局送,还往报纸杂志编辑部寄!"

穴头又给歌星使眼色,歌星便点头。

"好,你先把那一方交出来!"

歌星便进里屋,用被没收掉又还给他的钥匙串打开嵌在墙上的一个供房客存放贵重物品的小橱，从里头取出一只密码箱。那密码箱里只有他领到的两场演出的税后报酬合计七吨。他明白事已如此还有什么话可说，便又乖乖地从别处凑齐三吨，都送到那头领面前。那头领便使个眼色，让随从点清装入他们自带的密码箱中。

"你的呢？让兄弟陪你取去！"头领命令穴头。穴头乖乖地去了。

头领便望着她，拈着唇上的胡须。

她仍旧禁不住哆嗦着。她完全浸没在悔恨和恐惧之中。

"我们给你老子寄去了五张，那是你表演得最好的镜头。"说到这儿，那头领面对着歌星解释，"我们只有十张不给你。五张寄给她老子，五张一样的存底。都是你背着身子不见脸儿，她当主角的。"又重新面对着她说，"给你老子附了一封信。也不问他要钱，只要他用手中的权给下个批件。什么批件那信上讲得很清楚，他能明白，说给你你也不懂。他要想你不送去劳教，要想你那表姐保住这儿的副经理位置，就在十天里头把这事儿办了。他一办完我们就把那存底的照片再给他寄去。这样世界上就不会再有这一套胶卷和这一套照片了。对你，我们没别的什么要求，你回去跟你老子哭就行了。"

她却不再哆嗦，也不再哭。她一动不动，然而不再有如蜡像，她成了石像。

穴头把自己垫付的那两方乖乖地提来了。随从清点毕，也装入了他们带来的密码箱中。他们又都暂时收起了匕首，并且把一根高压警棍重新伪装成一把黑伞。然后头领从身上取出一卷胶片，搁到了那照片旁边。歌星赶紧拉开胶卷检验。

"你们要作死，也都还来得及。"头领站起来说，"只要我们出了屋门以后的半个钟头里你们有任何一点的报警行为，你们就必死无疑！"

穴头忙说："我们干吗作死哩！"又站起来赔笑，"兄弟几个真是神机妙算，佩服！以后我们跑这个码头，还望各位多多指教！只是，事情既然已经过去，能不能泄露一下天机：这照片你们究竟是怎么拍的？难道这屋里藏着秘密的摄影机？"

一个随从又立即拔出了匕首，恶狠狠地瞪着穴头。头领却打个手势制止住了他，微微一笑，坦率地说："谁让你这个穴头给他包了这间楼房呢？这窗户外头，不正是大餐厅的屋顶吗？难道你们下榻到这儿的时候，就一点儿也没注意到，这屋顶上有工人在修理冷凝罐吗？"

穴头恍然大悟。

"又谁让这儿的一位副经理,为了个人拿回扣,不要公家工程队的人来,去雇私人包工队呢?……"

头领说完,嘿嘿两声,打个手势。几个人便相继出了屋门。屋门重新掩上,屋里一片静寂。

歌星成了一个意识模糊的蜡人。

她成了一个意识消失的石人。

唯有穴头,到底是江湖常客,他且让歌星与她僵倚沙发,自己非常清醒地作了一系列的事。

他首先取来了茶盘和火柴,点燃了那个胶卷,胶卷"蓬"地燃成一团旺火,他借那旺火又把那些不雅的彩照一张张都烧掉。燃完以后他便去卫生间将茶盘中的灰烬残骸都倒进便桶中,放水冲掉。

做完这桩最紧要的事以后,他便去拉开两间屋子的窗帘。拉窗帘时他看清楚窗外下面一米多的确就是餐厅屋顶形成的一个平台。平台前方有两个米黄色的冷凝罐,平台两侧是高耸而且相当茂密的梧桐树树冠。他猜想歌星在同所谓的"二表妹"上床以前大约是拉拢了里屋的窗帘,但并没有遮得很紧。他又仔细检查,发现里屋密封的玻璃窗一角有用玻璃刀划开取下玻璃形成的小方洞。那么,即使歌星把窗遮得很密,伸进照像机镜头,用一千度的高档底片拍摄,也就足够形成那一大叠的成果了。他不得不惊叹此地黑社会作案的娴熟与老辣。

拉开窗帘以后,室内大放光明。歌星和那位姑娘居然还没有从深重的打击中苏醒过来。他便又从容地接上电话线。那几个黑帮临走时除了带走了他的"大哥大",倒是把从他们身上搜出的东西全撂在了茶具柜上。那里有他的一大串钥匙,那钥匙链上也有多用型小刀具。他便用那小刀具很麻利地把剪断的电话线两头各削去一节包皮,将露出的铜丝绕在一起。他总是随身带有一些"创可贴",便又用"创可贴"代替电胶布且将电话线接复处包裹起来。他拿起耳机一听,果然已恢复了功能。他刚把电话机撂回叉架,电话机便发出一串蜂音。他拿起来接听,是餐厅服务台小姐,问他是不是某某某号房间的某某某先生,他说是,那小姐便告诉他有人在餐厅窗台上发现了他就餐后遗忘在那儿的"大哥大",请他带着身份证和房间钥匙去认领，他忙说谢谢，说一时走不开，半个小时左右一定下楼去认领。放下电话他不禁慨叹那帮黑道兄弟的准尺准寸，从某种意义上说，他们真是明码实价的生意人，可叹！他们说要的你必得给，他们说不要的或没说要的你给他们也不要或暂时拿走到头来还是要退给你。明处的交易有时候倒显不出这般的明快与爽气！

穴头回到客厅，坐到歌星和姑娘对面，看他们才稍微有些个惊魂归窍的迹象，便叹了口气，去到冰箱里取出了三只苹果，且坐在沙发上削苹果。

穴头先竭力让歌星的魂儿守住肉舍。歌星眼珠又有些个活动。他便望着歌星，安慰他说："安下心吧！没事儿啦！跑码头嘛，遭回劫不算什么！经了大劫才有大福嘛！不才丢了一方吗？什么了不起的！今天晚上你喊两回'爱露丽娅'，我去跟他们多要一方，不就捞回来啦！你刚才没看见我烧那些个胶卷照片吗？全都灰飞烟灭啦！我倒马桶里冲了两遍，没有后患啦！至于我那两方，现在就算我送给你，将来你炒股票大发了，你再送回我两方就得！咱们合作这么多次了，我这点忙还帮得起，你这点情也领得起，你以后也必定还得起嘛！来，吃苹果，吃不下饭，吃个果子总也能提提神儿！"

歌星机械地接过苹果，机械地咬了一口，机械地咀嚼，又机械地吞咽。但他的意识在越来越快、越来越浓地恢复。他感到劫难已然过去并且似乎也并不是那么可怕。但他心里毕竟有一把沙子怎么也拂不去——谁能保证那帮子土匪手里没有第二个胶卷，没有留下一叠扩印好的彩照？江湖的险恶，这一回他算是透彻心魂地领受到了！

穴头见歌星越来越离开蜡像恢复着人样，便把注意力又集中到了姑娘身上。

姑娘的变化则仅仅是从僵石状进化为凝蜡状。

穴头便一边为她削苹果一边对她说："我说，我还叫你二表妹吧，你吓坏了是不是？别怕，你既然闯进了这个套房，你做了那些个事，你就别后悔，你就挺起腰杆子，敢做敢当！没什么了不起的，没有过不去的独木桥、鬼门关！他们是够缺德的，给你爸寄那些个照片去。你爸要问你，你就哭，反正你也想哭，也该哭，你就哭到底，可你得一言不发，任凭他问话三千，你就一言不发……他们也是看准了你爸你妈一贯地疼你，不可能把你怎么样，更不怕你自己怎么样，肯定会吞下那个苦果子的！你爸手中必是真有那个权，用那个权批个他们要的批件必定也显不出怎么样的古怪。咳，如今这号事情多了，你爸做了也真算不得什么，何况又是为了亲女儿的名誉……他们必定真把那另外五张照片再给寄去，你爸用火柴点燃一烧，这事也就过去了。人遭劫难也是常有的事儿，时间是个好东西，是服清凉药，日子一久，他也淡忘了，你也淡忘了，该怎么高兴还怎么高兴，该怎么自在还怎么自在……我说二表妹，你也回过劲儿来吧，没什么，有我们帮着你保着你呢。只是有一条你千万要明白，你可不能把歌星他说出来。说出来他也不承认，因为人家说了，那五张照片上男的都是背着脸的嘛！你咬紧牙关不说，任谁也没有办法，还能硬撬开你的牙？……"

她渐渐地耳朵里接收到穴头的话音，但全然不知所云。她双眼只盯着穴头手中的那只苹果和削苹果的刀。那转动的苹果和划动的小刀对于她没有实在的意义，但那光影变换却仿佛在抽击她的心，或者说她的心正如一只带皮的苹果，已被无形的小刀一圈圈地削去着外皮……

穴头的全部话语里她只接收到一个使她得以产生意识的词儿，便是"歌星"。是呀，歌星……贴在床头的平面的然而彩色的歌星，剪贴在那个硬皮簿里的黑白的和也是彩色的歌星，旋转着，开始从她凝结冰冻的意识里抽出了丝来……体育馆里狂热的掌声、吼声、顿脚声，跟着歌星一起放喉狂唱的轰轰声……一盘盘盒带翻着筋头从她灵魂上碾过，无形的手将卡盒中的磁带扯了出来。咖啡色，闪着磷光，细细的，如同游蛇，在她意识中蜷曲、翻扭、爬动、粘连、缠绕、纠结……最后形成一个庞大的蜘蛛网，将她牢牢缚住。她有种想尖叫的欲望，却瞪着眼叫不出来。忽然看见一只绿身子的大蜘蛛朝她爬来。毛茸茸的脚，丑陋而腥臭，逼近了，蜘蛛抬起头，呀，那正是歌星，她挣扎，她扑打，她甩头，她狂喊，但不中用，连声音也并没有冲出躯壳……那些个照片，她光着身子，她接过歌星从脖子上解下来的金项链……臭婊子？什么叫婊子？那个专演苦戏的影视女明星是不是婊子？那个羊脂球……羊脂球才是婊子！哎呀，爸爸的一张脸有一堵墙那么大，两只眼睛就像两台黑漆漆的空调机，冒着冷飕飕的冷气，"谁？"打雷一样，就是打雷，"那男人是谁？！"……表姐的一身西装蓝幽幽的，大嘴岔儿，那叫笑吗？"我只把你送进来，你怎么出去那我就不管了……"哎呀，抓起花篮就往墙犄角一扔，粉玫瑰像些扭断了脖子砸破了脸的小娃娃头。"站到墙角去！把双手搁到后脑勺上！"都是因为一颗星，一颗星在上头照着，在前头晃着。"我跟他握过一次手！"那颗黑痣真恶心！呸！为什么今天不是她，干脆让她不光握了一次手还……还……还……一吨，两吨，三吨，一方，两方，三方，爱露丽娅，"爱露丽娅洗个澡！""读者投书本报，要求有关部门处理！"恶心，恶心，恶心……怪，什么东西在一转，又一转，什么东西在一闪，又一闪，苹果，刀子，刀子能削东西，刀子架在脖子上，凉飕飕的，刀刃都压在血管上了，往下一压，喷出来了，喷出来了，全是红的。黏糊糊的，哎呀，该挨一刀的不是我，是他，是他，是他！是谁？谁？他在哪儿？在哪儿？星星在哪儿？那颗害人的星，害了我，还要害我爸，害我们全家，一直害到表姐……怎么，他就在那儿，就在眼前，怎么会呢？他不在床头的墙上，不在那个厚皮簿里，他就在那儿沙发上坐着，还……还在干什么？啃着一个圆圆的东西，像扔到墙犄角的粉玫瑰，像娃娃头，像我的心……

穴头哪看得透她意识的恢复和潜意识的涌动，穴头只是慢慢地削那只苹果，小心翼翼地不使那削下的果皮断裂，仿佛在进行一种技巧表演。他见歌星啃苹果啃得越来越自如，便知歌星已大体恢复到常人状态，便压低声音对歌星说："你也太荒唐，怎么上了床还不把名字问清楚……现在我们怎么办？还能随她去她家取盒带吗？即使我们坐在TAXI里不上楼，等她，经过了这么一场折腾，她还能把盒带再送下来？她家里人，她的邻居、同学，要看见了我们，尤其是认出了你，那万一她老子死不开窍，接着那五张照片愣不下批件愣要调查个水落石出，那不一薅就把你薅出来？你赖也赖不掉……怎么办呢？总得想个万全之计！盒带的事儿现在倒其次了，大不了你'损了夫人又折兵'，晚上挣扎着真开口唱。可她这样子能回家吗？怎么把她送回去呢？……"

歌星吃了大半个苹果，神智竟也恢复了大半，穴头的议论他全听明白了，他斜睨着已然完全无清丽纯真神态可言的姑娘，只觉得嫌厌，乃至于憎恶——是她自己闯到这包房里的，是她赖着不走的。那记者怎么说的来着？公众的共享物？少男少女的青春大玩偶？他妈的不是我占有了她而是她占有了我，不是我玩了她而是她玩了我，不是我诱奸了她而是她诱奸了我，而且就她那方面而言，甚而可以说是强奸！他妈的！她比那群黑帮还可恶！她是从哪个墙缝里爬出来的土鳖虫儿！她让我一损失就是三方！损失的还不止是钱！活该她爸接着那五张我只有背影儿的照片！活该她丢人现眼！还有，还有那条金项链呢？金项链在哪儿？那可不能让她带走，他妈的，十足的臭婊子！……

歌星想到这儿，也便脱口说了出来："金项链呢？我那金项链呢？"

穴头便暂且放下手里的刀和苹果，去从那茶具柜上的三堆东西里捡出那根金项链，扔给歌星，一边说："对了对了，还是你收回为好，于你于她都好……"歌星接过金项链，便本能地系回到自己的脖颈上。

穴头便又坐回去，继续削苹果，削得越发小心。他想了想说："要不这样，你就别露面了，我把她带到楼下去，给她叫辆 TAXI，我也不跟着，让司机把她送回家去……"

"她家在哪儿？"歌星吃完了苹果，思维恢复到完全正常。

"别急，有办法……"穴头又搁下刀和苹果，去那茶具柜，从黑帮留下的属于那姑娘的一堆东西里，找出了一个学生证。那学生证上既有学校地址也有家庭地址，穴头便说："好办，我抄个纸条儿，递给司机，就说她突然很不舒服，咽喉炎，说不出话，请先按这个地址把她送回家去……"

"干脆就别送她回家，你直接把她送到医院去算了，给她挂个号，让她自己在候诊室等着，你就离开。大夫一叫她，她也许就清醒过来。然后，无论她回家也好，真的发作起癔症也好，晕倒也好，就都没咱们事了，她也出不了危险……"

"咦，你还真乱中有智，刚一恢复人样儿就出来个鬼点子！成，就这么办！不过，还是先请她吃完这只苹果再说……"

于是穴头削完了那只苹果，连续不断的果皮落到玻璃茶几上，恰似一条花蛇。他一手将苹果递向姑娘，一手暂时还拿着小刀。

她坐在那里依然蜡人般地凝滞。其实她的意识不仅在渐次恢复，而且从潜意识上也浮出了较明晰的思维。穴头和歌星的对话不仅如沙石般撞击着她的耳膜，令她有一种痛楚感，而且她渐渐明白他们竟然在设计如何将她摆脱掉。她嘴角渐渐现出一个隐隐的冷笑，她的双眼只盯着穴头手中那把小刀，那亮闪闪的刀尖仿佛在无声地发出召唤。她的一颗心不再是石头不再是冻蜡不再是任人削皮的苹果而开始猛烈地跳动起来，把血液迅速还原到她最需要的地方……

"你好受点了吗？"穴头蔼然地对她说，"先吃个苹果，定定神吧！"

她突然伸出手去，穴头全无防备，以为她是接那只削好皮的苹果，谁知她竟是一把抢过穴头另一只手中的小刀，并且毫不迟疑地迅雷不及掩耳地跳起来，举着那把小刀用力地朝歌星刺去。

1992 年

小墩子

　　姓闻的那家住在里院东屋。屋外有两株洋槐。两株洋槐的树干下面挨得挺近，往上长，就一个东倒，一个西歪。入夏成为两把碧绿的大伞，还挂满一串又一串奶白的洋槐花，香气飘进屋，也溢满全院。

　　那一年那一天，风过树动，枝上落下白蛾般的花瓣。闻家女主人从院外回来，推门进了屋，一眼瞧见五斗橱最上头一层靠西的抽屉不对劲儿，居然没来由地往里缩了那么一箍节，露出抽屉框没上漆的木头原色。闻家女主人到院外胡同口接了一个传呼电话，传唤的大妈在院里呼得很急，她没锁门，就一路小跑着去了。以往也有类似情况，回到家里从未感到过异常，这天却不能不疑惑起来。

　　她忙去拉开那退缩得反常的抽屉，那抽屉是专用来放零钱的，也就是放毛票和钢镚儿的。抽屉刚一露出来，她的一双眼睛便又不由得一抖。不对头，明显不对头！闻家只有小小的一间屋，就那么几样家具；闻家夫妇都是机关干部，每月就那么点工资；闻家五斗橱最上头那个放零钱的抽屉里的毛票和钢镚儿虽说最富于变化，但女主人对它们的把握却总是精确度很高——于是她飞快地做出了判断：抽屉里少了四毛钱，四张八成新的一角钱票子。

　　便回想起刚才从外头返回院里时，迎面遇到过小墩子。小墩子家就住在一进院门的地方，她往里院逛去本不算稀奇，稀奇的是她同自己擦肩而过时那脸色那眼神与往常大有不同，通红的脸蛋或许还可以解释为血气过旺，那忍不住往斜里睃的眼珠子，算是怎么一回事儿？

　　闻家女主人那一年那一天站在五斗橱前足足思忖了一刻来钟。她做出了一个决定。这个决定是相当冒险的。一年多以前院里曾有一家人同小墩子家发生了纠纷，明明是小墩子家理亏，她家却全体出动，这个跳脚骂，那个又腰嚷，又泼又凶，无人敢劝。占理的人家没争到理，后半夜还有砖头块砸碎了玻璃窗，惊醒后拉灯披衣开门追出去，哪里还有人影儿？天亮以后也不敢再找到小墩子家问，几个月后赶紧换房搬走。

但那一年那一天那一刻，闻家女主人心里头却把四角钱看做是一笔不算小的财产，并且把那样的失去那笔财产看做是一桩非同小可的事情。她决意挽回，并且有信心弥补。

闻家女主人拿口钢精锅装些米，坐到洋槐树下的小竹椅上，仔仔细细地拣起米里的稗子和砂粒来。其实她手指头的仔细是半真半假，一双眼睛时不时瞟向公用自来水管，那才是真正用心所在。

那一年那一天北京的大杂院里已经盖起了许多的小厨房。说是小厨房，其实有的已不仅是厨房而分明是住房。这样，院子的空旷部分就越变越小，最后全成了些短径弯道。闻家女主人家门口亏得有两株洋槐树，算是留下了一个难得的方形空地。但坐在小竹椅上，朝公用自来水管那里望去，却犹如从喇叭嘴这头，朝喇叭口那头窥视，视野十分的狭窄。

视野虽狭窄，她却有信心捕捉到小墩子的身影。因为她知道每到傍晚此刻，小墩子必会提着家里的铁桶去公用自来水管那儿接水。

果然！小墩子出现了。小墩子显然是想躲避来自她这个方向的视线，因此似乎在尽量紧缩自己的身体。但既称墩子，可见也难缩成麻秆，那拱出的臀部尤其具有叛卖性质。因此，刚一闪露，闻家女主人便轻快地走拢过去，借助自来水砸在铁桶底儿上的声响掩护，凑拢小墩子的耳边说——

"小墩子！来！大姐有几句话跟你说！"

她把水龙头拧上，桶并没有满。但小墩子竟弃桶于不顾，随着她到了她家屋里。

至今回忆起来，闻家女主人还参不透，小墩子怎么会一点儿没有耍赖，没有申辩，没有撒泼……她竟直挺挺站在闻家女主人面前，两只手的指头钩在一起，双眼只盯着自己脚面。

小墩子大概14岁的样子，她头发浓密，发丝粗硬，黑而油腻，乱蓬蓬地堆在头上，到耳边才潦潦草草地编成了两条短辫；她脸庞圆乎乎胖嘟嘟的，皮肤黄黑，但鼓起的脸蛋上却有着两团艳艳的红晕；她没有洗干净自己的习惯，耳后和脖子黑糊糊的,一双粗大的手更是积垢成痂,她的脸颊靠近下巴的地方有明显的癣痕;她的眉毛挺浓,一双眼睛却细长无神,总像没睡醒似的;她的嘴唇厚而丰满,仿佛一磕一碰便会喷出血来……其时她穿着一条明显从姐姐乃至母亲那儿继承来的蓝布长裤,显出肥大,但她穿的旧衬衣却分明是她自己的,多次缩水后已是十分勉强地箍在她丰硕的躯体上,令人惊诧或者厌恶地觉察到她胸部的早熟……

"小墩子! 我去接传呼电话的时候,你是不是进过我家?……"

"你是不是开过我家柜子上的抽屉?……"

也许是因为用了十分和缓的口气,面带着十分和善的表情,小墩子只是站着,垂着胳膊,又着双手手指,紧抿着嘴唇,并没有反抗性的反应……

闻家女主人便越发柔声细气地说:"小墩子,头一回吧? 这可不好,多丢人啊! 可你还小,我看你心里头也在后悔,我不跟别人说,就是跟我那口子,也不说……小墩子,这种事情,可不能再有一回啊,人活在世上,可不能有那个不劳而获的心,人穷不能志短哪! 钱,得靠自己老老实实地挣啊!……"

小墩子并不点头,但额头上、鬓角边沁出了一串串、一片片细小的汗珠,她眼睛不再光盯着脚面,偶尔也抬起来睃闻家女主人一眼。她的这种反应,已令闻家女主人十分地欣慰。

语气便变得更加蔼然了:"小墩子! 你缺钱用,想买个什么,跟家里要不来,你尽管跟大姐说,大姐多了帮不起,三毛五毛的没问题,就是三块五块,实在你需要,也不是不能帮你想办法……"

小墩子的眼里滴出了眼泪,是猛然滴出来的,令闻家女主人吃了一惊。更让人吃惊的是她并没有"泪落连珠子",她滴出的眼泪绝不成行,能点出数来,大概左右眼加起来也不过是五六粒,那眼泪大而圆,一下子落到颧骨上,不再往下流,挂在那儿,不一会儿便干了。

闻家女主人心更软了,说:"小墩子! 我找你,不是为了问你要回那四毛钱,我是为了你好,提醒你,让你别就这么滑下去……"

小墩子突然弯下腰,用右手去掏,右脚便欠起脚跟,让右手手指好把藏在右脚那只布鞋里的钱抠出来,那四毛钱她已经折成了扁长的一条,黑糊糊的。小墩子把掏出的钱递还给闻家女主人,用一反常态的蚊子样的声音说:"……我错了,我再也不了……"

闻家女主人有点犹豫，但最后还是忍住恶心把那从鞋里掏出来的钱接了过去。

"……您别跟人说，我再也不了……"

闻家女主人便使劲点头，"我跟谁也不说，这事只当它没有……"

前院忽然传来小墩子她妈锐利的叫骂声："小墩子！你死哪儿去了！水桶就他妈这么撂着，让人顺走都他妈别吃饭了！……"

小墩子便转身走了出去。

晚上，闻家男的回来了，刚进屋，闻家女主人便一五一十把发生过的事讲给了他听。

那个院子离胡同口不远。至今那个院子的外观内景变化不大。多少多少年前那个院子是一户阔人家的宅邸，但老早老早也就成为杂院了。原来的大宅门砌死了，宅门的门洞也成了一间屋子，住进了人，在原来门洞边的墙上另开了一个院门，供人们出入。那间门洞屋，便是小墩子出生的地方。

当然不仅仅是小墩子出生的地方。她还有仨姐姐两哥哥，都出生在那个门洞里。在那门洞里住得最久的，是她的奶奶。

胡同里的人们都把小墩子的奶奶叫做祖奶奶。实在她也够得上这条胡同里辈分最高的人。她生在八国联军打进北京的那一年。

闻家夫妇新婚后住了好一阵办公室，后来好不容易分到了这个院里的一间东房。他俩头一回来看房子时，刚走近院门，劈头便看见了祖奶奶，不禁面面相觑。

祖奶奶第一回呈现于他们面前，竟是那样坦然地、安详地赤裸着上身！当然那一年那一夏似乎格外地炎热，那一天尤甚，闻家夫妇沿路便看见了无数赤膊的男人，不过他们陡然看见祖奶奶时还是觉得触目惊心。那一年祖奶奶已然年过七旬，她的脸皮已经皱缩，然而她的身体却还壮硕，皮肤虽已松弛，脂肪并未怎样地消退，她坐在院门一侧的大树底下，坐在一把旧藤椅上，摇着一把大蒲扇，两眼眯着，却依然有一对放光的眸子，并且听觉似乎也还灵敏。正当闻家夫妇接近院门时，小墩子和她的哥哥大锛儿追嚷着冲出了院门，这时祖奶奶就厉声叱责他们："干什么哪？一惊一乍的！"

　　闻家夫妇搬进杂院以后，渐渐也就习惯了祖奶奶，习惯了她入夏以后的做派，习惯了她那"干什么惊惊乍乍"的用之万事而皆准的评论。是的，干什么惊惊乍乍？什么了不起的？值当吗？祖奶奶什么事没见着过？就拿她坐在这院门口的大树下过眼的情形说吧，有用破席卷着尸体抬出去的；有披头散发嚎着冲出去再没回来的；有用红绣幔轿子，吹吹打打迎进来的；有用装着锃亮的黄铜大转铃的洋车送到门口的；有五花大绑着拖出去的；有手铐子铐出去却又坐上吉普车的；有敲锣打鼓把红红的喜报送进院的；有让一群戴红袖章的年轻人推搡着戴上纸糊的高帽子去游街的；有让亮得能照出人影的小轿车接出去又送回来的；有让大卡车来装走所有家当包括一摞子破花盆搬走再不回头的……祖奶奶的话一点儿没错，人应该眼皮儿杂点，耳朵眼儿大点，心眼儿豁点，实在是犯不上见着点什么听着点什么就惊惊乍乍的！

　　搬进那间东屋不到一个月，有一天就听见小墩子她爹在屋里打小墩子她妈，不知道是徒手还是用了什么家伙，反正打他家窗外一过能听见呼哧呼哧的拍击声，而小墩子她妈便尖声叫嚷着，那叫嚷声并不凄厉，倒有些桀骜，不过听不出叫嚷的内容，也听不见对打的声音。闻家女主人头一回听见便忍不住想去劝止，闻家男人便对她说："那么些个邻居，常年住这儿的，谁都不出面，想必这种情况由来已久，劝也没用……再说，你看——"闻家女主人顺他示意的方向一看，小墩子若无其事地同院里的小姑娘们在一起跳猴皮筋，而祖奶奶更若无其事地坐在院门口的大树底下，嘴里像是含着一枚铁蚕豆，正摇着她那裂了缝的破蒲扇……便只好摇头、叹气，然后回自己家去做自己的事。

　　闻家的女主人在公共厕所里遇上小墩子她妈。小墩子妈是个大胖子，个头也不矮，说是胖，其实是壮实，祖奶奶也壮实，可祖奶奶是一对三寸金莲，所以走起路来摇摇晃晃，小墩子妈是一双解放脚，足以支撑她那硕壮的身体，走起路来平时不打晃，但那天进了厕所却有点一拐一拐。闻家女主人便问可是给打坏的，小墩子她妈便坦然地撩起衣衫给她看一道道的紫痕，说那才是打出来掐出来的，脚脖子却是她自己躲闪不慎，扭坏的。一块儿蹲着，最宜说些知心话，小墩子妈便告诉闻家女人，小墩子她爹是个老实巴交的好人，一辈子没做过亏心事，待她一向也好，只是她生下小墩子以后，子宫里长了瘤子，因为没钱动手术，那瘤子也就由它去塞满子宫，反正也不碍活着，照样能干家务事。可小墩子她爹不能得着那个乐子了，所以天天晚上喝闷酒。喝的是比二锅头还贱的白薯酒，劳改农场里蒸馏出来的，又托人整坛子地买，所以才合八毛钱一斤。那酒劲头儿忒足，老头子喝了就不踏实，不踏实就拽过她去又打又掐，她就由着他揉搓，可也存心吵吵嚷嚷，让他有个对头，其实那吵嚷里有一半的话倒是让他小心点儿别伤着了自己……闻家女主人便吃惊，及至小墩子她妈问及她男人打没打过她，那表情，倒仿佛在考察她有没有品尝过一道精美菜肴似的，她便感到恶心，说没有，小墩子妈便扬起眉毛，反过来吃惊……

小墩子她爹是个瘦高个儿，夏天也总是光着膀子，他身上似乎没有脂肪，只有骨头棒、瘦肉和筋腱。他堪称壮实，却左右太不对称，他的右胸比左胸高，右胳膊也比左胳膊粗。后来明白，那是因为他在胡同外大街上一家粮店里专管压切面，至少有20年那店里压切面都用的是一种手动式压面机，而他就至少操作了那压面机20年，因为右膊右胸20年里连续吃劲多，因而他的身体便右粗左薄。小墩子她爹寡言罕语，总剃个光头，总刮不净一下巴的花白胡子楂儿，额上脸上有几道刀刻般的深皱纹，细琐的纹路却不多，一眼望去便可认定是一个地道的良民。

小墩子家原来三代合住一间大门洞屋，后来屋当中隔了堵墙，再后来往院里接盖出一间小屋子，大哥自打到地铁工地当工人以后便独立生活了，大姐也早已出阁，闻家夫妇搬进那个院里住时，小墩子家是父母住一间屋，祖奶奶和小墩子合住一间屋（小墩子的二姐、三姐都到农村插队去了），小墩子二哥大锛儿独自住那间搭出的小屋，那小屋也兼他家的饭厅，小厨房便在那小屋一侧。

祖奶奶记年有她独特的方式。她记得是鼓楼烟袋斜街当铺被抢的那一年，小墩子她妈嫁到自己家来的；她记得小墩子生在大槐树上的"吊死鬼"和杨树上的杨刺子特别多的那一年，那年到大暑的时候，胡同里槐树杨树的叶子差不多全给那两种虫子吃得成白丝网子了；她还记得大锛儿惹是生非折进局子里去是胡同里下水道受堵，满胡同汪着臭汤儿，足有半年多才有人来修整好的那年；她也还记得是有辆运西红柿的汽车撞进了胡同口小杂货店里的那年，闻家小两口打这院里搬走，说去住楼房的——那一回从那肇事的车上跌翻了许多筐西红柿，又大又红的西红柿一直滚进了胡同里头，有几个竟至于一直滚到了祖奶奶坐处，停止在她的一双小脚旁边……

院门旁的那株大树是一棵臭椿树，树龄怎么说也有好几十年了，树干粗得一个人张臂抱不拢，蹿得极高。到高出屋顶的地方便开始分杈，又再分杈，再再分杈，结果入夏后便成为一柄巨伞，给胡同那一截包括院子里的一部分铺下好大一片阴凉。祖奶奶喜欢那树，赞那树，说亏得它不是香椿，省去了人们开春以后爬上去摘、用带铁钩子的大竹竿从地上够它那嫩芽儿的罪孽；再说臭椿皮实，虫子难欺，胡同、院里槐树、杨树包括毛桃、核桃、海棠、葡萄全遭"吊死鬼"和杨剌子糟践得厉害的那一年，独他们院门口那棵臭椿一片叶子没损，仲夏开出一树米粒大的青花。不错，是有那么一股不能叫香只能叫臭的气味，可那气味水滋滋、鲜喷喷的，你又不能说难闻，风过花落，一地半绿半黄的米粒大花穗儿，铺在那儿也挺顺眼……胡同里有人议论，说那臭椿是祖奶奶情人栽的，他没娶上祖奶奶，让住门洞的小墩子爷爷给娶上了，赌气，所以往那门口栽了棵臭椿而不是香椿。谁知那臭椿一年年地就长起来了，小墩子爷爷也没砍了它，而且小墩子爷爷死去后，祖奶奶就一年里有三季总在那臭椿树下坐着，在她那似乎恒久不变的生活和思绪里，那种树人究竟占着多大的分量，谁能知道？

祖奶奶记得，是臭椿树花儿开得最盛的那一年，小墩子她二姐三姐相继从插队的农村回了家。祖奶奶和三个孙女儿挤住一屋，倒只有欢喜没有厌烦。小墩子却不大乐意，不乐的原因固然是住得挤了，但还有别的，谁也不会知道她的心思：她觉得家里人也好院里人也好胡同里的人也好，本来就简直没把她当个人儿，两个姐姐一回来，她就更好比墙缝里的土鳖虫儿，只有见人先躲起来的份儿了。

那时候小墩子已经顶替她爹，到胡同外大街上的粮店里压上了切面。二姐回城不久到公共汽车上当了售票员，三姐不久去了一家百货商场卖香皂牙膏，二哥大锛儿早就在一家工厂的锅炉房里烧锅炉。小墩子她爹她妈对家里这么个情况挺满意，祖奶奶也是，他们常在一家子围桌吃炸酱面时对比："瞧瞧二荷他们家！多挠头！咱们知足吧！"

二荷是住在里院的一个姑娘，年龄同小墩子二姐相仿，同一年"上山下乡"——去了一个"农垦戍边"的兵团，但她去了不到一年就跑回了家来，说是有病。开头也不知道她犯的什么病，后来有一天有人在公共厕所里发现了一个不大成形的死婴，经调查，是从她肚子里掉出来的。让派出所和街道居委会忙乱了好一阵子，更惹出了胡同里院子内外无数的闲言碎语，但终究也拿她没什么办法。把她薅起来吧她也算不上犯了哪条罪，动员她回兵团吧她是死鱼不开口死猪不点头，你也总不能派人把她押回去，而与兵团方面联系，那边却总无回音……等到上山下乡的大批大批堂而皇之地回城时，二荷要求给她安排工作，但人们一想，一查，又发现她并无任何档案材料、证明文件，连户口都没有；动员她自己回兵团去办理有关事宜，她还是死鱼不开口死猪不点头，因此就长时间没有职业，仍在家里吃闲饭；光是二荷一个人挠头也罢了，还有她那弟弟，如今外号"群龙"，年岁和小墩子三姐相仿……

小墩子听着家里人那么议论二荷，例如："最省事的法子就是嫁个人，可能找着个什么主儿乐意要她呢？一脸死猪相！"或者："嫁个乡下人吧！不过近郊的，像四季青，谁要她呢？嫁到喇叭沟门那边倒差不离！"对此她倒还不怎么不平，可听到家里人一顿讥笑踩乎二荷的弟弟群龙，她就不自在起来了……

二荷长得粗粗黑黑，群龙却长得白白净净，小墩子和群龙，正如胡同里院子里一般的男女孩之间一样，见面也说话，有时候也一块儿玩一阵子，但终究是不大单独地来往。小墩子跟群龙的特殊缘分，说起来，是起始于一根三分钱的红果冰棍。

那是他们都刚上中学的时候，在胡同口外头。有一天，小墩子端着碗给家里打甜面酱去了。打了一毛钱的甜面酱，往家里走的时候，她忍不住就把碗凑拢自己嘴边，同时脖子也勾下去，伸出长长的舌头，用舌尖舔那碗里的甜面酱。这其实也是她的惯伎，给家里打酱油打醋的时候，她舌尖也没消停过，因为知道她这个毛病，所以她妈很久都不再让她单独打芝麻酱去，实在也是，小墩子自己也知道，倘若打的是一碗芝麻酱，那她就不仅是舌尖，恐怕手指头也无法消停……

就在那一年那一天那个下午，小墩子端着甜面酱碗打胡同外头往胡同里拐的时候，迎面遇上了群龙。群龙手里正举着一根三分钱的红果冰棍，那一刻映入小墩子眼中的红果冰棍晶莹鲜艳，犹如天堂里的佳肴，她忍不住停住脚，使劲地咽唾沫。

群龙招呼她说："嘿，墩子，干什么哪？"

小墩子便把托碗的手往高举举。

"我们家今儿个也吃炸酱面。我也刚去买了甜面酱和肉馅。找回五分钱，我爸全给我了。"群龙不无得意之色，说完舔了一口红果冰棍。

二荷和群龙的父亲是银行的职员，挣的比小墩子她爹多。虽说也多不到哪儿去，但让孩子买东西的小找头能让留下。这小墩子家就不能比，小墩子她爹她妈让她买东西去从来是需要多少钱就只给多少钱，无须商店里找还。小墩子也曾试图用少买的方法挣个三分两分的，但东西拿回来她妈只要瞟上一眼，便立马能判断出来有无贪污，为此小墩子很挨过几顿臭揍。所以只能是用舌头尖对自己稍加安慰……

那一年那一天那个下午，小墩子和群龙就那么面对面地站着。还有相当热度的阳光泻到他们身上，他们都有点汗津津的。小墩子的双眼，只盯着群龙手里举着的冰棍，那冰棍顶端开始融化，泛出玫瑰般的光彩，银亮亮的；群龙只盯着小墩子的脸庞，那脸没洗干净，可是嘟噜出来的腮帮子上泛着天然的胭脂红，像熟了但并没有熟透的大苹果。

忽然，群龙对小墩子说："这冰棍，给你吧！"随之是一个往前递的动作。

小墩子一愣，后退半步，手里的碗差点儿没托稳。

"干吗呀！"小墩子本能地说，"我干吗占你便宜呀！"

"那……"群龙眼珠略微一转，便建议说，"谁占谁便宜呢？咱们交换，你吃一口冰棍，我吃一口甜面酱，行了吧？"说着，便把冰棍擂到小墩子左手中，伸手从小墩子右手里取过那只碗，伸出舌尖飞快地舔了一下甜面酱。

小墩子便抿了一口红果冰棍。那是她终生难忘的一口品尝，至今回忆起来，她还很是惊诧，那味道何以那般美妙？只抿一口，便有飘飘欲仙的感觉。

小墩子还没有反应过来，群龙已然把碗送回了她的手中，而并没有待她送还冰棍，便转身跑掉了。

小墩子只见群龙的背部，一颠一跳地消失在人丛中。她的心狂跳了一阵。至今回忆起来，她也依然惊诧，何以那群龙的背影，自那以后，在她眼中，便具有了与万人背影不同的味道？

小墩子一手托着甜面酱碗，一手举着那根冰棍，退到了街边商店的屋檐底下，细细地品味了那整根红果冰棍，直到只剩下一根粗糙的竹签，直到把那竹签又舔了个一干二净……

那天晚上三姐睡觉翻身时被一样东西硌得好痛，尖叫着坐了起来。二姐靠墙睡便拉开了灯，三姐发现是一根竹签，举起来问："怎么回事？谁使的坏？"小墩子睡得很沉，没醒过来。祖奶奶本来就没睡瓷实，睁开眼说："干什么惊惊乍乍的？什么大不了的？有一年屋顶上掉下一拃长的大蝎拉虎子，径直掉在我奶子上，我也没你这么咋呼过！"三姐随手把那竹签儿扔到了地下，但第二天那竹签儿却又出现在了小墩子的旧铅笔盒里。

后来二姐三姐都下乡插队去了，二荷和群龙都去兵团了，小墩子压上了切面。后来二荷先回来了，再后来有一天群龙也回来了。群龙跟二荷不一样，二荷是偷着一个人溜回来的。群龙却是有人开着小吉普车给送回来的。二荷跟群龙不是一个地方的兵团，所以二荷一点不知道弟弟的情况，群龙也一点不知道姐姐的情况，姐弟俩在家里见面时才互相知道了对方的不幸，而群龙的不幸更甚于乃姊。

群龙回来时没有了双手，是齐腕子那儿截去的。事情其实也很简单，群龙在兵团恋上了一位来自南方的姑娘，据说那姑娘也一直公开地属意于群龙。兵团里的人们都把他俩当做"一对儿"，常开他们的玩笑，但当群龙提出来要跟那姑娘结婚时，却遭到了姑娘的拒绝。因为那时候已经开始刮起回城的风了，姑娘当然盼着快些办回江南，并另有了回城后谋求更佳配偶更佳生活前景的想法。姑娘把自己的想法和打算也都一五一十地跟群龙说了，谁知就在那一晚，群龙跑到高压输电线的铁架子底下，往上爬，决心电死自己。但没想到遭电击之后，他只是发出一声撕心裂肺的惨叫，惊醒了整个连队，而人们跑去寻他时，他并没有被电死，而是被电流击碎了双手，疼痛得在地上扭成一条被火燎过的肉虫儿。后来他被送进医院，截去了腕下部分，成为了一个生活不能自理的废人……

群龙被送回家里以后，胡同里的同龄人里就开始叫他群龙，其实他原来的名字是京龙。他有个同龄人认为"群龙无首"这个成语的意思是"群龙无手"，便叫他群龙，一些人跟着叫，从同龄人往两头扩大，开始是小孩子们加入进来，再后来大人们多半为了议及他时省事，一提到他也便说"那院里的那个群龙"。时间一久，他自己也习惯了，叫他京龙他或许还一下子反应不过来，一听叫群龙他便立即转动身子，面对着声源。

群龙回来后的头几个星期没在院里更没在胡同里露面，但后来终于还是露面了，他头发乱蓬蓬的，胡子长得老长，而且也乱，衬衣上净是汤水污渍，衬衫袖口那儿秃噜着。他脸上没有一丝一毫的表情，径直地走出院子，走出胡同，不知道他走到哪儿去，去做什么，也算不清过了多少时候，他从胡同外头径直地走了回来，径直地走进院子，径直地回到后院他家屋里。后来人们知道那是他给自己放风，不过是到屋子外头走走而已，并没有什么危险，无论是对别人还是对他自己。再后来他开始自己上公共厕所解大小便，再后来他开始用小臂提着他家水桶到公用水管那儿接水，有人见了就帮他拧开水龙头，没人帮他就用小臂尽前头的那一箍节开关水龙头，居然也能奏效。他不让水桶盛满，开头是用小臂提小半桶水回去，后来是半桶，再后来是大半桶，不过他再也无法提一满桶水走动了。又过了些时候，他开始提着菜篮子去买菜，零票和钢镚儿都由家里人事先搁在篮子里头，居然也能顺顺当当地买回来；一两年过去，祖奶奶讲话，干什么惊惊乍乍的？人们对群龙的存在不仅已经不再吃惊、好奇，甚至已达到只当他并不存在的地步。

但当小墩子全家围坐在一起用餐时，仍不免有些难听的话扔出来，给二荷，也给群龙。

有一天大锛儿就一边跟爹对酌着白薯干酒，一边红涨着脸说："群龙他妈的还算人吗？给他个老婆他都不知道怎么搂！"

饭桌上，只有他爷儿俩有资格喝酒，并且一盘撒了蒜丁的凉拌黄瓜也单属于他们。祖奶奶、小墩子妈和她两个姐姐都直接喝玉米面粥，就着一大盘炒茄丝和一大碟酱豆腐吃大馒头。小墩子妈嫌儿子话难听，便顶回去："你他妈的倒知道怎么搂，可你那老婆在哪儿呢？"

大锛儿烧锅炉，对象难找，这话窝心。大锛儿又仰脖喝了一口酒，沙哑着嗓子说："二荷他妈的也嫁不出去，瞧那脸上的一窝猪血！"

这话更让当妈的听着不像个样儿。二荷户口问题工作问题那时候总算由街道上帮着写信联系给解决了，可二荷的右脑门上确实有块凸出来的红记，像趴着个血蜘蛛。头些年那闺女蓬头垢面的也没人理会她俊不俊嫁不嫁得出去，如今她在纸盒厂上了班自己也挣下了几个钱，学会了使润肤膏烫大花卷子头穿几件鲜亮的衣服，到底也有些个娘们儿味了。说实在的，大锛儿要再没个可对的象，她都打算老着一张脸去二荷她妈那儿试探试探了。当然连这想法也让自己窝心，且不说那"一窝猪血"寒碜，将来那小舅子不得成个大包袱一背到底？想着这些，当妈的更是烦躁，遂又对着大锛儿叫嚷："你也别眼珠子光往外头翻，你们屋里这几个，哪个又是能娶能嫁的？你就得打他妈八百辈子光棍儿！"

二姐三姐本来没事儿人似的在一边吃自己的饭，这话一出来都歪鼻子斜眼的了，三姐便说："我倒没嫁出去，可我也没往厕所里拉人芽子呀！"二姐也说："走着瞧吧，当我这么喜欢这个家哩！"

小墩子心里只是难过。不为二荷，为群龙。自打群龙回到院里，她就没跟群龙说过话。是群龙不理她。她倒试着要趁个别人都不注意的空儿跟群龙说话，群龙脸上没有丝毫表情，她的话出来了只是不应；有一回群龙又用小臂提着水桶到公用水管那儿打水，她看见了便过去帮他扭开关，打了半桶水，她要帮他提，生让群龙用小臂把她挡开了。她硬要再帮，群龙便用小臂打她的手，打得生疼，群龙管自用小臂提着水桶走了。她望着群龙那又亲切又陌生的背影，左手抚摩着右手被打痛的部位，只觉得心里头酸酸的。

二姐和三姐一齐跟妈拌嘴，三张嘴搅和些什么，小墩子都没听见，末后只有祖奶奶的一声厉喝传入了她的耳中："干什么惊惊乍乍的？！都给我好好吃饭！"

确实不必惊惊乍乍的。饭当然一定要好好吃。

自那顿饭以后，有一年二姐嫁了出去。大哥、大姐、二姐三家相继都有了后代，逢年过节就一块儿来家里团聚。屋里盛不下，院里也坐不开，有时一家人爽性就在院门外的臭椿树下支上折叠桌，来个大摆家宴。胡同里路过的人见了有来问的："谁办喜事呢？"乱哄哄中便有指着大锛儿和三姐的，大锛儿便乐，三姐便骂，小墩子心里只是想：怎么家里外人就都没有指着我问、指着我应的？

不久三姐也结婚。暂时没分到房，说是半年以后三姐夫他们单位就能给房，先在家里将就着。这样便只好腾出一间屋给三姐三姐夫当洞房，剩下两间屋，爹和大锛儿合住一间，祖奶奶、妈和小墩子一间。

　　大锛儿更没了好气。见天晚上和老子一块儿喝酒，连黄瓜都不就，揪瓣大蒜也算是下酒菜。大锛儿身子骨很像他爹，瘦，精壮，只是左右对称，不像他爹那样畸形。大锛儿自小是个大锛儿头，而且是前后锛儿，也就是说他额头和后脑壳都相当凸出，有人说那是聪明人的相貌，可大锛儿自打上学以来就简直没及过几次格。他那工厂的锅炉房改造成自动加煤自控燃烧的新设备以后，重体力劳动变成了只需用大部分时间看仪表，小部分时间帮着卸煤装煤斗的轻体力劳动。可大锛儿怎么也熟悉不起那些个表盘，他说还真不如跟以往一样抡大铁铲子往炉膛子里散煤痛快……大锛儿碍着三姐夫的面子，不好拿三姐出气，就拿小墩子出气。有一回爷俩儿都喝得烂醉，爹就冲出屋子把妈拉进去一顿臭揍，而大锛儿就冲出屋子不论三七二十一地一巴掌把小墩子打倒在地。小墩子当时正坐在铺板上为自己剪裁一件人造棉短袖褂子，手里还握着剪刀。她便坐在地上，手里挥舞着剪刀，厉声对大锛儿说："你敢再动我一下，我就剪了你！"大锛儿竟满脸狞笑，又着腰对她说："剪我？你他妈先把你底下那儿剪开吧！你都二十嘟当了，怎么还跟家里窝着？都找不着个男人把你揍了？！"小墩子狠命站了起来，狠命地朝大锛儿扑去。这时候祖奶奶走进屋子，站在门口大声叱责说："干什么惊惊乍乍的？都给我老老实实待着去！"小墩子便定住在一个攻击性的姿势上，而大锛儿也醒了一半酒，跟踉跄跄出了屋，里屋也停息了喧闹。不一会儿小墩子她妈头发散乱地出了屋，扣着扯开过的衣服扣，也不说什么，坐回铺板上去，继续帮小墩子裁衣服。小墩子也便蜡烛受热般地软化下来，握着剪子和她妈坐到了一处，而里屋不一会儿便传出了小墩子她爹的鼾声，非常之雄壮。

　　小墩子确实二十嘟当岁了。有一天粮店经理在开会的时候念了一封顾客来信，信上说她来买切面的时候，看见压切面的女同志一双手很脏，指甲盖里都嵌着黑泥，像镶了一道乌金边，而且脸上也不干净，像是长着一片癣，她说这样的切面让人怎么买回去吃？……不消说信上所说的那位女同志就是小墩子，经理念信的时候大家就都把目光汇聚到小墩子身上手上脸上，小墩子真恨不能有道墙缝可以钻进去。她想起土鳖虫儿来真是感到亲切，为什么人活在世上就总得让别人盯着说着？土鳖虫儿多幸福，有个小小的墙缝儿一钻，就什么也不用去应付了。

那以后小墩子被扣发了一个月奖金，又被调离了压面机，调到一个仓库去了。但小墩子自那以后忽然有了一种鸿蒙初开的自觉性，而且仓库自设的澡堂淋浴起来又很方便，她变得讲究起清洁卫生来，她又按时往脸上擦治癣的药膏，原来那癣也并不怎么难治，没有多久便整个儿消失了。她洗头开始用华姿系列，即香波、护发素和发露一式三瓶；她刷牙用蓝天牙膏，往脸上抹奥琪增白粉蜜。她开始注重穿着，懂得要把腰尽量勒得细点，穿上高跟鞋走路时要尽量挺胸收腹。不知不觉之间，连大锛儿也对她刮目相看了，有一天就眯着眼对她说："这才真算是个娘们儿！可惜还是没人要，跟我一个样儿！"大锛儿虽说把自己也赔了进去，不算骂她，可她心里却有如刀割。她也不明白：为什么就没有小伙子追她？

让小墩子反过来想：为什么自己就不去追小伙子？那是有一天她从仓库下班回来，路过胡同外的理发馆时，猛然间脑子里划过闪电一般，突然冒出的一道光，居然照彻了她整个儿的灵魂。

从理发馆里出来一个人，把她吓了一跳。

那是群龙。

真的吓了一跳。因为群龙面目一新。她想不出群龙自从无手以后，那头发那脸上的胡子楂儿，是怎么长了去短的，大概总是他爹他妈或者遇上二荷心情好些的时候，凑合着帮他剪剪刮刮吧。因此几年里头群龙就总是灰头灰脸的没个鲜洁的时候。这天不知怎么的群龙跑理发馆理了发还刮了脸，是全活儿，肯定还洗了头吹了风刮了边抹了油，呈现于她眼前的群龙俨然一个英俊的男子汉。这天他的衣衫也异常整洁，脚上还穿着一双擦得锃亮的皮鞋，如果不特别去注意他那衣袖下的两个空缺，那他不是一个非常完美的人物吗？

她大声招呼："群龙！"

群龙听她招呼才看见她，站住，立即脸红了，仿佛小偷行窃时突然被人抓住。但群龙脸上的红晕迅即消除，整张脸又冷冰冰的毫无表情。

"群龙，你今儿个真帅！"小墩子凑拢他，亲亲热热地说，"你早该这样儿了！"

群龙呆呆地站着。脸上仍无表情，但眼里闪出几分惊讶，几分疑惑。

"群龙，你干吗总不理我？"小墩子心里痒痒的，像有个蛾儿想冲破茧子飞出来，却费了老大劲也总冲不出个缺口，她嘴唇哆嗦着，却怎么也说不出下面的话来。

映入群龙眼中的小墩子，也让他大大地吃了一惊。好多年没正眼看过这位邻居了，现在发现她居然烫了一头小鬈鬈，脸庞虽说还是黑黄的底子，但洗得非常洁净，脸颊依旧红喷喷的，令人想起已经熟了但还没有熟透的苹果，衣领开得很低，丰满的脖颈下挂着一串不值钱但很好看的绿珠串……尤其令他吃惊的是，为什么小墩子会对已失去双手的他投以那样的眼神，并且好像满心满意要跟他说什么却又居然一下子说不出来……

他本想转身离去，却拉不开脚。小墩子却突然不再说什么，只是两手紧紧张张地在自己的一个人造革挎包里掏腾什么，后来，掏出来一样东西，仿佛贼娃子被迫交出赃物似的，颤抖着举给他看。

群龙看不明白。但他心里开始有爪子在抓挠。当年他跟那个江南女子在兵团里，相会时就有那种爪子抓挠的感觉。他嗓子发涩，他觉得是一种不祥之兆。

小墩子举着那样东西，抿着嘴，望定他，不，是瞪着他。小墩子恨他居然认不出来。

确实认不出来。

小墩子不得不提醒他："那根红果冰棍……现在没那么便宜的冰棍了……那时候三分钱一根……"

群龙还是没悟出来。但心上有尖利的爪子抓得好痒。

"你这个大傻帽儿！"小墩子喊了出来，"这就是那根冰棍的竹签儿！看真了吗？我一直留着没扔，没扔！……看见你没了两只手，回了院里，鬼一样活着，我、我还是没扔……"

群龙只觉得胸膛里那只爪子一下子抓破了他的心，血仿佛从心里喷了出来，阳光下，他发现小墩子手里举着的那根竹签仿佛闪着些十字光芒……

街上过往的行人没有注意他们的。

在这个伟大得不能再伟大的世界上，他们渺小得不能再渺小。

一个是所谓的胡同串子。何况还失去了双手。

一个是所谓的胡同土鳖婆儿。何况才刚刚去掉了指甲上的乌金边和脸上的癣斑。

那一年的秋天小墩子妈发觉小墩子连续两个月没来例假。经盘问，小墩子承认有那么一回事儿。三姐陪她去医院做了青蛙试验，呈阳性反应。妈和姐姐们既轮流又合伙儿问她，究竟跟谁？她只说："我自个儿乐意的。我不说。你们别再问。我现在也不打算嫁人，你们再来烦我我可就要跟你们闹了。"爹听说了这事一声不吭，大锛儿有一天趁别人都不在就凑到她跟前，很痛心地说："墩子！是我不好！是我用混话把你激的！我还是人吗？你扇我耳刮子吧！要不我自己扇，替你扇，你要我扇多少个？"说着举起巴掌就真要扇。小墩子一把抓住了二哥的大巴掌，她一生里头一回抓住二哥那巴掌，这才觉出手上都是老厚老厚的茧子。那年月到处都开始讲究学历，讲究尊重知识和知识分子，小墩子他们仓库，大锛儿他们工厂，也都如是。但他们却都在所讲究的范围之外，而且也不大有补救的可能；小墩子毕竟是女的，找个人嫁出去还不算太难，大锛儿就确实难办了——小墩子嘴里没说什么，可已经先一步领略了那个快乐，大锛儿整日里满嘴荤话，一喝醉了更是污言秽语仿佛天字头号大流氓，但小墩子知道，他直到那天可还是个地地道道的童男。小墩子想到这儿就握住二哥的巴掌没有放，也说不出所以然来，却吧嗒吧嗒滴下几粒眼泪到大锛儿的手背上。那眼泪只有几粒，可以数出来，大约不过五六粒，滴到大锛儿手背上却并不马上流动，圆圆的定在那儿足有好几秒。

大锛儿不明白，这是怎么啦？他忙把手从妹妹手里抽了出来，极不得体地问："谁欺侮你了？是谁？告诉我，我把丫的花了！"

祖奶奶走了进来，照例吆喝说："干什么惊惊乍乍的？什么了不起的！都给我该干啥干啥去！"

小墩子做人流手术后的那两年，这世界仿佛猛地抖擞着加速了变化，即使是他们那条小小的胡同、那个小小的杂院，也有种毛毛虫变成了花蛾子的感觉。家家都有了电视机，区别只在带不带色儿和尺寸的大小；家家都有了洗衣机，区别只在单缸还是双缸，下泄水还是上泄水；一到夏天大多数人家都有电扇在呼呼地转；虽说院里的老房子还是那么陈旧，盖出的小房子一再翻修也强不到哪儿去，但房子里头的旧家具大批地淘汰了出去，迎进了组合柜、弹簧床、落地灯和转角沙发；时兴往地上铺化纤地毯或地板革，往墙上悬些个壁挂，往花瓶里插些个人造花；有的家还置了电冰箱和组合音响；到夜里，有的家燃着些红红绿绿的串儿灯，或蓝幽幽金晃晃地转动着变幻着图案的光纤灯具，胡同里院子内外便飘荡着一些邓丽君费翔的流行曲音韵……

但更大的变化是人。毛毛虫一旦从茧里冲出来，成了花蛾子，谁还认得出来？自己照镜子，也跟做梦一样。

比如二荷，谁知道她是怎么从纸盒厂又跳槽到了商标印刷厂，又怎么跳槽到了一家广告公司，并且天知道她怎么会有所谓的公关能力，并且怎么能学会了英语，虽说至今发音不准，外国人和中国行家都说她有点怪腔怪调，但她偏敢张嘴，而外国人也偏能听懂！又有谁再讥笑她脑门儿上"一窝猪血"呢？如今有那冷冻疗法，激光疗法，外加外科手术，跑了半年医院，她竟将那块记彻底根除了，简直不留什么疤痕。她的发型总那么时髦，喷着最贵的啫喱发胶，她每天细心用眼影膏上眼影，描眉，用睫毛器修整睫毛，又细细勾出眼线，她用最好的美容霜，用淡红的唇膏、淡紫的指甲油，她有好几套互相搭配的耳饰、项链和手镯，她只穿从秀水东街采购来的时装，只穿从白孔雀艺术世界买来的皮鞋，肩上只挎手里只提同身上相匹配的珠串包或真皮包。她早已不在家里住，但倒经常回到那条胡同那个杂院看望她的父母和她的弟弟群龙。每次总是坐一辆"的士"抵达门口，先对坐在门口大臭椿下的祖奶奶亲热地打招呼，然后咯噔咯噔用高跟鞋鞋跟敲击着院里的地面，散出一路的香水气味，跟遇上的这个那个邻居点头问好，一阵风似的刮回她的老家去。

但都知道二荷并没有跟谁结婚。她有一套两居室的单元，在三环路边上，独自住着。那单元好像既不是单位分配的，也不是她自己花钱买下的。问她，她说是借住的，但谁又相信有人能白白借给她住呢？

毛毛虫变成花蛾子的二荷，自然引出小墩子家新一轮的议论。那时小墩子三姐三姐夫终于分到住房搬走了，但回娘家最勤的是三姐。三姐变化也很大，已成为那个百货商场一层化妆品组的组长，她自己虽然打扮得大不如二荷，但她对各种化妆品那绝对门儿清。那一年那一天她又回娘家小坐，时逢二荷也一阵风地刮进里院回自己老家，三姐便皱皱鼻子说："二荷准不是正路子！她身上的香水连我们商场都没进过货，那只有友谊商店才有卖的，是正宗法国巴黎香水，准是她洋妞头擩给她的——那香水的牌子叫'毒药',听听!敢叫'毒药',得有多贵!她搞什么公关,整个儿是臭婊子一个!"大锛儿虽说还没结婚,但有了对象,正怕人家嫌他野蛮,所以那一阵子说起话来尽可能地文明,便疑惑地问:"按说当那个……交际花儿吧,总得盘儿是盘儿,条儿是条儿,二荷她就是把上万块一瓶的香水整天地洒到身上,又有哪点儿招人呢?"三姐便教训他说:"你懂什么,如今女的时兴她那么个模样儿,脸盘儿不要圆圆乎乎,也不要瓜子仁儿,倒要带棱带角,也不时兴细皮白肉,倒是咖啡那么个色儿最好,腰身也不要一个劲儿地苗条,讲究三围,就是说腰围虽然要小,胸围和臀围倒越大越好,侧着身看,前头上凸后头下鼓才叫大美人儿……"大锛儿听着不住地点头,心里头暗暗称喜,这么说他那个对象脸盘儿圆圆乎乎,侧面看身条儿上下一般儿粗,不是时髦抢手的货,倒多了几分安全感。小墩子听着却并不关心二荷的美丑,她只在紧张地想:二荷如今自己挣出了脸,手里头也有了几个钱,对群龙也更讲究起姐弟之情来,她会不会给群龙介绍些个有所图的对象,而群龙又会不会动了心依了二荷呢?

群龙的变化也真不小,原来那一年那一天他去理发馆修整门面,是已经得到了残疾人协会方面的许诺,贷款给他先安装一双假手,然后安排他到一个福利工厂工作。他装上那假手以后虽说不能恢复到健全人的水平,到底能自己吃饭穿衣梳头洗澡和做简单的事了;如今要是不知道他的真相面对面地同他交谈,你只会觉得这人怎么不管天热也总戴着手套,是不是有点古怪,而绝不会感到他是一个残疾人……

那一年那一天二荷没跟家里待多久,就又出来了,后头跟着她弟弟群龙,群龙也穿戴得整整齐齐,是一套灰蓝的西服,还扎着领带。二荷和群龙走到院门口时正遇上小墩子和她三姐,二荷便满面春风地跟她们招呼,三姐便问:"怎么着?是带群龙去见对象吗?"二荷含混地嗯哈着,群龙眼望着小墩子只是不住地摇头,小墩子抿着嘴用两眼直勾勾地盯着他……

门外的出租车一直在等着。二荷和群龙坐了进去。三姐望着出租车说:"嗬,香格里拉饭店的!那可是五星级的,实行跪式服务哩!"

汽车开走了,转瞬消失在胡同口外。小墩子觉得一颗心被剜了出去,胸膛里有一种空虚感。

祖奶奶依然坐在大臭椿树下的破藤椅上，天气很热，她却不再赤膊，穿着小墩子为她缝制的真丝无领无袖衫，她家所有的人都不再当众赤膊，大锛儿也给他爹买了几件汗背心，让他出屋时就套上；但祖奶奶不让家里人给她换把新藤椅，那旧藤椅已经快散了架，便只好由大锛儿用尼龙绳细细地替她又扎了一过儿，补衬进一些个竹片儿，小墩子她爹也拒不换饮比那白薯酒更好的酒，至多只接受二锅头。逢年过节大儿子、大闺女、二闺女、三闺女回家给他提来的好酒，倒都便宜了大锛儿；祖奶奶依然摇着那把旧蒲扇，裂开的地方她都让小墩子妈用线给缝合了，她觉得扇出来的风来一点儿也不比往年差；当小墩子和她三姐望见二荷群龙坐的那辆出租车消失在胡同口外，转过身来时，祖奶奶便对她们现出一个司空见惯的表情，而姐妹俩便不约而同地代她说出那句必定又要再说一遍的话来："干吗惊惊乍乍的？什么事儿也没有啊……"

有句老话道是乱世出英雄。如今不是乱世，但可称变世。变世更出英雄。

小墩子万没想到那一年那一天她居然成了仓库的英雄人物。

那天下午，一辆运货车运来了60箱方便面，刚卸下十来箱，小墩子和几个搬运的人就闻着有股子哈喇味儿。小墩子便跟同伴们议论："先别卸了，这面都变味儿了！"

可押车来的人和仓库里一个外号叫"白条儿"的业务经理都吆喝着让抓紧时间快卸。

小墩子便走到白条儿面前跟他说："面都哈喇了，这货不能要，该退回去！"几个同伴站在她左右也都是这么个意见。

白条儿三十多岁，长得细皮白肉，细高挑儿，鼻梁两边的白皮儿上撒满芝麻粒大的褐色雀斑。他对小墩子他们说："你们吃过多少种面？这面就这个味儿，这是个洋味儿，你们不要土老帽儿，外行！瞎掰！给我继续卸去！"

别的人也就懒得跟他论理了，独小墩子一时吞不下这口气。从头两年起，她就最恨人家把她看成无知无识万事不该插上一嘴的土鳖虫儿，再说这仓库已经几回因为发出去的货让销售点判定过期变质给退了回来，最后只好在门口摆摊儿降价大甩卖；仓库作为中转站总赔钱，已经好久发不出一分钱奖金；渐渐又传出了白条儿通过明知过期变质还接收来货自己偷偷拿取厂家回扣的说法……种种因素积累既久，又让白条儿那傲慢的态度一激，小墩子便一不做二不休，当场用力撕开了一个纸箱子上的胶条，几下扒开了箱盖，取出一袋方便面刺地撕开，搁鼻子根底下闻了闻，便传递给同伴们，亮着嗓子说："这还不叫哈喇了吗？"接着她又撕开了几包，扔了一包给白条儿，自己又嚼了口手中的一块，又使劲把嚼的啐了出来。白条儿还在那里狡辩，几个同伴可都发了话："这包装纸也不对头，不光哈喇了，这根本是假货！""任是谁也受不了这份味儿！"有个外号阿臭的小伙子更从他手里的那包发现了一只小虫儿，递给了小墩子，小墩子便将那包有小虫儿的方便面直杵到白条儿鼻子下边。白条儿恼怒了，一巴掌把那包方便面打飞，舞着胳膊嚷："甭废话！这儿听谁的？给我卸！有什么意见卸下来再说！你们不卸，我自己卸！雇临时工卸！"

那押运的人和司机便又开始往下卸，白条儿也果然亲自动手，倒让周围仓库里的人都愣住了。

谁知小墩子略一犹豫，便突然掀开驾驶室的车门钻了进去，一屁股坐到司机座上，又从车窗里伸出头来，高声宣布说："我跟这儿坐定不动了！白条儿，你，你们，敢动我一手指头我就算你们耍流氓！我敢跟你们拼命！信不信？！"又对其余的人说，"大伙儿别慌！听我说，我的意思是打今儿个起，咱们不能再这么糊涂下去了！不能让白条儿跟一些人勾着作弊，坑国家，坑顾客，也坑咱们。他拿着回扣，帮人家往外推这号劣货，让人家把国家的钱赚过去，捅出的窟窿让咱们全仓库的人给背补。都几个月了，咱们谁拿着一分钱奖金了？再这么下去，怕连基本工资也发不出来哩！嘿！你们还愣着干什么？把那卸下的都装回去！阿臭，你去给局里打电话，让他们头头脑脑都来，都来看我怎么无法无天，霸住这汽车不让人开走！……"末了又冲着白条儿、押运人和司机说，"你们看怎么办？是把货退回去，还是等局里来人，还是这就把我宰了？"

车下的人全被她这一番发作弄得目瞪口呆。阿臭倒是刚一回过神来便跑着去给局里打电话了。

结果是白条儿惨败。局里后来进驻了调查组，查出来很多问题，白条儿退赔了一大笔钱，免了职，灰溜溜调到另一个单位去了，他庆幸自己总算没给抓起来判几年。

但那仓库因此也就面临着取消的命运，局里的领导来开了全体会，说这取消不是让大家失业，而是要改变原有机制，绝大多数商品今后都由厂家和销售部门直接挂钩供应，这样也就更可以避免因中转拖拉形成的过期变质问题；他让大家都来出主意，看削减仓储批发任务后，剩余的职工还能开发出些什么对社会有益的经营项目？

在这样一种背景下，便出现了一辆停泊在闹市区街头的、漆成奶白色有蔚蓝色条纹装饰的快餐车。快餐车上设有操作间，有外卖的窗口。一开头，品种比较单一，只卖一种一块钱一串的炸羊肉串，一种当场大桶制作零杯出售五角钱一客的橘子汁，以及一种两角钱一只的小圆面包。快餐车开张以后，生意出人意料地火爆，尤其那烤羊肉串，物美价廉声誉鹊起，吸引了越来越多的回头客。

当年曾跟小墩子他们家同住过一个院子的那对闻氏夫妇，男的早找路子调到报社当了记者；女的虽然还留在机关，但拾起了原来的英语专业，时常参与外事活动，充当翻译。那一年那一天是个星期日，他们带着女儿逛完公园，又沿街散步，结果就走拢了快餐车。买了一把羊肉串，站在车外的空地上歪着头吃，都说这儿卖的羊肉串嚼起来怎么那么嫩，味儿怎么那么香，怎么有种别处都比不了的特殊感受。正赞着，那闻家女主人便对丈夫说："咦，快餐车里头那个女的怎么那么眼熟？"闻家男的望过去，没看真切，他们的女儿便一迭声地问："谁呀？谁？"但直到退回串羊肉串的钢扦子，离开那快餐车，走得老远了，闻家女主人才猛然一拍手，想了起来："是小墩子啊！"她丈夫也恍然："对对对，像是她……"他们的女儿便又一迭声地问："小墩子是谁？怎么会叫这么个名儿？女的怎么能叫墩子？"父亲便对她说："你自然不记得，那时候你小，我们又总把你搁姥姥家住着……"母亲便自言自语："真的，祖奶奶家怎么给个女孩子取名叫墩子呢？……"又不禁自笑，"真的，干吗惊惊乍乍的呢？"

小院那间东屋外面的洋槐树依旧一株东倒，一株西歪，入夏又开出一串一串奶白的洋槐花，溢出阵阵爽人的香气。接续闻家入住的更年轻的两口子到那一年夏天也迁了出去。他们的迁出是二荷的一种安排，二荷通过"房虫儿"给他们倒换到一个楼房里的独居。二荷换下他们那间东屋不为别人，为的群龙，群龙早盼着有间纯粹属于自己的小屋。有了这间小东屋，他可以不受干扰地独处。

那一年那一天的下午，小墩子去那东屋里看群龙。那时候小墩子跟餐车还没发生关系，还在仓库里干活。

小墩子问群龙："怎么这些天没见着你去福利工厂，是病了吗？"

群龙举举手说："我这号人，还有什么病不病的，凑合着活吧！"

小墩子打量着小屋里的摆设，俨然一个小书房，两个上头是玻璃拉门下头是木头合页门的书柜，虽说没放满，却也很有不老少的书，都挺新的，也还有几样小摆设。其中最刺小墩子眼的，是两个小洋人造型的瓷器，一男一女，正拱着屁股亲嘴儿；小屋里有群龙的单人床，还有一张挺大的书桌，书桌上居然摆着些文房四宝。

"你倒挺不错的！"小墩子说。

"有什么不错！心没死绝就是了！想用牙叼着毛笔练字儿，有练成的人，我也试试。可你看我是那么块料吗？"

小墩子站在屋当间，窗外洋槐树把一片绿幽幽的荫凉送进来，却并不让她感到舒适。她觉得群龙比以往离自己更远。

"你们那儿怎么样？"群龙问。因为一时找不到别的话说，所以问这个。

"还能怎么样？让那个白条儿弄得一团糟。这不，眼看要撤销了，让自谋出路哩！"

群龙不知道谁是白条儿。他只知道白条儿是一种又叫柳叶窜儿的鱼，差不多凡有水的地方都有，最多，最贱，吃不中吃，看不中看。他就没说什么。

"二荷真是大发了！能把你这么样地供着！"小墩子自己坐到群龙床铺上，面对坐在转椅上的群龙，感叹地说。

"二荷出力不少。可这其实……其实全是我自个儿挣的……"群龙说。

"你挣的？蒙谁呢？"

群龙也不解释，便问小墩子："你怎么就不想点儿法子，也发一发呢？如今谁逮着机会，谁都能发！"

"那么容易发？总得先有本钱，才能发！我要有本钱，我就能发！……"

本是有一搭没一搭地说话，说到这儿却忽然惹出了小墩子的一腔牢骚，她在发牢骚的过程中，也就讲出了她们单位那儿的事：仓库上管局，原先有人承包过一辆快餐车，卖盒饭，现在那承包的主儿办了自费出国，不干了，局里正招新的承包人哩。本系统的人最好，要承包，就辞掉公职，接过去干，但上交款额的标准提高了。另外，谁要承包，这回局里只提供执照，提供餐车，却不提供流动资金。流动资金要自筹，起码得先拿出5000块钱的现款……这话放出来有一个多月了，至今也没找到承包人。想承包的，比如她们仓库的那个阿臭，拿不出5000块钱来，能拿出5000块钱的主儿，却又不想去冒风险承包……小墩子说到最后把大腿一拍："我要有5000块，我就承包，我就不信偏我穷一辈子，偏我发不了！"说到这儿，小墩子猛地回忆起十多年前，就在这间屋里，发生过的那些事儿。那时候冒险，不过只是为了4毛钱，如今要再冒险，得奔个4000、40000！当然，闻大姐说得对，再别用亏心的法子，承包，那不是如今政府支持的，过了明路的发财路子吗？唉唉，哪里能倒腾出5000块钱就好了！

小墩子万没想到，本是一番闲话，说完之后，群龙的一双眼睛却像手电筒一般陡然亮了起来，而且，竟让她乍听几乎觉得自己是听岔了——群龙面对着她，露出一嘴白牙，说："5000吗？5000块就行啦？成，墩子，我给你拍出5000！"

小墩子瞪圆了眼睛盯住群龙，群龙又把那意思重复了一遍，小墩子不由得问："别逗了！你哪儿来的5000块？二荷的我可不要！"

群龙就告诉她："我有！我拿得出！实对你说，我有两万哩！你别眨巴眼儿，我只告诉你一个人儿，你别再跟别人说去……哪儿来的？命挨的！你不是早就看见了吗？！"说着，群龙便把一双手，一双接在截肢上的塑胶假手，举起来给小墩子看。小墩子一时还是不能明白，群龙激动了，在转椅上挣绷身子，鼻翅儿一扇一扇的。

小墩子就站过去。群龙把转椅一转，用后脑勺对着小墩子，小墩子便用双手捧住群龙的头，把他那后脑勺贴到自己热烘烘的胸脯上，正处于两个凸起的乳房中间……

"群龙，你怎么、怎么了？"小墩子怜惜地用手抚摩着他的头发。

群龙感觉到一种女性肉体所传达出的特殊温柔，并且感觉到了小墩子心脏加速跳动的脉息。他有几十秒钟任小墩子抚弄没动，但他突然举起小臂挣脱了小墩子的控制，把转椅滚到远处，转回来，面对着小墩子，做了一个让小墩子坐回去的手势。

小墩子坐回床铺了，他这才把怎么一回事儿讲给了小墩子听。

原来，二荷在她的那些个广告业务活动当中，偶然结识了一位海外华人，又接触到了那海外华人的夫人，那夫人竟是当年害得群龙爬高压输电线铁架子寻死，遭电击失去双手的那个江南姑娘！一来二去的，二荷便提出来那夫人应当赔偿群龙的肉体损失和经济损失。那夫人和她那丈夫听了二荷讲述群龙的生活状况后，深表同情……但二荷提出的价码极高，人家最后的回应却是只愿赠与群龙两万人民币。那丈夫出面讲了这样一番话："这是个悲剧，但我夫人没有丝毫的法律责任，因此赔偿一说是不能成立的。况且事隔多年，我们又是两种护照，打官司你也没法子打的；再说也无所谓私了，这事早就了了；只是我们对令弟的境况都很同情，所以愿意赠与他一笔钱，他可以存入银行，每月有一点利息，按大陆的生活标准，一个人过简朴的生活，该够用了……"二荷想了想也是那么个逻辑，群龙当年是自己寻死，人家又没害他，便替群龙应了。但人家最后一定要群龙自己出面接受那笔赠与，群龙开头死活不干，说："我的手早炸烂了，难道到如今还卖它？卖它就这么个价码？一只才一万？再说，我怎么还能见那个娘们儿？她又怎么还有脸见我？"但二荷劝，父母也劝，到了群龙还是去了，就是小墩子和三姐在院门口遇上他们姐弟、门外头有辆出租汽车等着的那一回。他们姐弟去香格里拉饭店，在豪华的西餐厅里接受了那两万块的"赠与"……

小墩子一听群龙的钱是那个当年甩了群龙的女子给的，心里就发堵，她立马说："她的钱！我不要！"

群龙便说："怎么会是她的？到了我手里，就是我的！我给了我爸我妈2000，布置这屋子买这些个东西花了1000，要给我姐1000她说不稀罕，没要。我存了10000的死期，5000的活期，活期正好取出来给你去当流动资金，你快把那快餐车承包下来吧，我保你发，大发！"

小墩子心里活动了，但一时不吱声。

群龙又说："我跟她这辈子再不会见面了！说实在的，我早跟她一刀两断了！

那天见着她，我都吃惊，就她那么个娘们儿，也值当我去死？值当我去掉两只手？"

小墩子抬眼望着群龙，群龙也正望着她，她心里一热，只觉得群龙说的是"你才值当我去死！才值当我去掉两只手！"

小墩子便说："好呀！那你就拍出 5000 块来，咱们合伙干！"

群龙却说："不！你要把我算上，我就不往外拍！你去局里只说你找人借的，要么说你从家里人那儿凑的。跟谁你也不能漏出去，是我拿出来的，我爸我妈二荷他们，我都不说，你能说吗？只有天知地知你知我知！你要发了呢，你就还我，也不许给我红利什么的；你要赔了呢，这 5000 算我白扔，再让我帮着赔补我也不干……你都得依着我，你依我吗？"

小墩子不知道群龙为什么有这么一大套的想头，可她觉得群龙离自己反倒又近了，她就忍不住站起来，又要去抱群龙的头。群龙把转椅移开躲着她，她便去插屋门的插销，群龙制止她说："别！不成！我妈随时能来！"

小墩子便又去抱群龙的头，群龙用小臂把小墩子打开了，打得小墩子小臂生痛，小墩子感到惊讶，便问："怎么啦，你？"

群龙就说："别这样。你我不般配。不合适。"

小墩子急了："怎么不般配？怎么不合适？"

群龙脸上没一丝笑容，像是在宣读一道判词似的说："我想过了。咱俩不成。上回……上回那以后我心里头矮了一截子。我打算一个人过，过一辈子。要成家，也只能找个也有残疾的，我心里头才舒服。实话跟你说了吧——你让我不舒服！打心里头不舒服！你自己也该明白！"

小墩子便有点明白。过了十来秒又明白了一大半。小墩子无话。

那一年那一天过去后的第三天，小墩子便承包了那辆快餐车。

后来那个姓闻的记者写了一篇报告文学登在一本什么杂志上，说小墩子的快餐车开张不易，为了让炸出来的羊肉串一炮打红，她愣是大暑天三个月没下车，在高温油锅边连轴儿奋斗，乐不知疲。

这报道基本属实。当然，揪死理的话，也不能说那三个月里绝对没下车，车上没厕所，大小便总还得往公共厕所去。不过除了去办必办的事，小墩子也真是差不多有一百来天整个儿是泡在了那活动面积不过十来个平方米的快餐车上。

小墩子有两个合作者，一个就是阿臭，另一个原是局里的干部，有大学文凭的，外号 ABC，简称老 A。阿臭是自己愿意小墩子也招呼着的，老 A 是厌烦局里的古板气氛，用他自己的话说是"为了透口气"，硬凑上来的。小墩子因为拍出了流动资金，承包的时候执照上写明了她是法人代表，所以是名正言顺的老板；阿臭负责跑原料，因为议定了上炸羊肉串，所以羊肉、油料、配料，包括孜然什么的，都由阿臭去张罗。阿臭在张家口有亲戚，这很重要，因为口外的羊筋少肉嫩，又有亲戚照应，就能少花钱多买肉；老 A 负责成本核算，以及一切账目方面的事儿。

阿臭和老 A 原觉得小墩子一个女流之辈，特别是老 A 更心中鄙夷她是个没文化的土鳖婆儿，对小墩子不怎么服膺。

那是快餐车头一天开张卖炸羊肉串，生意正火，忽然来了两个人，板着脸，说是什么什么机构的，问他们的羊肉可经过检疫？阿臭五大三粗，偏偏怯上，一见来人派头挺大，舌头便拌了蒜；老 A 便迎上去递烟，又满嘴滚珠般地介绍他们的炸羊肉串如何如何别有风味，还让车上雇的安徽小姑娘马上递过几串来让来人品尝，人家都不接，一副公事公办的模样，只是铁青着面皮问可有检疫证明。那时刚开业，阿臭跑来的口外羊都是在德胜门外屠宰后，就近在他家里剁碎串成串儿，再送到这餐车来开炸的。屠宰场有检疫这一环节，他们的羊肉本是通过了检疫的，但阿臭想不起来开没开过检疫证明，老 A 也拿不出证据。那两个人就让车里的安徽姑娘停炸，外卖窗口外头的顾客见状便有的散去，已经买到手的便迟疑着不敢下嘴，有的还要求退款。阿臭急了，便欲动粗，老 A 脑门上也沁出了汗珠子。恰在这时，小墩子从工商局补办完一桩手续回来，她穿过围观的人群，拐到后车门，阿臭便红头涨脸告诉她怎么回事。老 A 忙把那两位来人介绍给她。小墩子心里头起火，因为快餐车还没开张，就已经除了工商、税务方面，又有市政、市容、环卫、交通、人防、联防、防疫、供电、供水、公汽、煤气、街道、房管……不知道多少个部门找上门来，应付得她脑仁儿抽筋，但现在既然当上了老板，少不得先赔上笑脸，便低下声气问："真对不起您二位，我是法人代表；有事跟我说。怪不好意思的，咱们都亮亮牌牌儿吧……"说着便从衣兜里掏出承包证卡用小夹子夹在衣兜边上，那意思是请两位来人也亮出他们的证件。那两位确实是有关部门的，却偏偏只一位带了证件。阿臭、老 A 一看便要灭他们的威风，小墩子却一个手势制止住了他们，笑笑说："谢谢您二位对我们的关心，对顾客的关怀。我们的羊肉在屠宰的时候都经过了检疫，检疫合格的蓝戳子就盖在羊肉上了嘛，我特意都拿来存在了这儿的冰箱里……"说着便坦然地登车、开冰箱，取出几块没有剁碎的、恰盖着"合格"、"验讫"字样的羊肉，展示给他们，并又递给阿臭和老 A，让他们展示给围观的顾客和路人……

那两个人灰溜溜地走了，阿臭和老 A 齐声问小墩子："你怎么会有这么个心眼儿？"小墩子鼻子里哼出一声："你们要当了老板，心眼儿比我还得细！谁能让自个儿的买卖栽了哩！"这件事过去，小墩子的快餐车反得了个"羊肉又精又保险"的口碑，生意一天比一天红火。阿臭和老 A 对小墩子算是服了。

小墩子张罗这买卖也不是光忍气吞声，坚持讲理。有一回离她那快餐车 50 米开外的存车处的一个老婆子，打着什么"车管会"的旗号，来跟她交涉。说是她那快餐车左右没有存车处，是不准自行车随便停放的，可净有那骑自行车的人路过，见卖炸羊肉串便停下来买着吃，车自然随便那么一支，因此违反了"车管会"的有关规定；那老婆子说至这儿时小墩子一条眉毛已然挑上了脑门，没等那老婆子把那要罚她款的意思吐露完，她便毫不留情地骂了回去，老婆子脸上搁不住，便回骂。小墩子索性两手一叉腰，挺着脖子骂了个一溜够，怎么荤怎么来——反正那时候快餐车也已经关板，而各行各业的执法人员除了假充水仙的洋葱头"车管会"以外，也都正在家里吃晚饭，过往的行人也闹不清她二位的身份，所以小墩子便借机把多日压抑在心底的郁气尽情泼洒了出来。结果那老婆子只好"惹不起躲得起"地落荒而逃，从此再没有什么"车管会"来人骚扰。

女老板小墩子就这样开创着她的业绩。头一天卖完了所有的羊肉串，关板的时候，老 A 让她点钱。小墩子只坐着笑，不用点，她心里雪亮。羊肉串是 1000 串啊，那光羊肉串就进了 1000 块钱，加上果汁和面包，怎么也有 1200 左右，固然还得扣除原料钱、工钱、税钱什么的才算得上是赚头。可流水 1200，这么大一笔钱一下子就汇聚到了钱匣子里，还是不能不让她激动。车里很热，固然有电风扇，那能抵多大的事儿？她舍不得喝自己的冰冻果汁，也不想喝，她心头蓦地出现了冰棍儿，红果冰棍，哦，那时候红果冰棍只要 3 分钱一根，现在自己的钱匣子里有 1200 块钱，那该是多少根红果冰棍？她心算着，算得心慌，算得心疼，算得心悸……

那合 4 万根红果冰棍啊！4 万根哪！把 4 万根红果冰棍铺到马路上，该有多么大的一片！

那一年那一天那心算出 4 万根红果冰棍的刹那，小墩子眼里迸出了几滴眼泪，不过周围的人都没觉察出来……

3 个月下来，流水过了 10 万，刨去上交给局里两万，刨去这个税那个捐，刨去再生产的原料预算，刨去电钱、水钱等杂项，居然还有 4 万之多！小墩子没经细想，就立马给群龙送去了 1 万，群龙执意只收 5000；原来说好阿臭和老 A 算经理人员，工资底线是 500，既然一赚就这么老多，小墩子便 3 个月一人给了他们 3000。安徽姑娘们招工的时候说好管吃管住，外加工资 100，小墩子想 3 个月每人给 500，老 A 便劝她三思而行，因为还有个劳务行市问题，可以多给点儿，算奖金，但不能太离谱儿，否则以后不好办。小墩子就每人发了她们 400，这么归里包堆一总算，落到小墩子这老板手里的，还有 27800 元之多！

小墩子挺起胸脯，扬眉吐气地做人了。

小墩子用 7000 块钱半年的价码包租了离快餐车定点处不远的一个胡同小院，是个独门独院，屋子破旧，院子逼窄，但优点是使用方便，又不招人注意。这样她、老 A 和阿臭就都有了一间各自的办公室，另外几间屋当了工人宿舍和原料车间。除了原有的安徽姑娘外，又另雇了三个女工两个男工。……小墩子还立马安装上了电话，给阿臭、老 A 和自己都配备了 BP 机，又给阿臭、老 A 和自己都买了辆新自行车，还许愿再过 3 个月就给他们买摩托。小墩子很快也就能熟练地运用圈子里的行话，例如谈钱，就把十块叫一张，一百块叫一棵，一千块叫一吨，一万块叫一方……暗中给人好处费叫"点钱"，等等。

第四个月里的流水竟比前三个月合起来还多，有 11 万！

什么都刨去以后小墩子个人还落下足有 5 万，她给了爹妈 1 万。爹当时在喝酒，简直不懂小墩子是在变什么戏法儿，她妈接过那已经为他们存好的各写着二老名字的两个 5000 块的存折时，手直打哆嗦，不禁像被烫了一下似的嚷起来："哎哟！拿这个人家能让我往外取吗？别把我给薅局子里去吧？"大哥、大姐、二姐、三姐四家她给了他们 1000，正准备结婚的大锛儿她给了 2000。她要给奶奶钱，奶奶不要，她就给奶奶买来了最好最贵的蛋糕，奶奶只尝了一牙就再不吃了。她真不知道发了财该怎么在奶奶身上孝顺一下，奶奶听明白了她的意思便高声说："惊惊乍乍的！烧包儿！"

小墩子还抽空带她妈去医院，大夫说她妈那子宫肌瘤再不动手术就有可能癌变了。她就劝妈抓紧把手术动了，费用她包圆儿。她妈可真是惊惊乍乍的，说："以往骂人说，挨刀的！我好不秧秧一个人，干吗挨刀去？这么多年，我凑合惯了，就留着那邪肉吧，又没长在脸上！"

小墩子发了，别说院子里胡同里的人对她另眼相看，家里人的一双双眼睛里也都增添了无限的敬意。只有两个人算是例外，一个是祖奶奶，一个是她爹。祖奶奶的一双眼里，从来就充满对这最小的孙女儿的爱意，固然无从再予增添；然而她爹呢，小墩子从小就觉得她爹的眼光似乎从未在她身上停留过，更不记得她爹什么时候哪怕是轻轻抚摩过一下她的头发。如今她发了，大发了，爹应该知道，5000块的存折都递给他了，固然是妈接过去的，爹心里该明白，最有出息、最孝顺的，到头来是她小墩子呀，可怎么爹如今见着她，依旧是那么淡淡的，连一句最简单的夸赞的话也没有……

生意进入到第六个月，正是越来越红火的时候，有一天傍晚小墩子正在她那办公室的折叠床上眯着，忽然有人梆梆敲门。小墩子不耐烦地起来，拔开插销打开门，一眼看出是三姐，满脸汗珠子，她便问："什么事惊惊乍乍的？我这儿电话号码你不是知道吗？干吗风风火火的亲自跑过来？"三姐也不及进屋，便嘴一咧，"哇"的一声哭着说："爹死了……"

小墩子的爹死得很突然，那天中午他像往常那样喝了酒，又像往常那样披衣出屋，像是要去厕所。可刚走到屋门外头，不知被什么绊了一下，跌倒在地，就再没起来。大锛儿闻声跑过去，一看坏了，急得没了主意，后来在院外大树下乘凉的妈和祖奶奶听见大锛儿嚷嚷，也赶忙过来看。又有一些邻居围上去，乱哄哄中就有人判定是中风了，后来赶紧往医院送。到医院后还有气，但一直昏迷，大夫说是脑溢血，也没怎么抢救，很快就打挺了。

死后第三天就火化。那天全家包括大锛儿没过门的对象全都去送葬，但祖奶奶没法儿去，也不能光留她一个人在家，小墩子就留下来单陪她。那一年那一天的那个下午杂院里并无杂音，一地的臭椿花，小墩子守着祖奶奶在屋里，被静得有点出奇的空气包围着。

爹的死,按说对祖奶奶打击最大,但祖奶奶竟一直没哭,她也并不糊涂。她知道奉养她多年的唯一的儿子死了,还差一岁才70突然往地上那么一倒就再起不来了,此刻说不定已经被烧成了一堆灰一股烟了……

祖奶奶唯一的反应就是自那晚以来不吃饭,只喝点白水。劝她吃,她说吃不下,又说她过几天能吃,不是打定主意不吃了……小墩子紧挨着奶奶坐着,把头靠在奶奶怀里,还是劝奶奶吃点东西,说:"您想吃什么我给您做什么,要不我就去给您买来,您可别什么也不吃啊!"奶奶用一只手抚摩她的头发,像是只对最知心的人才倾吐最知心的话,压低嗓门说:"该死的不死,不该死的倒死了……"小墩子就抬眼仰望着奶奶,奶奶满脸蜘蛛网一样的皱纹,嘴巴瘪进去,瘪得仿佛整张脸要从那儿翻成另一面。小墩子心里就酸酸的,她想制止自己的一个想法,可那想法就像春天的游丝挂到柳梢上一样,飘飘荡荡总不离去,那想法就是对于她来说,奶奶比爹更重要,如果非去掉一个不可,那么她倒宁愿去的是爹……

也许因为院子和她们家都一反常态的太静了,祖奶奶反倒渐渐话多起来,她对小墩子说:"你爹对两个人最好,一个我,一个你……"

小墩子便说:"对您我也没看出怎么特别的好,对我嘛……怎么会是最好?"

祖奶奶没听见小墩子的轻声反驳,只是出神地回忆着:"记得是什刹海里闹蛤蟆的那一年,成百上千的蛤蟆大摇大摆地挤着拥着在岸边蹦,往马路上蹦……就是那一年,你爹背着我,一口气足足走了五里地,把我背到了隆福寺庙会,让我逛了庙会……"这事小墩子原先也知道,奶奶讲过,她没怎么在意。现在她长大成人了,发了,才悟出来,奶奶为什么总忘不了,那背她的人去了,烧了,成灰成烟了,可那一年那一天那段事儿,只要这颗心还在跳,这个脑仁儿还能想,就总忆念着,总跟一幅画儿似的,跟电影似的,跟电视里演着似的,鲜丽鲜丽的……是的,小墩子知道,爷爷死得很早,爹还没长大爷爷就没了,奶奶把爹拉扯大,爹长大了,能挣钱养活奶奶了,他就不光是供她吃供她穿,还背着她,走五里地远去逛隆福寺庙会,看拉洋片儿,坐在摊子跟前喝面茶汤儿……小墩子心里"咯噔"响了一下,她就想到了爹,就算爹没怎么在意她,她又多在意爹呢?爹是提前两年退的休,为了让她顶替。她顶替爹以后,爹除了天天在家里喝两顿八分钱一两的白薯干酒，又有什么别的事可干呢？怎么就从来没去体会爹的寂寞呢？没陪着爹去趟公园呢？没给爹买一笼子鸟呢？没给爹弄一缸子热带鱼呢？哥哥姐姐们没想到没行动，自己呢？自己发了以后，不也以为拍出个5000块的折子，就仙女下凡似的了吗？

"你爹对你，你怕是不知道，你那时候小冻猫似的，还不省人事儿……为了养活你，他费了多大的劲！"奶奶继续絮叨着，小墩子坐直了身子，惊讶地听着。"那年头粮食各人有各人的定量，谁也不够，谁愿意让着谁？偏又添了你，你妈又偏没奶，你爹为了给你妈催奶，经常是半夜里就蹬着自行车往城外窑坑去，捞点子小鲫瓜儿鱼。你爹回来让我熬汤给你妈喝，他撂下鱼篓儿自己一口早点不吃，就又赶着去粮店压切面……有一回趁我不在屋，你妈搂着你睡着了，还没熬透的鱼汤，就让你大哥大姐偷着喝了小半锅，回来让你爹知道了，那一顿好揍！……"

小墩子的心像被一个网子罩住了，网子越抽越紧，她有一种痛楚感，也有一种憬悟感。

"墩子呀，你去，去把那大立柜底下的抽屉拉开——"奶奶命令着，小墩子就过去蹲下使劲拉，那抽屉大概好久好久没拉开过了，发胀，费老大劲也拉不开。小墩子使足吃奶的力气，一个屁股蹲儿，才终于嘎的一声拉开，立刻扑出一股子发霉的气味。一眼望去，里头净是些个早该扔掉而爹妈却一直舍不得扔掉的破旧东西。起皱的干部帽呀，单只的旧袜子呀，破损的套袖呀，装过药丸子的小纸盒呀，生了锈的钉子呀，不足一寸长的蜡烛头呀，边缘起毛的旧鞋垫子呀，补过又破了口子的旧瓷碗呀……奶奶是要让自己找什么呢？她让把什么递过去？

"瞅见旧皮带了吗？没准儿就是那条，对，你拿过来给我瞅……"

祖奶奶指示着，小墩子就把找出来的一条已经糟朽的旧皮带拿过去递在奶奶手里。奶奶认准了，点头说："就这条，你爹的，那时候粮食不够吃，他就在上头紧凿窟窿眼儿，一上饭桌，他就紧到最后一个眼儿，五六尺的汉子，每天干的是力气活儿，你围围试试，紧到最后一个窟窿眼儿，那腰得有多细！"小墩子把那皮带往自己腰上试，使劲勒，竟然用的还是倒数第三个窟窿眼儿，她松开皮带，一头扑进奶奶怀里。她的眼里，迸出几粒眼泪，数目照例不多，大约五六粒，都停留在颧骨上。沉默了几秒钟，小墩子她长嚎一声，哭了起来——这是爹死后她头一回哭，并且哭的时候，她回想起三姐报信以后，她同三姐一起赶往医院，还没走拢太平间，就听见了妈的哭喊声，狼嗥似的，又仿佛唱歌，当时她竟很觉不快，无法理解。现在她心头仿佛有道闪电，猛然照亮了爹和妈相依为命的一生，就在这间门洞屋里，他们养下了两个儿子四个闺女，一个个把他们拉扯大，还一直赡养着奶奶，这才懂得，妈的嚎哭不是例行公事，那是真诚的，出自肺腑的！人能发财，能有好多好多的钱，但人不是都能付出真情，也不是都能得到真情的……

祖奶奶任小墩子在自己胸怀里痛哭失声，她用鸡皮般起皱的手抚摩着小墩子的厚发，用怜惜的语调喃喃地说："别惊惊乍乍，别惊惊乍乍的啊……"

按阴历算还是那一年，按阳历算又是一年，爱怎么算怎么算吧，反正小墩子承包那快餐车9个月了。那9个月对她来说已经好长好长，可从旁人眼里看去却很短很短，长长短短本也无所谓，但传出来的话茬儿是：才9个月，小墩子就成了个女大款！有说她已经捞了100万的，有说她已经买了楼房小轿车的……传言虽然不准确，模糊之中倒也缓冲了人们对她的嫉恨，倘若一个个都清楚地知道她的真实收入和真实状况，比如说闹清楚她还并没有赚到100万而只赚到了40万；她还只是包租了那么个破院子并没有买楼房和小轿车；她只不过为自己买了五条金项链三个金戒指两副金耳饰两条金手链而已；除了找"托儿"，搞"公关"，自己一般也并不到高档饭馆去享用生猛海鲜、南北大菜，更简直没到舞厅跳过舞没到卡拉OK歌厅唱过歌；她那小院的宿舍里除了有一台21英寸直角平面遥控的松下牌彩色电视机，其他家具用器还都极为低档……是的，比如说她以往的同学、同事、邻居把她的这些个情况都搞得很明白很精确，校正了传言中的夸张拧干了传言中的水分，他们就心平气和了吗？

春节逼近，小墩子给男女雇工们都放了假，发放了路费，让他们回乡欢度春节。老A就建议春节期间在北京找临时工应付一段，阿臭也说不能错过春节庙会的大好赚钱机会。小墩子却阴沉着一张脸说："都歇歇吧！你们不乐意回家就跟这院里过节也行，只要不把房子烧了，随你们折腾！"

也实在该歇歇了。小墩子精疲力竭。不光是体力上已经消耗到不停下来歇歇补补就可能哗啦啦散架撂挺，还有个更严重的心力上已然招架不住种种压挤和攻击的问题。

你当赚钱容易吗？

先是有人写匿名信告，说他们那快餐车卖的炸羊肉串之所以有那么一种异香，是因为油里头加了香味洗衣粉和花露水，而这就会产生出致癌物质，那意思简直就是说小墩子他们见天地在街头谋财害命……就真有人来查，来纠缠，弄得他们有大半天不得不停炸停售；这事上老 A 和阿臭倒跟小墩子特别的磁气，仨人一块儿对付，配合着扛，老 A 就细细地从成本核算上说服调查者，使他们懂得那洗衣粉和花露水倘若真作为一种辅料配进去，那他们一块钱一串地卖那羊肉串就简直等于不想赚钱，因为洗衣粉和花露水的份额价比羊肉还高！阿臭则有意把这话递给了洗衣粉和花露水的厂家，厂家一听也火了，我们的产品会产生致癌物质？这不是诬蔑吗？放出了打官司的风，这就把问题复杂化了，复杂化了对他们快餐车一方就有利。小墩子究竟是更厉害上十分。她一见那匿名信复印件就认出来是白条儿的字迹，好啊，这小子搞打击报复！她就跑回原来工作的那个仓库，点了不多的几张票子，便搞到了白条儿当年留下的字迹，恰好是当年调查组查实他违反财会制度的凭证。这样，当来调查的人第二回找她谈话时，她便当着众人，态度异常地强硬起来，毫不含糊地指出那匿名信便是白条儿写的，而白条儿自己才是贪赃枉法的主儿，并且她那回在仓库抵制白条儿的不正之风，是有目共睹，也是得到局里表彰的。所以白条儿写这匿名信，纯粹是打击报复！人家便问她怎见得匿名信是白条儿写的？她便大吼一声："我这儿有白条儿的白条儿！"大伙一时听不明白，只当她犯浑，她却弯下腰去，伸手去够右脚，右脚跟抬起来以后，她便用手指头麻利地从鞋底上取出来折成长条儿的纸片来，递给人家。人家当众打开一看，是几张当年白条儿在仓库违反财会制度所开出的白条儿即无章非票据收款单，人家只得拿着跟那匿名揭发信对照，周围的人不禁都凑过头去看，后来又传看，只能服了小墩子，没错儿，同出一人之手笔！

匿名信算是搪回去了，但麻烦事还有一大堆。还有那没完没了的摊派和刁难……

这些都还算不得什么。

最大的危机是，那一年那一冬局里就有人正儿八经地提出问题：小墩子那号人究竟怎么算？说她个体户吧，她的执照又分明是局属的第三产业，连集体所有制都不是而是完全国营，她只是那国营快餐车的承租法人而已，但她所作所为所赚，不是比个体还个体吗？这样搞第三产业，路子对头不对头？局里的争论小墩子自有耳目随时向她汇报，为得到这些情报她向那几位耳目每月单开一种"地下工资"，这种"暗工资"又叫"灰工资"，还涉及到方方面面的若干人物，倒也还真都能做到天知地知那人自己知和小墩子一总知，真情实况连老 A 和阿臭都一无所知，只能从旁猜测。小墩子不吝惜这笔为数不小的开支，尤其是给局里向她传递有关争论信息的耳目，她每听到一次耳目汇报心里就怦怦乱跳一次，的的确确，看起来她已经开成了一朵光艳照人的鲜花，但只要用两根指头轻轻一掐，这花就能立马完蛋！

那一年那一冬逼近春节的那几天，腰缠万贯的小墩子心情是黯淡的、郁闷的，但没人能真正了解她、理解她。她觉得一辈子从没那么样地觉得累得慌，当年压切面也好，在仓库里装装卸卸也好，都没产生过这种"活得真累"的感觉。她像一条闯荡过太多风浪的航船，巴望着能驶进家乡的小小港湾，泊下来，再享受一下往昔的宁静和安适。

那一年那个天上飘着云母粉屑般的干雪的腊月尾子，小墩子提着一大堆年货，坐出租车回那条胡同那个杂院的那个家去。

大锛儿头年 10 月结的婚，如今他俨然一家之主，占据了最大的一间屋子，那屋子布置得相当的堂皇，自然趣味比较低档，比如屋顶上的吊灯过大而且安着些大红大绿的尖头灯泡，组合柜上放着些廉价的造型拙劣的塑料盆景，等等，但确实是处处显示出了他那"鸟枪换炮"的生存状态。另外两间屋，祖奶奶一间兼作饭厅，妈一间还保留着大床，都还用着一些旧家具旧东西。小墩子回到家里，还是主要待在奶奶和妈的屋里，东西旧，可瞅着觉得亲切。

没想到那天小墩子进了家门，甫将年货搁到大饭桌上，便感到有一种异常的气氛，扑面而来。

外屋里不见奶奶，只有大锛儿的媳妇玉娥跟三姐各坐饭桌一方，仿佛正在拌嘴，小墩子推门进去后，各看了她一眼，居然都不打招呼，却又扭头互相恨视着，像一对斗得正酣而抓空喘息的公鸡。隔着塑料珠串的门帘，可以依稀看见大锛儿独自坐在那屋转角沙发上，身前的茶几上的酒瓶子十分扎眼。小墩子就也没理他们，径直往妈那屋去看望妈。妈卧在床上，她刚做完摘除子宫的手术，身子还虚。奶奶坐在妈床边，妈跟她说些个闲话，但奶奶自从爹去世后，耳朵就越来越背，已几近于全聋，她对妈的话肯定是答非所问，但两人各说几句，一来一去的，倒也还能互慰残年。

小墩子进了屋叫完奶奶和妈，一眼就发现妈屋里那台电视机不对头，遂问："妈！怎么回事儿？我给您买的'21遥'呢？怎么换了个旧的？这么小？"

妈就说："你大嫂带着你大侄儿来给换的。他们一窝子人，让他们看大的吧，他们换来的这个也带色儿，我跟你奶奶看这个也一样……"

小墩子就按开电视机，出现的画面色儿特淡，可见显像管已然老化，声音也有点刺啦刺啦的。她重重地关上电视机，气从心尖里往外冒，直冲嗓子眼儿，不禁嚷了起来："这算怎么一回事儿？他们想看大的他们自己买去！要不就找我要来，怎么能这么黑，愣把我给妈的大彩电抱走？"

小墩子冲出那间屋，直奔玉娥和三姐，脸先对着玉娥，问："怎么回事儿？你们怎么能就让他们生这么给掉了包儿？这不是打家劫舍吗？"

玉娥的眼睛还恨着三姐，抱怨说："你问我，我问谁去？谁把我当这家的人了？这不，立马也就要来搬你二哥的家当了！"

小墩子便问三姐："究竟怎么一回事儿？这闹腾的究竟是什么？"

三姐便爽性把话说破："谁让你做事不公！凭什么头一回给钱，我们三户就只得1000，大铸儿他们俩就干得2000？我们都拉家带口的，倒比他们少上一半！"

小墩子只觉得耳朵里被塞了颗手榴弹，那手榴弹几乎把她的一颗心炸烂！她的钱，她爱给谁给谁，爱给多少给多少，怎么成了"做事不公"？怎么叫"公"？

三姐还一泻无余地吵骂说："大姐的俩孩子过生日，你给的红包都是整整的一棵，怎么大哥的仨孩子，端午节那天你每人才给了三张？你当你做的事我们不知道，你瞒得了谁？说是各家支援一台洗衣机，怎么二姐那儿你给的就是小鸭圣吉奥，滚筒式的，我们就只是个一般的？……"

小墩子气得浑身乱颤。

"我们这儿的也不是滚筒式呀，"玉娥的用意是跟三姐干仗，但小墩子听来更撕裂心肺，"我们这儿该两台才是，如今这台白兰牌，究竟也没说明白，是我们的还是你妈的，就这囫囵着合用，我们还亏了哩！"

三姐伸长脖颈把玉娥骂回去："你别得了便宜卖乖，你们跟这儿住着，什么好处不多得一份儿？趁着我们不来家，私下里不知道多扒了多少份儿，光这拿眼睛量出来的便宜，就一撮一簸箕！……"

玉娥也两只小眼睛一瞪，分毫不让地说："大哥那边撂下先不说，你们算是什么？泼出去的水！倒跑回娘家来跟二哥二嫂争！再怎么争，你也争不过我们那口子去，他是她哥！……"

小墩子便乱颤着身子大声喝断她们："你们都给我闭了嘴！钱是我的！我爱怎么花怎么散怎么点怎么撒是我自个儿的事儿，我是该着你们还是欠着你们？瞧你们那副嘴脸！"

三姐便站起来跟她争辩："你别过了河就拆桥！你别忘了，要不是二姐跟我赶上了那上山下乡的倒霉事儿，爹那顶替，就怎么着也轮不着你！你去得了粮店？去得了仓库？能让你承包快餐车？你挣的钱里头，一棵里怎么也该有我一张两张的，知道吗？你当我是跟你讨饭啦？"

玉娥也站起来，不像是跟三姐干仗，倒像是反冲着小墩子来劲儿："我们怎么就不该得？多得更应该！大锛儿私下里跟我说了：墩子的流动资金，是大锛儿帮着给筹措的，要不人家就让她承包啦？"

什么？她的流动资金是大锛儿帮着给筹措的？小墩子给气得几乎一口气不上来要当场挺地上。大锛儿确实跟玉娥吹过那个牛，本是酒后随便说说的枕边版本，不堪公开发行的，没想到玉娥为了压下三姐气焰，无论"化学武器"还是"生物武器"都敢动用，就是有"原子弹"，她也敢扔！

玉娥的话，自然也给了三姐一个强刺激，她跳起来，尖声地嚷："啊！敢情这里头有这么个猫儿腻呀！怪不得！我们都长年不在家，大锛儿跟小墩子成年累月地守着，到底是感情不一般哪！嘿嘿，你当嫂子可得留点神……"

"你这话什么意思？！"玉娥指着她鼻子问。

"你男人的事，你倒问我，有能耐你问他去！"三姐也就伸直手臂把一根挺翘的食指直逼玉娥的鼻子尖。

　　小墩子回过神来，不由得也双手叉腰，朝三姐怒喝："你嘴里喷的什么粪？"

　　三姐一看是一对二的阵式，那就不扔颗"氢弹"绝不能占到上风，便爽性一不做二不休，扬着嗓门说："我喷粪？你们还指望我嘴里吐出象牙来吗？自己干下的丑事儿自己知道，那年是谁到医院里刮掉了人芽子？怪不得有人心疼，能给筹措上好几吨！……"

　　玉娥一时发憷，小墩子脑袋瓜简直要爆炸，妈在那边屋里听着干着急，厉声吆喝了几下毫不起作用，祖奶奶耳里只有嗡嗡嗡的浊音，只坐在妈床边反复地说："干吗惊惊乍乍的……"大铸儿原来只顾喝自己的酒，后来飘进他耳朵眼儿的话使他越来越难以中立，越来越兜他的火儿，等到三姐居然撕破脸抛出那不堪的暗示时，大铸儿便陡然冲出了珠串帘子，一个箭步窜到三姐跟前，二话不说，挥手就给了她一个大耳刮子，顿时使她的半张脸像下了油锅似的火烧火燎，身子也一晃荡，三姐便立刻鬼哭狼嚎地顺势往地上一滚，撒起泼来："杀人啦！我不活啦！救命呀！仨人欺侮一个，我跟你们拼啦！"滚着嚷着就去抱大铸儿的脚脖子，张开嘴就咬，大铸儿就踢她，玉娥就本能地去拉大铸儿，小墩子就本能地用两手捂着耳朵尖叫……

　　来了五六个邻居进屋拉架，围聚在门外、窗外看热闹的就更多。但拉架的也好，看热闹的也好，一大半却只在心里头拍手称快：该！报应！怎么着，别看你们家小墩子发了，以为你们家就高人一等了，这不，瞧你们这窝里掐的，多火爆！多稀罕！再接茬斗接茬掐呀！咦，我们今儿个可算是真开了眼了，大过年的，哪找这么好的一出戏去，都不用花钱打票！……

　　接着就有人把拉开后的大铸儿、玉娥和三姐分别请到自己家去，让他们坐，倒茶水给他们喝，劝他们别再生气，"一家子骨肉，闹过了就算了，别记仇儿！"当然更主要的是问："究竟怎么档子事儿？"盼着他们能细细地加以说明……

　　当然也有请小墩子到他们家里去的，小墩子都拒绝了，再说她也确实要进屋去安抚妈和奶奶。

　　在妈和奶奶面前，小墩子委屈地哭了。但也就那么几粒大眼泪珠子，很快地她也就从气愤转为了悲凉，从悲凉又转为了冷酷。她觉得这个家如果说像只碗，那从来就不是一只盛满幸福和快乐的碗，但以往不管怎么说总还是一只碗，总能盛着点什么，如今这只碗在她心中是彻底地破碎了，她再不希求从这里得到哪怕是丁点儿的亲情、安慰，她当然也再不会往里头投放哪怕是丁点儿的东西，无论是物质的还是感情的。她便对妈说："妈，您再忍仨俩月，我这就张罗买三环路边上的单元，把奶奶跟您接过去住。他们，我打今儿个起就跟他们四窝子一刀两断了，我不该他们不欠他们，他们以后一个子儿也别再想打我这儿抠去，我就连下一辈的也一个不认，都跟我再没半点子关系，就您跟奶奶，咱们住一块儿去……"

谁知她妈却说："你奶奶她能去吗？她一辈子没离开过这外头的臭椿树！我也哪儿都不去，你爹死在这儿，这儿就成了油锅把我炸了，成了蒸笼把我蒸了，我也就只认这地方了……你也别跟他们那么一般见识，都打我肚子里爬出来的，还是指望着你们有一天能和好……"

小墩子说："反正我逢年过节的还是要来看您跟奶奶，他们我是一个不理了，大锛儿、玉娥我也不理，我的心是砸破的花盆，再栽不了花儿了……"

小墩子就离开了那个家。迈出门槛的时候她的心略微酸了一下，但挺起胸脯咽了口唾沫也就压下去了。她到了院里，天已黑净，院里地面已经积了薄薄一层雪，雪停了一阵子，雪地上是些乱七八糟的脚印，她抬起眼睛，从别人家盖出的小厨房形成的喇叭形过道透视过去，看见了有那两棵洋槐树守卫的小东屋，小东屋的灯亮着。

她情不自禁地朝那小东屋走去。

自打她忙着张罗快餐车的事以后，难得到那东屋看望群龙。每次去，群龙总在屋里用嘴叼着毛笔练字儿，他那屋里墙上挂满了他写出的字儿，最大的字儿有蒲扇那般大，最小的也有核桃模样。群龙每次对她拉门而进都既不怎么惊讶也不怎么欢欣，淡淡的，也不问她的生意，只让她帮着品评，究竟哪幅字儿看上去更像模像样？

走拢小东屋的门前，东倒西歪的两株洋槐树，光秃的枝丫在一阵北风里摇晃着，更感到屋里屋外都格外地宁静。

她便去拉门。门可能因为发胀，很吃紧。她知道群龙的门里头的插销一般是不使用的，好方便他妈去照应他；同时群龙也相信人们都不忍心去偷窃他那么样的一个残废人，所以几乎整日整夜都不插上那插销——但这天不知怎么的，门却拉不大开，她便更加用力，一下子把门拉开了，拉开的一刹才发现门里的插销本是插着的，她是用力将那插销的销扣给拉得弹出去了，而在门猛然拉开以后，一个大大出乎她意料的情景忽然在耀眼的灯光下呈现于她的眼前——群龙坐在转椅上，身子并不朝着书桌，而是恰好朝着屋门，一个短发的姑娘，斜坐在他的身子上，一只手搂着他的脖颈，仿佛闻声才惊悚地转过身体，用另一只手扶住转椅把手，以保持平衡；那姑娘的一条腿明显有残，一副拐架，便斜倚在书桌旁边；显然群龙和那姑娘正在亲嘴儿、互相掏摸，被小墩子那么粗暴地猛一拉门，才从缠绵的情乡中被拽了出来。小墩子的双眼同两双惊慌而愤怒的眼睛一碰撞，她便自知莽撞，她本能地把门往前一合，又给关紧，转身便疾走。待她意识上略微清醒过来时，发现自己已在胡同外面的大街上了……

小墩子的心不仅仿佛被一把利刃猛地插了进去，而且，那把利刃就那么滞留在她的心上，还带着沉甸甸的刀把儿……

回到包租的小院里，只见平日用来处理原料的那间大屋灯火通明。推门进去，老A和阿臭正坐在大案子边喝酒，已然喝得半醉。

那间屋在这冬天景象极为滑稽，沿着后墙是一排冰箱、冰柜，用来储藏羊肉等快餐原料的，屋子两侧，却又一边开着一个大号的电取暖器。老A和阿臭面前的案子上摆放着四大盘他们自己炒出的热菜——小墩子进去时已经都有点凉了，另外是些从街上买来的现成的熟食和花生仁儿、鸡味酥、虾条儿一类的小零食，都懒得再切割再装盘儿，就那么摊放在包装纸上或胡乱地撕开口袋后直接倒在案子上；酒他们各喝各的，老A嗜好酱香型的酒，他喝的是全光大曲，阿臭嗜好芳香型的烈酒，他喝的是足有60度的汾酒。

老A和阿臭两人一见小墩子进去，多少有些意外，但不约而同地大表欢迎。

"嗬！掌柜的回来啦！怎么着，跟家吃了什么好的呀？怎么今儿个不在家里歇呀？想我们了吗？"阿臭乜斜着眼，怪笑着。

"是呀，是不是怕我们俩真把这院子给烧了呀？怕我们撬开你屋门，把你保险箱连锅端了吧？"老A也红着一双眼睛，咧着嘴。

"去你们的！"小墩子就在他们对面坐下，细望望桌上，"都有什么好吃的呀？

也不敬我老板一杯！"

桌上并无什么山珍海味，炒出的四大盘菜都是猪肉丝，也就是他们快餐车增添了刚一个来月的新项目——快餐盒饭里盖浇的那四种炒肉丝，他们自己称之为"四大快餐肉丝"，即京酱肉丝、鱼香肉丝、尖椒肉丝、干煸肉丝，如此而已。

"怎么都不弄点子新花样？"小墩子问。但因为她其实并没有吃过晚饭，所以望着还是吊起了胃口。

"要什么新花样？我们热爱咱们的这四大肉丝，就着喝酒比什么都香！"阿臭诚心诚意地说。

"可不是！由此可见我们对老板是忠心耿耿。这可是四大摇钱肉丝，立了汗马功劳的！"老 A 怪腔怪调。

确实，自从上了这"四大快餐肉丝"盖浇的盒饭以后，营业额猛增，猪肉丝的摇钱功能已经超过了炸羊肉串。

小墩子感到饥肠辘辘以后，却只垂涎那边摊开的一只灵芝烤鸡。她便望着那只撕掉了少部分肉的烤鸡说："怎么着？就不先请我这个老板撮点儿？"

"您自个儿拿！爱撮什么撮什么！在您还有什么可说的？我们连人都属于您，您来跟我们就合是赏我们的脸！"老 A 的油腔滑调里并没有什么真正的阿谀成分。

阿臭便撕下一只鸡腿递给小墩子，又问："怎么跑回来跟我们过年？"

小墩子不作回答。她确实有点尴尬。老 A 父母都在外地，阿臭父母双亡，他们把这个小院当做自己的家，原不奇怪，小墩子为了发财，大多数日子泡在这个小院里也不奇怪，奇怪的现在歇业了，雇工都放假回家了，她又提了一大堆年货回她妈那儿去，怎么没几个钟头就又回来了，倒像还没吃过饭的模样。

"别光啃鸡腿儿，"老 A 说，"你也喝两盅儿！"

"对，难得咱们仨这么聚一聚，你也喝点儿！"阿臭也说。

"成！喝两盅就喝两盅！"小墩子忽然豪情迸发。

阿臭给她取来个玻璃杯，说："喝我这个！"

老 A 就拿着自己的全光大曲往她杯子里倒："喝我的！"阿臭还没放下玻璃杯，就躲，老 A 倒的酒全倒在了案子上。老 A 瞪阿臭，阿臭冲他咧嘴。

"这争个什么呀！"小墩子就抢过玻璃杯，举起来说，"你俩一块儿给我往里倒！”

“没这么个喝法儿！”阿臭说。

“那叫什么味儿！”老 A 说。

“好，那就再拿个杯子来，各人给我斟一杯，我轮流跟你们干！”

“行呀！老板！”老 A 和阿臭齐声惊呼。

小墩子就真拉开架势跟他们吃喝。阿臭脸红得像关公，老 A 一双眼红得像燃得正旺的煤球儿，小墩子倒只是觉得心尖子有点跳得重，脸上跟没事人一样。

“别光这么干喝！一人来个节目，咱们也热闹热闹！”小墩子两眼闪闪放光，兴致骤高。

“好啊！那就老板先来！”老 A 拍巴掌。

“老板先来老板先来！”阿臭顿脚。

“先来就先来！”小墩子仰脖喝了杯里的残酒，想了一想，就扯开嗓门唱了起来：

> 水牛儿，水牛儿，
>
> 先出犄角后出头；
>
> 你妈，你爹，
>
> 给你买个香香肉……

“不是香香肉！”阿臭说，“蜗牛吃肉吗？蜗牛是吃素的！”

“我奶奶就这么教我唱的，就是香香肉！”小墩子瞪圆了一双眼睛。

“老板说是什么就是什么，”老 A 说，“可光这么两句够个节目吗？”

“还有啦！”

小墩子就又唱：

> 臭椿，臭椿，
>
> 谁把你栽来谁把你闻；
>
> 谁说你臭来谁是个浑，

谁闻你闻到大天亮？

谁闻你闻得丢了个魂？

臭椿，臭椿，

死了也要把你不住地闻！

“咦，稀奇！哪有不唱香椿唱臭椿的？”阿臭又嚷。

“我奶奶就这么教我的！臭椿就比香椿好！香椿的味儿不禁闻！”小墩子眼睛瞪得更大更圆。

“好！唱得好！臭椿万岁！”老Ａ使劲拍巴掌，阿臭便也拍巴掌。小墩子也拍巴掌。

“该你啦，阿臭！”老Ａ便说。

“你！老Ａ！”阿臭冲老Ａ说。

“我压轴儿。你来！”老Ａ用的命令口吻。

“我什么也不会呀！”阿臭挠头。

“随便什么都行！”小墩子说。

“那——好，我就脱给你们看！”阿臭认认真真地说。

阿臭原先练过摔跤，又练过健美，参加过区里的健美队，出场表演过几次。他便坦然地脱了毛衣、衬衫、背心，又脱了裤子、毛裤、线裤，只穿个小裤衩儿，又郑重其事地从冰箱里取出一瓶橄榄油，倒出些往身上抹了抹，完了，便正儿八经地来了一套完整的动作：侧展胸大肌、双展肱二头肌，还有腹肌、背阔肌……乃至腿肌的展示，最后结束在一组连续性的半舞蹈动作上。

他盼望着从小墩子那里得到哪怕是一句的赞美。

小墩子却看着只是哧哧地笑。她从小在底层的劳动汉子当中长大，看见的赤膊汉多了，肌肉再结实块儿再大也引不起她的兴致，阿臭英勇献身完了，她的评论是：“整个儿一大块酱肉，腻味死了！”

阿臭灰溜溜地穿上他的衣服。

“该你啦！”小墩子盯着老Ａ。

老Ａ心头便仿佛被鸟翅拍了一下。

"阿臭的脱衣舞都不落好，我还能憋出什么幺蛾子来？"他心里这么想，也就这么说了出来。

"好不好你们就凑合着听凑合着看吧！"

老 A 便从屋角取来了一只吉他，斜搂在胸前，调出了几组琶音后，便扭动着身子自弹自唱起来：

> 当我离开亲爱的故乡哈瓦那，
>
> 亲爱的姑娘，你为什么悲伤？
>
> ……

小墩子盯住老 A，全神贯注地听着，竟至于听到半当间儿，便从眼角滚出了两粒泪珠，停在了颧骨上。

千头万绪，新仇旧恨，一齐涌上了她的心头。不待别人找她干杯，她便一仰脖又喝掉了一杯汾酒……

那一年那一冬那一晚，三个人到头来都烂醉如泥。

不知是什么话茬儿，引发了阿臭瓮声瓮气的一句建议："都该睡了！老板说吧，你挑，随你挑，你要谁陪着你睡？"

"去你妈的，酱肉！"小墩子只盯着老 A，她觉得老 A 就是群龙，她喜欢这号白白净净的人物，她现在是老板，是大款，是想要谁就有谁跟的女强人，她要占有原来在她生活里很难染指的那些东西，包括老 A 的大学学历，老 A 的高级工程师父亲和主治大夫的母亲，包括老 A 懂得的 ABCD，包括老 A 会弹的吉他，以及老 A 所唱的那个什么哈瓦拉……总之，她乐于通过让老 A 去跟她睡觉达到那样一种心理满足：这些个原来远离我的、小瞧我的东西，如今都拥在我小墩子怀抱里了！

小墩子和老 A 互相搀扶着，消失在小墩子的那间住房里。灯只开了一小阵，便灭了。天上又飘下云母粉屑般的干雪来，把小院地面敷得惨白。阿臭一个人留在大屋子里，他把桌上的东西连吃的带酒瓶酒杯全用手臂胡噜到了地下，趴在大案子上哭了起来……再后来，他爬到大案子上面，摆成一个大字，鼾声如雷……

那一年的仲春，局里提出要小墩子提高她的上缴款额，小墩子从那时候起开始交往律师，律师帮助她根据承包协议里的条款和行文，同局里据理力争，最后双方达成妥协，局里最后应允 3 年承包期的最后一年再提高小墩子的上缴额，小墩子则应允在不强制规定的前提下，她从第二年起便根据生意发展自动多缴一些款额。她同一个毕业于大学法律系的比她年轻 4 岁的律师发展着一种引人瞩目的关系。

那一年的初夏，小墩子炒了老 A 的鱿鱼。老 A 用自己的钱作流动资金在南城承包了一辆快餐车，卖同小墩子那快餐车一模一样的东西。

那一年的仲夏，小墩子又承包了另一事业单位名义下的两辆快餐车。炸羊肉串已涨至一块五一串，仍大受欢迎，供不应求。

那一年的深秋，小墩子买下了三环路边上一栋高层公寓楼里的一个单元，据说装潢得极为考究，但除她自己外极少有人进入过那个单元。她没有购买小轿车，但凡从一处到另一处她都"打的"。

新的一年的元旦，残疾人协会给包括群龙夫妇在内的四对残疾人举行了风风光光的集体婚礼，小墩子原应允出席祝贺，后称身体不适未能莅临，但阿臭到会代表她发表了简短的贺词，并当场宣布向残疾人协会捐款 20 万人民币，成为当天晚报头版和第二天日报二版上的花边新闻。

那一年的春节，小墩子出现在广州的花市上，后来又出现在深圳的香蜜湖游乐园，稍后又出现在沙头角中英街，陪伴她的人身份不详。

那一年的暮春，小墩子赞助了一个报告文学的研讨会，会期共三天，最后在新源里日资康乐园三楼的卡拉 OK 餐厅中胜利闭会。研讨会秘书长姓闻，他宣布闭会后的余兴包括免费在康乐园中的七种浴池中洗浴、到按摩室接受玉女按摩（每人半小时，超时费用自付）、到休憩室中小睡及到娱乐室玩电子麻将等。

那一年的仲夏，小墩子的快餐业除四辆快餐车外又发展到有了一家店面快餐，专卖美式牛肉面，是中外合资性质，外方代理人是位华裔女士，英文名字是 Helen，但签约酒会上有人听见小墩子叫她二荷。其实 Helen 的北京话说得极棒，但仍请了一位姓简的半老徐娘到场承担翻译，前后 4 小时的翻译工作，小墩子给她的红包鼓鼓囊囊，简女士回家打开一看，是 4 吨人民币。

那一年 9 月里，小墩子的母亲去世。死在她居住了几十年的胡同杂院的旧房子里。她的祖母人称祖奶奶的古稀老人除双耳失聪外尚属康健，祖奶奶比她母亲

更固执地不离开那臭椿树覆盖下的旧屋,小墩子无法将她带到楼房单元同住,便
同房管所达成协议,掏钱重新翻盖了她家的旧居,使她家原有的房屋成了两组并
列但互不中通的结构。一边由她的二哥大铸儿一家居住,一边由她奶奶居住。她
为奶奶雇了一位保姆,与奶奶同住,照料奶奶一切,工资从优。奶奶现在不用从
院门出去,直接从自己的住宅门出去,劈头便是那株已粗壮高大得惊人的臭椿树。
至今从那胡同路过的人,仍可经常看见祖奶奶坐在那臭椿树下的一架轮椅上,或
若有所思,或正在念叨"干什么惊惊乍乍的……"

那一年深秋,小墩子被控告偷税漏税严重,传说有关部门的人提着手铐去铐
她,她跟着走了,但手铐并没铐到她手上,仍由带去的人提着……又传说当晚她
便又回到了办公处,神色自若,深夜还同她的亲信阿臭在一起喝酒,大声唱歌……

那一年冬天,小墩子作为被告上了法庭,但经过几次审理后,只判她罚款一万
余元便结了案。据说她的辩护律师不仅舌如利刃,口若悬河,且英姿勃勃,潇洒风流。

再一年春节后,有传闻说小墩子同那比她小 4 岁的律师同结连理,飞往南方
共度蜜月去了。但后来被当做谣言辟掉。稍后证实那律师已到美国自费留学,且
上的名牌学府。律师当年的大学同学纷纷议论,都猜度此事小墩子出资不少,但
亦不能知其究竟。

那一年有相当长一段时间完全没有了小墩子的消息。原来常可在她的快餐车
和快餐店中见到她亲临现场检查快餐质量和服务态度的身影,那一段时间里却杳
若黄鹤。但她的快餐车和快餐店依旧正常运转。

那一年的仲夏,传说小墩子的最早合作者阿臭死于摩托车车祸。善后事宜的
详情无人能够说清。

直到那一年的初冬,小墩子才又经常露面。她总爱身着一袭爱德康服装店出的
墨蓝色套装,浅施脂粉,表情严肃,再听不见她像以往那样大声吵嚷吆喝,她的语
音低沉,语调却变为柔和。人们发现她办公桌上常立着一个黑色的镜框,里面是一
个男子在进行健美表演的照片。私下里,有人说那照片上是阿臭,有人说绝对不是。

1992 年 6 月 26 日写毕于北京安定门绿叶居

红　蛙

[关于一部即将开拍的外资影片的一系列电话记录]

导演的姑母打给她老战友的电话

姑母：……心里像堵着块什么，好几天了。干脆跟你说了吧！

战友：你不说我也猜着了！咱们离了休的人，谁手边没一份两份解闷儿的报纸,这几天不止一份上有你侄儿拍新片子的消息,这回可好,拍到你头上去了!

姑母：我还好说，那死了的老头子他能答应吗？唉！

战友：怪你自己！你干吗要把那段事儿讲给他听呢?

姑母：谁想得到啊！那时候他也还没当电影导演……

战友：如今红得发紫啊！净是外头的人给他投资，听说他跟那些个男女主角的片酬,都是些个天文数字!

姑母：那不去管他！可气的是，"兔子不吃窝边草"啊，哪儿找不出题材来?……

战友：兔子？哼，他们这一代，不是兔子是狼！他们自己就那么唱嘛:"我是一只来自北方的狼……"他们都有狼性!

姑母：那一点儿也不错。你知道是我跟老头子打小儿把他拉扯大!

战友：谁让你们非把他拉扯进这一行呢!

姑母：当时他喜欢这个啊，打小儿受咱们文工团的气氛熏陶，喜欢编个什么演个什么导个什么啊……

战友：记得为了把他塞进那个什么导演班，你那些天就跟疯了似的，一天里头坐着车连跑四五家，给他说情；你那老头子在病床上也不知道给打了多少个电话……当时要由着人家把他刷下来，现在你也省了这些个苦恼了！

姑母：唉！

战友：想开点吧！这事没几个人知道，他拍片子他也不会跟人说是姑妈姑爹的事儿，再说这号外头人投资的片子，拍得了咱们这边根本也不演，只不过是报纸副刊上，还有些个花花绿绿的杂志上，有那么些个豆腐块，也只不过是宣扬宣扬他那样的导演又找了个什么样的女明星，在捣鼓一个什么怪片子罢了……你自己身体要紧，操这份心！生那个气！依我说，睁只眼闭只眼，由他去！

姑母：话虽这么说，到底是个刺激啊！偏他报出的片名是《红蛙》，这"红蛙"的事儿只怕除了死去的老头子，除了我自己，除了你，也就他心中有数……偏叫《红蛙》，这不直戳我心窝子吗？！

战友：他多长时间没去你那儿了？我知道他们这一辈"北方狼"向来不懂得什么叫写信，可他们那狼爪子一天到晚可都抓着电话机子，前些时候是腰上别着个什么BP机，如今他怕是后屁兜里揣着个"大哥大"吧？他就没给你拨过一个电话吗？没给你打一声招呼吗？……

姑母：没有！我给他拨过电话，只有个录下的声音，说不在家，让留下话，我不留！我有话要直接跟他说！唉！你说我心里头怎么能不闹腾？《红蛙》！也不知道他找个什么妖精来演我！歪曲！丑化！

战友：依我说还是那句话，想开点儿！谁让咱们老了呢？如今是他们的天下，谁能把他们怎么样呢？你就只当他跟你一点儿关系也没有，《红蛙》更跟你风马牛不相及！怎么样，要不今儿晚上上我这儿来，你也下下海，我们这儿楼上楼下每晚上总有个三桌两桌的，当然全是小来来，稀里哗啦一搓，什么心烦的事儿全没了，不信你试试！来吧，今儿晚上为你，我炖点桂圆红枣汤！……

一位女演员往导演家里打的电话

女演员：……不知道我是你这盘录音带上的第几个留话人，上帝保佑，别我没说完你这盘带子就STOP了！其实就一句话：《红蛙》我演定了！那个被枪毙的姑娘非我莫属！我才不信报纸上那些个瞎胡闹的报导哩！你在考虑女主角的时候会把我忘记了？会选中她和她？"将从两位新星中择其善者而用之"，她们二位？谁也不善！你只要想一想我的一双眼睛！这个戏我一看梗概就知道绝对是我的活儿！我的绝活！那个姑娘她完全不用讲什么话，实际上人家也不容她再讲什么话，就那么个特定的情境——她必须死！她的戏全在魂儿里头，怎么死？反抗？一比二，而且人家手里有枪；逃跑？秋后的大平原，周围连条沟连个坡都没有，就是飞毛腿也逃不掉，人家又是一个神枪手；承认自己该那么牺牲，由着他们枪毙？……这一切都必须由我的形体、表情，特别是一双眼睛来充分地表现……我不知道你约我的那个主儿在剧本里究竟怎么写，现在报纸上的介绍是说她终于还是由着他们枪毙，你的构思也是这样？不不不不，我不插嘴，你定，到头来是你的片子，你的作品，你的风格，你的哲思，要么是你的非理性，但那个角色是我的！我的我的我的！我是你的朱迪·福斯特！我比朱迪·福斯特还强！上帝把我选出来，就是为了我在银幕上完成这个角色！阿弥陀佛，没听见STOP的声音……我从现在起日日夜夜、分分秒秒等你或者你的制片主任的电话！我整个儿成了一只红蛙！

编剧的朋友打给编剧的电话

朋友：……求到你门上，报酬不少吧？听说付的全是硬通货……

编剧：嗨，他其实买的就是我这个名儿，这也是投资人的意思，谁让咱们这边老有人批着我哩！这价码生是他们给炒上去的！

朋友：你别得了便宜卖乖！你别以为你那走钢丝表演总那么利索……

编剧：是呀，指不定哪天就一个跟斗栽下来……我腰上拴着保险索哩！嘻嘻……

朋友：你丫别太狂！你丫的真给他练吗？听说他每部片子拍出来，最不敢看的就是编剧！

编剧：没错！丫的其实根本不看你本子，你没把本子给他的时候他丫的早分上镜头了……我问过前头俩哥儿们，都说片子出来，他们是惨不忍睹！只有字幕上编剧的署名算是没给强奸！

朋友：那你丫的就图他点给你的那些个港币？还是美钞？

编剧：也还没堕落到那一层地狱里去，难得的是他无偿提供给我的这个题材，我自然是几个晚上就拉出个本子甩给他，然后集中精神把它写成个中篇小说啦……

朋友：他那个故事有根据吗？

编剧：想必是真有过那么一档子事儿。丫家里上一辈全是些个文工团的，从小扭个秧歌唱段道情，后来都混成了头头脑脑。当年确有过那么一个阶段，任凭你是怎么跟剥削家庭决裂怎么冲破反动派的封锁怎么千辛万苦跑到了革命根据地，可还是要把你查个一溜够，大胆假设，而且大胆求证，怀疑乃至判定你是反动派派进来的特务、间谍……故事就从这儿开始，可怜的女主角就是这么个处境——我要很冷静地写出这个大的人文环境——所笼罩：为了保证革命的最终胜利，这样严格乃至严厉地清查队伍是必要的，也是必然的，女主角虽处于被怀疑被清查乃至几乎被判定为敌特的境况之中，但她对那个笼罩于他们群体的人文环境却是认同的……随后便出现了另一个决定人物命运的因素：敌人的突然进攻，革命队伍的紧急转移，转移时对清查对象怎么办？清查对象自己当然是坚决要随之转移并表示愿意参加战斗的，参加战斗自然不能应允，但押解着转移却是必要的……这样就引入了另一个情节，一男一女两个押解她的革命者，押着她在转移中同大队伍失散了，并且又发现已误入了敌人密布的区域，如果押着她突围，那等于脚上拴着沙袋赛跑，如果把她视为同志，联合突围，那又等于否定了前一段对她的审查，而很可能被她出卖给敌人，于是……根据大队转移前他们领导的一个秘密指示：如果遇到特殊情况，押解者可以将有重大嫌疑的清查对象枪毙！于是，当然经历过三个人一番惊心动魄的心理搏击，那一男一女的押解者决定对那个被清查的女青年宣布了枪毙她的决定，那女青年最后没有逃跑，实际上她也逃不掉，反抗也无意义，且不可能奏效，于是她便由他们枪毙了……

朋友：哗！真是撕裂人心的一幕！

编剧：你丫的正经点儿！别把世界上的事情全化为笑谈！

朋友：够反动的！这故事！

编剧：去你妈的！你懂个屁！处理这故事我要用——导演丫的这点上我们倒志同道合——超越政治的、社会的、道德的评判标尺，我们丝毫也不想为那一段历史中的革命方面抹黑，而且，我们甚至要表现出来，就一个不由个人意志决定的大的历史运动而言，这类的个体悲剧丝毫不能动摇那个历史运动的伟大意义，也就是说，非要我们从政治角度切入，那我们是站在革命这一方面的。我们要从情节上使观众和读者完全清楚：那样一种特定的情况下，非那样不可。我们也排除社会学角度的剖析，比如，那一男一女的革命者和那少女之间有三角恋爱关系，或者那女革命者和那少女在根据地的文艺团体里有嫉妒和被嫉妒的关系，或别的什么人事纠葛。不，偏偏他们之间并没有那么样的一些乱七八糟的关系，他们就是押解者和被押解者的关系，执行死刑者和被处决者的关系，这里头并没有什么个人恩怨，而是有一种个体无法挣脱的推动力在起作用。我们也不引导观众和读者去进行道德评判：这样处决一个尚不能最终判定为敌人的少女，究竟符不符合道德？哪怕只在革命的道德坐标系上去考察……

朋友：哥儿们！可那恐怕是不可避免的，无论观众还是读者，他们少不了这一问：这么残酷地对待一个少女，一个活鲜鲜的生命，道德吗？

编剧：观众和读者自己往那道德的坑里跳，那是他们的事，我们不管。我们要展现的，要淋漓尽致地展现的，却是三个人物的心理冲撞、灵魂搏击，毕竟杀人和被杀对任何一个生命个体来说都是太大的、大得不能再大的事了，因而即使杀人者在政治上、道义上已经充分地武装了自己，他一旦下手，面对着一个终究没有搞清的又来不及搞清的潜在的敌人或潜在的无辜者……你看我把自己都绕进去了，我说的是什么呀……

朋友：明白！能明白！棒！真棒！这作品妙就妙在这能把作者自己也绕进去的魔力！是呀，即使那个少女从政治上、道义上认可了在那么一个紧急的时刻，任由那一男一女枪毙自己是必要的、合理的，她也决心牺牲自己，但终究她是面对着她所投奔的那个群体的枪口，她并不是由她认定的敌人打死而是由她选定的同志打死，她那灵魂的悸动该是惊天地泣鬼神的！我想象不出来导演丫的怎么玩，怎么在银幕上玩出这惊心动魄的一幕来！也许舞台剧倒还比较容易玩，能把台下观众玩晕乎！你丫的写小说那就更没治了！难道丫的跟你一说你就应了！没错，甩个本子让丫玩他的去！你玩你的！要是我，这么好个题材，倒贴丫的也接！……

一个评论家和另一个评论家的通话

一个：……太不像话了！越拍越邪乎！你不写篇文章批他一家伙吗？

另一个：管他哩！再说人家也还没拍出来，光有些个报导，等他拍出来看了再说嘛！

一个：这可是倾向问题啊！

另一个：你跟他去认真！现在电影最自由，不但有中外合拍，还有干脆是外资的片子，人家外头的制片人不过是聘这边的导演、明星什么的给他们去干活，出来的又不是中国电影，咱们管他干什么？

一个：你怎么一下子忽然变得这么温良恭俭让了？你上个月发的那篇五千字的可是个大爆破筒！说实在的，人家那篇小说的破绽可不像《红蛙》这么明显，你虽然手里有根正牌儿金箍棒，到底也拐了三四个弯儿才炸出人家的要害来！你来篇炸《红蛙》的吧！说实在的我看了那篇专访气坏了，其人之狂妄之荒唐且不去细论，他那马上要投拍的《红蛙》的构思本身就是一个反动宣传，那不是明目张胆丑化、攻击我们的革命传统吗？

另一个：你写一篇吧！你既然那么义愤填膺你就来一篇嘛！

一个：你给我找地方发？

另一个：你自己就真找不着地方了吗？

一个：……说实在的，有把握的地方都是些小码头……

另一个：所以我说你是个榆木疙瘩，死不开窍！你也别生气……

一个：我不生气。咱们是什么交情？这么多年了……

另一个：是呀！贫贱之交！所以我就不怕跟你说点打开天窗的亮话！你就是

写了那批《红蛙》的文章，写得有分量，有深度，就靠我现在的面子，那你想靠的码头怕也未必痛痛快快地给你一个泊位！

一个：那为什么？

另一个：为什么？老兄，我请问你，就算咱们是一伙的，一个码头的，那咱们批那《红蛙》，批那两眼朝天的导演，图个什么？

一个：图什么？难道捍卫原则——

另一个：原则自然要捍卫。但你怎么直到今天还昏昏然、梦梦然，谁花力气去捍卫空洞的原则？原则要落到实处！请问：批倒了《红蛙》的构思，就算《红蛙》停拍，咱们又能得着什么？那导演屁股底下有什么交椅，能让你还是我还是咱们一头的什么人去坐？

一个：你怎么——

另一个：怎么说出这样的话来？还不是因为咱们俩谁跟谁呀？这么多年，你就是信不过我，我还能信不过你？正好我今天晚上喝了三两多杜康酒，借着这酒劲儿我干脆跟你来个人体艺术——咱们赤裸裸相见！老兄，你怎么还不明白，咱们这码头的老板——不，先别算上你，不是我不算，是人家还没把你算上——我们这码头的老板，对搞《红蛙》那一群小年轻的自然也讨厌，可并不把他们当成一回事儿，为什么？刚才不是说了吗？他们有什么权？有什么权好夺？屁股底下有什么交椅？有什么交椅好夺过来坐？没有！所以不跟他们一般见识！先放他们一马，由他们去！……

一个：这……

另一个：这什么？这太粗鄙了吗？太出乎你意料了吗？可这才叫捍卫！才叫原则！我知道你不服气，不服气我这一二年里发那么多大块儿，有两回还从这一版下转到那一版，还得了那么多让你眼红的甜头，你以往跟我投石问路，我总跟你打马虎眼，今天晚上借着酒劲儿我爽性给你把真经传透：你别老两只眼睛乱晃悠，《红蛙》你也去义愤，也去填膺，浪费感情！瞎子摸象！……就说我上月那篇大半版吧，为什么登？为什么二号字大标题？为什么第二天就在另一处转载？又为什么老夸我老赏我？其实道理很简单，就是写那篇小说的主儿如今屁股底下虽没那么一把交椅，可要不紧盯着他紧批着他紧往上头吞着他臭着他，指不定怎么样一来，该由咱们这边稳坐的交椅就搁到他屁股底下；由他去坐了！你明白了吗？明戏了吗？……所以以后你就别老打电话来问：怎么那小说看了三遍，究竟也还是没看出你说的那么个吓人的问题呀？谁让你看三遍了？你看它三遍干什么？不是我骂你，你分明是只没头的苍蝇！

一个：你怎么！怎么出口伤人！你醉成混葫芦了！这么说你写那文章并不是出自一种真诚，一种义愤！你这家伙！

另一个：老兄，别挂别挂，恕我酒后无德！难得这么样开诚布公地一谈！混葫芦！你算骂对了！老兄，我心里头其实跟你一样地苦闷啊！我错过了多少机会！多少班车我都没挤上去！我怎没找到一个角色！前些年只能是串演一些个零碎杂角，好比舞台上的村民丙、匪兵丁，进不了追光的圈儿！我也曾想充当怪声为新潮崛起叫好的角色，可那角色让别人霸住了！我也曾想充当奋声高喊主体性的角色，可偏又有人占了先！我又曾下定破釜沉舟的决心，不怕得罪一切人，扮演一个骂倒文坛的 P 派首领，谁想我文章还没写出来，人家的演讲已经在报上登出来顿时轰动了！他妈的！那些日子里我可真是"瘦影自临春水照，卿需怜我我怜卿"啊！"朝扣富儿斤，暮随肥马尘，残杯与冷羹，到处潜悲辛"！……呜呜……

一个：你哭啦？你怎么？你？

另一个：你别挂，你别……我心里头，心灵深处的话，跟谁去说啊！你听我说，你听……我要说，要说个痛快！我哭？我哭什么？！我笑哩！我要仰天大笑！"仰天大笑出门去，我辈岂是蓬蒿人"！……你别光看着我大半版一大版这版下转那版的登着那些个狗屁文章，我容易吗？人家起头还不收我哩！就他妈往这码头上靠，也有人窝里头放炮，写匿名信，告，告我扒过女浴室的天窗，我是扒过，怎么啦？！你没扒过女浴室天窗，你倒是写篇能往外拿的文章呀！又他妈写不出来！我能写出来！能让老板一看就八九不离十，改不了几段就能上阵，我又敢点名又能击中要害，当年伟大领袖不是说过姚文元跟戚本禹吗？说姚的文章优点是点了名，但没击中要害，戚的文章击中了要害，却又没有点名。我把他们俩的优点全包了缺点全甩了，我还不怕署上自己的真名，我要出的就是这个名嘛！我知道，这是趟末班车，可我老大不小的了，原来的没挤上去，这趟我再不往上拱，那就一辈子窝在那儿了！……

一个：你也醉得太厉害了，你歇歇吧！什么码头、老板的！你这么说话，不钻到对立面那边去了吗？你为什么丑化自己呢？难道你真的没有正义感、原则性，完全是投机，是谋私？怎么可以这么说呢？亏得是跟我说，亏得我知道你现在是真的醉了……

另一个：丑化？我丑化谁了？丑化我自己？我凭什么丑化自己？我远比那些个战友高尚！远比老板高尚！我什么不知道？什么瞒得过我？……跟你把话撂明白了吧，那《红蛙》你不仅不要去批，你如果真想凑拢我们码头，你还不如也跟着起哄、凑趣哩！你是个大傻帽！你是聋子、瞎子！你就一点儿也没听说过吗？那给《红蛙》投资的人，跟我们老板也拉着关系哩，我们老板也巴不得拽紧这根绳儿哩！谁反对改革？谁反对开放？问题是改革权、开放权握在谁的手里！就拿组团出国访问来说吧，谁不想去美国？去了美国谁又不去逛迪斯尼乐园，参观现代艺术博物馆？问题是谁去！我就知道我们这边的全想去！我就想去！所以我一边批着那主儿的小说，说他全盘西化，说他崇洋媚外，一边见着美国那边来的人就一再跟他们说，你们看我哪一点儿"左"？我跟你们不是一样一个鼻子俩眼吗？来，咱们喝交臂酒！我不是"左"王是酒王！他们哪儿弄得清咱们这边的事儿，他们就都愣了，有的就说他们也见过那些个自由化的评论家，拘谨得很，倒不如我开放，不如我洒脱哩！那可不是，不说别的，光从那回我扎的领带上说吧，就让他们一个个眼睛都发了直，绝对的国外大名牌还不算什么，你猜怎么着？你以为我不过是别了个24K的金领带夹？你想象力太贫乏！恐怕你知识也有限，告诉你吧，我给领带套了个亮闪闪的珍珠套儿！你没见过吗？虽说不都是珍珠，是珍珠的部分也大都是些不够圆活的养珠，只有当中两颗是真的圆滚滚的珠子，可那气派，他们真是见了不能不瞠目结舌——谁"左"？谁不开放？谁一概反对西方？谁一概否定西方文化？谁主张中断中西方文化交流？问题是真正代表中国文化的健康的力量是我们，是我！所以他们应该放心地邀请我们，邀请我访问美国！老兄，你替我想想，我现在什么都有了，房子，车子，奖励，津贴……可我美国还没去过，还没去过美国啊！……

一个：这——我还以为……

另一个：以为什么？以为我最想去的是还高插着红旗的地方？那当然也要去，但最想去的还是美国，"不入虎穴、焉得虎子"，对不对？既然如此，我为什么要批《红蛙》？《红蛙》是瞄准奥斯卡最佳外语片奖去的，对不对？你看那投资者连眼皮都不眨就给那混小子扔了一大把钱，为什么？还不是看准了那混小子准有那个段数！要不就瞄准了威尼斯，瞄准了戛纳，瞄准了柏林，反正是瞄准了西方，瞄准了最该去的地方，就算我讨厌《红蛙》，我批它干什么？我得罪他们干什么？说不定哪天我还得靠巧巧妙妙地捧《红蛙》而去成西方，去成美国呢！

一个：你真是烂醉如泥了！

另一个：我没醉。啊哈！我现在心里头很清楚，你都听着哩，你爱听，你想听，你才舍不得撂下电话呢，今天晚上你可是大开眼界，不，大开耳界了，对，你总算知道了一些隐私，我的，我们码头的，你想泊在这个码头吗？那你就要放聪明点儿，要识货！要知趣！要懂得鸡蛋里头挑骨头是一种需要，苍蝇抢了有缝的蛋别去管也是一种需要……

一个：好了好了，你沏杯酽茶解解酒吧，今天晚上我可是什么也没从你那儿听到过，你放心，管它红蛙绿蛙，蓝蛙紫蛙，我是再不操那份心了！……

一位女明星和她的情人的通话

女明星：……我还真有点犹豫不决……太有诱惑力了，可也许又一次变成了他们那一代导演手里的活道具！

情人：我倒觉得那角色对你真是富于挑战性的。剧本接到了吗？

女明星：说还得等一个星期。现在还是那么个提纲。就是我特快专递给你寄去的那个。在你手边吗？从提纲上看戏份真不少，还有相当的年龄跨度……

情人：演起来那是很过瘾。不过我总觉得在这个片子里，女主角到头来还是那个被枪毙的冤死鬼，你这一角戏份再多也只是个女配角……

女明星：那我倒不是太在乎。我告诉你一个秘密：真拿到威尼斯、戛纳去，片子得上奖就算万幸了，想得最佳女演员奖，那门儿也没有！可要真争一争最佳女配角奖，倒是说不定的事儿……导演给我来长途的时候，坦率地跟我谈了这个事儿，当然他让我保密，别漏出去让那演挨枪崩的多心……你说我倒是接不接这个活儿呢？

情人：你不是已经应了他了吗？

女明星：还没签约，自然想拒绝还来得及。

情人：可是有一大笔片酬啊！

女明星：你倒想得周到！

情人：就真不动心？

女明星：那个合拍戏的片酬也不算低。关键是还得通盘考虑，加减乘除……看得数究竟怎么样……

情人：你加减乘除以后是怎么个得数？

女明星：难说。测不准。我不放心。

情人：不放心什么？

女明星：不放心红蛙。

情人：你不想接《红蛙》这戏？

女明星：不是……我想说的是，这戏的主角搞不好既不是她也不是我，也不是那个男的，而是那只让鲜血染得红红的、黏黏糊糊的青蛙……

情人：怎么？

女明星：提纲上你还看不大出来，可导演电话里跟我那么一聊，我就把他的心思给看穿了，他的全部创作冲动，都起源于那只红蛙……

情人：你说给我听，细说说。

女明星：电影不是小说，也不是舞台剧，电影语言是可以把人以外的东西，环境，器物，尤其是动物，包括一只青蛙，当成叙述主体的。这片子为什么叫《红蛙》？关键是那一男一女本着神圣的前提将那姑娘枪毙以后，当他们搬动那姑娘尸体要将她草草掩埋时，在那姑娘尸体下爬出了一只青蛙，因为姑娘的热血浇在了那只青蛙身上，所以青蛙变成了红蛙，黏糊糊的，不会蹦，只会爬了……那女的后来总忘不了那只红蛙，并且因而形成了令人很惊奇的怪癖：她不仅绝不能吃青蛙即田鸡的肉，而且任何能使她联想到那红蛙的东西都使她恶心，乃至头晕，包括后来常见的浇上西红柿汁的肉饼一类的食物……你想导演一定会在银幕上反复使用红蛙这一象征性的符号，并使得整部片子的银幕造型充满了绷紧观众心弦的张力，不消说他会把这个噱头玩得淋漓尽致，那么，我呢？我那个角色呢？我真害怕到头来，我费老大劲投入，拍了半天，接出来，剪辑完，一放映，我变得模模糊糊的了，倒是那只红蛙令人久久难忘……

情人：你的担心不是没有道理。可是我觉得那股全然不注重角色塑造，不注重叙述故事，光是耍弄形式，搞银幕造型，把演员全然当做与环境、背景、器物、动物一样的道具摆弄时风，已经刮过去了，他们那一代导演这一二年都先后醒悟过来了，不那么练，不那么玩了；他那上一部片子，不就至少塑造出了两个血肉丰满的人物吗？所以我觉得你不必那么担心。更何况你在签约前还可以跟他再坦诚地谈一次。

女明星：也不单是怕把我当成活道具。说实在的这个角色跟我的距离太大太大了……

情人：你不是早就盼着打破本色打破定型，接受最富挑战性的出人意料也令自己始料不及的角色吗？

女明星：当然！可是我内心深处，起码到今天为止，到现在为止，总还不能接受这个故事！我，一个押解者，怎么可以把一个未能最后定性的人枪毙掉？这可能吗？人世间有这种事这种人吗？

情人：导演不是告诉你，这是一个真实的事件吗？人世间不是确实发生过这样的事有这样的人吗？

女明星：我相信他的构思不是关在屋子里对着墙壁胡思乱想的产物……可在那关键的一场戏里，我那一角那样行动的心理依据是什么？

情人：首先是对革命的忠诚。对一种终极目标的无限信仰与无畏追求，哪怕要越过一具可能是无辜的尸体！

女明星：当然，这是一个层次。导演说跟编剧商议好了，将有一场戏为这样一个高潮作铺垫：清查中确实有被怀疑者逃走，结果证明确实是敌特，而且给革命队伍带来了严重的损失。严酷的斗争环境导致了人与人之间的严酷关系，往往是你死我活之间的无情抉择……

情人：你这样理解就对了。再说故事的规定情境很清楚：他们三个同别的人走散了，同队伍脱离了，而又发现陷于敌人包围之中，他们必须突围，突围又不一定能够成功，倘若只面临着牺牲，只面临着同归于尽，那倒也罢了，然而又很可能都被俘或其中一人与那姑娘被俘或仅那姑娘一人被俘，但只要存在着那姑娘被俘的可能，就一定又存在着两种可能：那姑娘果然是敌特，于是她终于能将刺探到的情报向她的主子汇报；或者，由于她对革命队伍的清查不满，由于经不住敌人的拷打或引诱，她动摇了，投降了，于是，仅仅是她所耳闻目睹的情况，就足以构成一种情报，使敌人知道我们那支革命队伍的虚实……于是不得不在突围前把以上的所有可能性化为乌有，那化为乌有的办法就是将那姑娘的肉体加以消灭……

女明星：但观众怎么能坚信，倘若敌人捉到了那一男一女，拷打他们，引诱他们，他们就一定不存在投敌的可能呢？

情人：亲爱的，这就要靠你和那男搭档的功夫啦！特别是你，一定要演出那份自信，也一定要演出那份令观众毫不怀疑的盘石磐坚定的革命品格！

女明星：但是演得太硬了，我又怎么体现出处决那姑娘时的复杂心态，那内心里的震荡与挣扎？而且，导演说了，那一段戏里，要出乎一些观众、也许是大多数观众、甚至于所有观众的意料，不安排那一男一女革命者之间的分歧、争议与冲撞，他们是一致同意根据上级指示的精神枪毙掉那姑娘的，并且互相配合着做这件事的……

情人：高！那才更好看！更惊心动魄！

女明星：并且导演说，也将不安排那姑娘同他们的外在对抗，我将分工直接去跟姑娘把话讲清楚，就是要明明白白地告诉她我们要根据革命事业的整体需要枪毙她，但我该怎么把握内心的尺度呢？我是把她完全视为敌人？还是把她视为一个无辜的但必须为革命捐躯的人？还是内心里充满了迷惑？……最要命的是，导演说那姑娘将并不逃跑，并不呼天抢地地喊冤叫屈，也并不歇斯底里大错乱，而只是对于被枪毙这一事实本身充满了全身心的惊恐，而我和那个男的所不能统一的，也仅是究竟让那姑娘从背后吃一枪还是迎面吃一枪的方式之争……

情人：太棒了！这才是好构思！好导演！拍出来一定是好片子！威尼斯金狮，戛纳金棕榈枝，柏林金熊，奥斯卡最佳外语片奖，我看怎么着也能捞上一个了！

女明星：真的吗？洋人能理解吗？

情人：怎么不能！故事是一个中国故事，甚至是一个中国革命的故事，但落点却是全人类的，一个人类的生存困境问题，一个个体生命和群体生存之间的矛盾问题，一个杀人和被杀的问题，生与死的问题，假定与判定的问题，生理人心理人与社会人政治人的矛盾问题……总之，是直逼人性深处！

女明星：我真怕拿不下这一角！我还……我又怕他找的那挨枪崩的一角太不称职，那我铆足了劲儿也没有用；当然我翻过来也怕他找的那家伙太来事儿，把我给压过去！

情人：他跟你说了吗？他究竟选定了谁？小报上吹出来的那两个候选的主儿可都不怎么样，闹不好真不能跟你旗鼓相当，结果两败俱伤！

女明星：他漏出口风，说可能找港台的新星，找真是只有十八岁的姑娘，可我想港台的丫头怎么可能理解这个故事那个角色？

情人：他真有那个打算？太离谱……

女明星：那也许是出片人的意思，你得知道这是人家独立投资的，你考虑的是艺术，人家考虑的也不光是国际上拿奖出名，考虑的主要恐怕也还是票房，这三个主要角色他大陆、香港和台湾各找一个明星来"连袂主演"，倒也不失为一个好的生意经，至少在华人圈子里，票房肯定不错！

情人：你估计拍成了这边能公演吗？

女明星：我想那么多干什么？我现在只是……想你！几点了？啊，真恨不得跟你挤在一起，借你点灵气儿！

情人：挤在一起？为什么不搂在一起？滚在一起？……你这破戏还有几个镜头？管它红蛙哩！你先回到北京来，咱们滚一滚再说别的！……

两个中年作家的通话

一个：……干吗呢？还敲啦？

另一个：正敲呢。嘿，你也快买吧，这玩意儿真让人着迷，我现在是一天不敲就浑身痒痒……

一个：成了你的情人啦！那我这电话是不是成了棒打鸳鸯两分离啦？你们正亲热着……

另一个：快买吧！七八千块买个绝代佳人，不算贵！瞧着吧，你迎进了屋，说不定比我还得黏糊！

一个：那也得看缘分！昨晚饭局上遇上了正写《红蛙》的那坏小子，我以为他那么新潮，必是早用上了计算机，说不定还已经喜新厌旧地几离几娶，谁知道他说他还是摇笔杆子；他票子大把的，置备一套桌面办公系统，包括碎纸机在内，都不成问题，可他说他就用不来计算机，对着监视器立马灵感全无……

另一个：你听他的！……昨晚谁做东？

一个：还不是台湾那边来的，约稿，自然还是坏小子们的货最抢手，他那《红蛙》小说还没脱稿，人家就约定了连载，拍下了定金，生意真火红！

另一个：咱们是卖文为生，他们是卖文致富了！

一个：世道已然如此……

另一个：这世道并不坏啊！

一个：当然！……是这么回事儿，有个杂志，想热闹热闹，找十来个作家，大家围绕着一个内容，各人写上一篇……

另一个：同题小说？那不早有搞过的？

一个：不是同题。是同题材。具体说吧，那《红蛙》的故事梗概不是已经登出来了吗？当然是关于拍电影的报导里透的。其实本来并没有这么一部小说，也没那么一个现成的本子，只有一个梗概，又是导演自己提供的……

另一个：那大家都拿那梗概写小说，岂不有侵权的问题？

一个：据杂志方面说已经同那导演联系了，导演在影视、戏剧、连环画一类品种上那是寸土不让，绝不转让梗概使用权，但对文学品类，无论小说、长诗，他都表示好商量，甚至表示他巴不得在片子拍成之前，已有一些小说上市，那不等于给他的片子做广告吗？

另一个：那坏小子能答应？

一个：梗概不属于他，已经登在报纸上，公有化了。坏小子他们那一辈也不都像咱们常说的那样，狼似的，昨天饭局上我跟他提起这事儿，他说那杂志是拉他稿子拉得最紧最勤的一家，而且把那创意也跟他说了，说分三期发，头一期就把他的登在最前头，稿费不封顶，他倒嘻嘻哈哈的，说那是"红蛙拳击赛"，把他先吊起来当沙袋练，听他口气，似乎并不反对，他还说，让我来篇绝活，看能不能跟他抗衡……实在话，坏小子他们那种幽默、洒脱，不在乎，无所谓，我挺喜欢，说明他们生命力旺盛，创造力强，自信，不怕竞争，心理健康程度大大地超过我们这一辈……

另一个：都能像你这么看待他们就好了！听你口气，你是打算跟着起哄了？

一个：你也凑个份子吧！杂志说了，小说题目自拟，不一定非《红蛙》，里头也不一定使用红蛙的细节，但大体上是讲一男一女的革命者处决了一个还没查清楚的姑娘，各人把自己的人生体验熔铸进去……

另一个：很有点当年苏联拉甫涅尼约夫那个《第四十一》的味道……

一个：比那个棒！《第四十一》人物黑白分明，革命者爱上了反革命，后来又毙了他，哪有这个故事惨烈、悲壮！

另一个：倒是。我那天一看那报导心里头也一动。当时有位老兄正跟我这儿喝咖啡，他就说：这帮导演，就知道拍这号电影，明摆着是专拍给洋人看的，专门展示咱们中国最落后的一面，什么野合啦，剥人皮啦，乱伦啦，小脚呀，辫子呀，黄包车呀，鸦片烟呀，小老婆呀，小痞子呀，烟花巷呀，男妓呀，男旦呀，阴司报应呀，跳大神盗古墓呀……现在可好，又来个枪毙好人，这么拍下去得了吗？我知道他没恶意，就那么个美学观念，那么个批评视角，所以也没怎么跟他争论，可我总觉得我们没能真正理解那拨比我们小个十几二十岁的艺术家，他们当中大多数起码是在认真严肃地进行探索，也许拍片子因为有个谁投资谁有左右权的因素，有个瞄准国际影展和海外市场的因素，因而确有审美视角偏斜，偏向洋人一边的问题,但就他们的创作动机而言,我以为大体是纯洁的,比如那《红蛙》,光总体构想,就使我感到那导演的一颗心,实在并不是飘浮的,而是沉甸甸的,他确实想严肃而冷峻地探讨一个起码是世纪性的问题,一个说实在人类所不能规避的问题……

一个:好呀好呀,那你也来一篇呀! 你参加吧? 我让他们直接跟你约稿啦? ……

另一个:也许我真能写。我就想到 1959 年在北大荒,戴着"帽子"改造的时候,有一天下完地排队往回走,我旁边的那位老兄就忽然歇斯底里大发作,是突然的,他一贯不仅寡言,连眼光也总是盯着地下,不跟别人对接的;他忽然转身一把揪着我衣领下边,用蛮力摇晃着我身子,两只眼睛像火球一样,正对着我双眼,像要弹出来把我烧毁似的,他大声吼:"为什么? ! 为什么? ! 这究竟是为什么啊? ! "吼完忽然蹲到地下,抱头痛哭……我理解,他转身扑向我纯粹是因为我在队列里恰在他身边,他并不是冲着我来的……他 1948 年加入的地下党,是个红小鬼,他其实不但没做过一桩对不起党的事,也并没说过一句对不起党的话,他纯粹是因为老上级被划了"右",他被打入了一个"小集团",被牵进去的……后来有一天他渴得不行,蹲到地下捧起车辙沟里的脏水喝,很快染上急性痢疾,死了。他的遭遇就很类似于那个姑娘。那姑娘"砰"的一声,干脆死掉,倒也痛快,你想我那位"改友",他的政治生命由他所自愿投奔并热情献身的那个团体枪决了,而他的肉体还必须存在,而这肉体不仅有骨头有肉,还有神经系统,有中枢神经,有大脑细胞,那绵绵不绝并且是不断升级的痛苦,他必得敏锐地承受着,该是多么大的一个悲剧! 当然他死得也还及时,总算躲过了"文化大革命"……

一个:"文化大革命"不就包含着一个最大的"红蛙"吗? 我虽然只是一个渺小得不值一提的角色,但也构成了那狂热的打倒"叛徒、工贼、内奸"的漩涡里的一滴浑水,结果不等于也参与了对他的处决吗? 当时除了伟大领袖、亲密战友和"中央文革"点名保下来的极少数人物,再大的干部也是先炮轰了再说,先揪斗了再算……所以这里面确实有一个沉甸甸的问题……

另一个:但是对于艺术来说,提出问题已非明智之举,试图回答问题那更是刻舟求剑。

一个：但是艺术作为个体生命之间的沟通方式，可以唤起良知，不是吗？

另一个：你总是太耽于理性。其实艺术主要恐怕还是唤起一种美感，不仅是形式美，而且是生命美……

一个：太好了！怎么样，你答应加入啦？

另一个：我可以敲一个。不过我还是要对你的"恐计算机症"下一针，下在人中穴上！到头来你对计算机的这个看法那个顾虑，不是听来的就是自己凭空想象出来的，根本没有实践过，体验过，这跟世纪初一些中国人害怕照相，说照相机能把人的魂儿给摄走，有什么区别？又跟当年恐惧铁路，说火车一过，鸡都不会下蛋了，有什么区别？……

一个：哈……其实也真的没多大区别！

另一个：知道这一点就好！

一个：行，我也下决心买一台计算机敲敲试试，说不定我这一篇就是敲出来的……

副导演和作曲家的通话

作曲家：……怎么，他还没工夫跟我直接详谈？

副导演：他让我跟你道歉！下星期三以后他一定跟您直接谈，他飞到您那儿也行，您飞到这儿来也行……实在是，您哪能知道，一般人也是，认为有了人投资就行了，没那么简单，中国的事儿……为外景地的事儿，为租直升飞机的事儿，导演亲自出马，几个搞制片剧务的整天坐着包车满世界找"托儿"……

作曲家：好，那下星期三我飞过去吧，你说吧，导演想跟我先说点什么？

副导演：他不是让您先设计个"红蛙主题"吗？您不是告诉他打算用童声吗？他说不要！前一阵，好几个叫得响的电视剧主题曲都用了童声，用滥了！再说他不想用童声把观众的思绪引向一种单纯的、透明的境界，他说不要单纯要复杂，不要透明要浑厚……

作曲家：他原来拍片子对音乐也要求得这么细吗？

副导演：他一贯抠得比别人细，起码在中国导演里头；他不能理解以前一些老导演怎么可以直到合成的时候才头一回听配乐……对了，他还让我告诉您，他不希望用民乐……

作曲家：为什么？我本来也没打算全用民乐啊，我是想用琵琶，琵琶协奏曲，交响乐队全用洋的，怎么，他连琵琶也不要？

副导演：他说不要琵琶……

作曲家：他懂琵琶吗？他听过经过改良的琵琶弹奏吗？你告诉他不要想当然！我可以先给他两盘现成的琵琶协奏曲带子听听，让他先感受一下……

副导演：他跟我很肯定地说他这部片子不用琵琶……

作曲家：哼……岂有此理！……不要以为你们给的报酬多，就可以瞎指挥！哼！……

副导演：哎哟，您别生气！怪我没传达好，没传达好导演的意思，我们导演要不是敬重您，信任您，能巴巴地亲自上门请您给作曲吗？……

作曲家：可是那天在我家，我提出童声无伴奏合唱转琵琶协奏曲的设想，他没有异议嘛！他点头认可了嘛！

副导演：那天他不是还没开始分镜头吗？这些天他进入了正式的银幕思维。他肯定试着用童声和琵琶声思维过，但是不能跟他的其他银幕造型匹配，所以他改主意了，他让我及早转告您也是这么个意思：希望最后能达成默契，劲使到一处……

作曲家：虽说电影是导演的艺术，但作曲家不是导演手里的玩物，起码我不是！

副导演：您千万别生气，别误会，您先听我把导演的设想说全说完，您不同意，下星期三以后您不是还可以跟导演面对面讨论吗？您放开了跟他吵，怎么样？

作曲家：肯定要吵！好吧，你先把他的屁替他放出来我听……

副导演：他想来想去决定，一、不用童声；二、不搞插曲，不搞主题歌；三、不用民乐；四、用大配置的交响乐队；五、关于《红蛙》的音乐主题要贯串始终，旋律风格由你怎么着都行，但要有史诗感……

作曲家：史诗感？基本上是两女一男，三个人的戏，诗倒有，史在哪儿？

副导演：导演说跟投资人讲了，虽说主要的戏只在三个人之间，场面单纯，但要有大场面，该花钱的地方要舍得花……比如那个深秋野地里的场面，那三个人之间的戏，将会有从空中鸟瞰下来的超全景镜头，展示以他们为圆心以一公里为半径的旷野，敌人对他们的搜捕圈正在步步紧缩……除此以外，他说至少还有几十个需要用十部报话机联络指挥多机拍摄的大场面，因为这片子要探索的是群体生存与个体生命之间的关系，所以……我想导演的意图正在于不能只是三个人的一段故事，一首悲情诗，而恰恰也要是一页历史，所以，他说音乐绝不能小气，而要史诗般的……

作曲家：哦，是这样……

副导演：您别见怪，导演他哪儿是拍片子，完全是燃烧生命！玩命儿！跟他合作吧！他跟我说过，真的，还指望着您夺个最佳音乐奖哩！

作曲家：我这些天也确实一直在酝酿《红蛙》主题，你们大概难以想象，我还真到老远老远的野地里，逮来了一只青蛙，还真给它身上泼上了一碗热鸡血，然后观察它的爬劲……因为依然捕捉不到那瞬间的心灵悸动，我就干脆用烫过的针刺破了自己的手指，把自己的血，真正的人血，一滴滴挤到它的眼睛上……你猜怎么着，当那红蛙不知所措地把它那凸出的让人血给浇花了的眼珠痛苦地滚动时，我脑子里像有闪电呼啦一亮，我赶忙跑到钢琴前头，弹出了一个让我自己也浑身发抖的旋律……结果我的血迹留在了键盘上，到现在干了，变乌了，我也还没有擦……

副导演：太感谢您了！真是太谢谢了！我先替导演，替整个剧组，给您鞠一大躬！有您这样的作曲，这片子要再不成功，那可真是老天没眼了！……

作曲家：可是我直到刚才，满脑子还是琵琶的声音，而且我那红蛙旋律充其量还只是交响诗的格调，还不是史诗，不是交响大曲……

副导演：调整一下对您并不困难，不是吗？导演说了，这片子要有古希腊悲剧的气派，古希腊悲剧不是净表现母杀子、子杀父、兄弟相残的大悲剧吗？人类的这种认认真真的大义相残，何时方能结束？也许不需要结束，也不能结束？……

作曲家：是呀，这非大曲不能倾诉！小子，好！你告诉他，我正消化他的想法哩！不过……也许下星期我们还是得吵！

副导演：也许你往钢琴前头那么一坐，把您的乐思那么一弹，就谁也吵不起来，光剩下眼睛潮湿的份儿了！……

编剧打给朋友的电话

编剧：……没想到，我这本子拉得这么漂亮！

朋友：你什么时候自我感觉不是优秀？我给你当镜子，你照照，有那么漂亮吗？

编剧：嘿！绝对的，韵味十足！

朋友：你小说动笔了吗？

编剧：没哪！说实在的，我原想划拉划拉就把剧本甩给他，没想到这回我掉进剧本的坑儿里头去了！越写他妈的越投入！

朋友：有什么惊人之笔？

编剧：你想那一男一女押着那姑娘跟大队失散了，自那以后到那姑娘被枪毙，有三天两夜，我就想，夜里他们怎么睡觉？总不能不睡觉吧？那姑娘为什么不在他们俩睡着了的时候逃跑？他们又怎么能放心睡觉，不防那姑娘逃跑？……

朋友：嗨，拿绳子绑起来呗！绳子一头握在押解人手里呗，这算什么难题！以前的电影里有过，多了！你丫有什么新鲜点子？

编剧：头一夜，那一男一女决定轮流值班，可那姑娘不安心了，在那女的来换男的班的时候，那姑娘就说，这样不好，这样我倒比你们都睡得长了，你们的精神就亏了……所以她就自己建议，让他们把她绑起来；可全身都绑起来太难受，光绑手和脚她可以弯腰蜷着睡，可以翻身，但那又不保险，万一她真有逃跑之心，她可以用手去够脚或用脚去救手，所以，最后是她自己做出了一种巧妙的设计，用一个空干粮袋套住她的双手再用绳系紧，再用另一条绳系住她双脚，再用一个布条套住她的嘴——

朋友：那干吗？

编剧：防止她用牙把绳子咬开呀！……这样，他们三个就都可以睡觉了。但是头一夜他们都没能睡踏实，因为后半夜附近有枪声，惊醒后来不及给那姑娘松绑，那男的扛起她就像扛起一袋粮食，赶紧转移——

朋友：你这不成闹剧了吗？

编剧：导演处理好了，演员演好了，就算观众"轰"地笑起来，笑完了心里头准定沉甸甸的……

朋友：我听着不觉得高明！

编剧：……白天的戏，有一场是他们用一只破船过河，船到河中间沉了，三人全掉在了水里，那女的不会游泳，本能地呼救，那男的却并不马上去救她，反而去救那个姑娘，但那个姑娘其实并不需要救，因为她会游泳……观众当然明白，那是因为那个男的觉得那个女同志如果淹死了，革命事业所损失的无非是一个同志，但如果那个姑娘没有淹死而是游走逃跑了，或冲到下游被敌人截获了，那革命事业所损失的就可能很多很大，因而他必须奋力抓到那姑娘，甚而不惜跟她一起淹死在河里，但那姑娘再一次企图以自己的实际行动证明自己对革命事业对同志的忠诚，她就主动去救那不会游水的女同志，而那女同志对她心存戒心，虽然濒临淹死却坚决不要她的援救……这样三个人在激流里就有一场微妙而惊险的戏，我想导演一定喜欢，因为这完全是电影的活计，舞台上你就没法儿表现，小说写起来也啰嗦，银幕上却可以表现得很鲜明，很强烈……

朋友：嗯，这个点子还行。

编剧：可是第二天他们再去找大部队时，在秋后的田野里，当那男的搬动地里的秫秸垛，想摞起来靠着歇歇脚，却突然被垛底下趴着的毒蛇咬了脚脖子——

朋友：瞎编！

编剧：我插队的时候，就遇上过，秫秸垛底下，趴着蝮蛇，三角脑袋，秋蛇，正肥，积蓄着脂肪，打算入洞冬眠，你惊了它，它是非咬你不可——那回倒是没让它咬上，我们队长赶过来一锄头锄死了它，锄成两截还扭咕了半天，特瘆人……所以我就把这段生活积累挪到这儿了，让那男的挨了毒蛇一口，毒蛇游走了，那男的马上自我处理伤口，他用绳子先绑住伤口以上，不让毒液顺血往上流，又用手挤毒液，但不得劲，那女的就要用嘴去给他往外嗋，他发现那女的嘴唇有干裂的血口子，不让，因为毒液如果光吸进消化道不入血管，那不打紧，如果一进入血管参加了血液循环，那就会使心脏麻痹，人就得死……这时那姑娘就自愿要给那男的嗫出伤口里的毒液，她说自己嘴里嘴外没有伤口，也确实没有……那男的为保住革命的本钱，没有坚拒，那姑娘就趴下给他嗫出了有毒液的血，啐了，那男的又掏出小刀，干脆把那创口周围的肉都剜了出来……那男的没有死，但那一夜，也就是他们跟大部队走散了以后的第二夜，那个女的和那个姑娘一齐照顾那男的，都没有睡……我在本子里把那男的写成一条不动声色的硬汉，不知道导演找来的那主儿能不能称职，我有一场戏写月光下那女的和那姑娘都不由得朝那男的望去——那男的为了清醒自己，刚用古井水浇了身子，他那健壮的身板像青铜一般坚硬而冷峻，不动感情，不苟言笑，体现着不可撼动的原则和坚如磐石的信仰，那女的对他是崇拜，那姑娘对他是惊奇，但我不用弗洛伊德那一套，导演用不用我不管，估计丫的这一回也不用，这个戏最好偏不用，观众愿意用由他们用，反正那男的一角将体现出一种超人的品格，他的没有人性或不讲人道或绝无温情绝不通融，要表现为一种青铜般的超人之美……

朋友：你使我想到尼采……

编剧：玩去！我也不用尼采，谁的形而上也不用，我自己也不提出来，反正我要写出那个男主角的一身冷如刀、硬如铁的品格来……最后那女的跟他有一点争论，那女的说干脆让那姑娘背过身去挨一枪算了，他却坚持要迎面开枪，而那姑娘最后自愿面对着他，让他开枪，他也就毫不犹豫地开了枪……

朋友：你怎么处理那红蛙的细节？

编剧：点到为止。我想导演一定有他的玩法，剧本怎么写他才不管哩。这个戏是那个女的后来老了回忆这段事的框架，红蛙自然要作为一个象征性的符号出现多次。

朋友：其实何必要这么个回忆的框框，直接写那段事不结了？更干净利索。

编剧：导演定的货是要这么个框框。咱们是来料加工。

朋友：本子整个完啦？能甩出去了吗？

编剧：他那边一天十二道金牌，明天我就特快专递邮给他。

朋友：小说什么时候开笔？

编剧：倒二乎了！

朋友：为什么？

编剧：说不清！只是觉得这一回不能开篇就一顿瞎贫瞎逗……

两个男演员的通话

一个：……你怎么还犹豫呢？这么好的戏这么出彩的角色……这么好的机会，说不定夺来个国际性的最佳男主角奖，当一回影帝，那不过足了瘾？再说，你给国内拍多少部片子，也捞不着这么高的片酬呀！名利双收的事儿，你倒犹豫了！你真犹豫假犹豫？别捏酸假醋的！

另一个：我犹豫，倒不是怕自己拿不下来，我是怕观众不接受这个角色……

一个：怎么叫不接受？不喜欢？那有什么！干吗非得演让观众喜欢的形象？你还没让观众喜欢够吗？……

另一个：不是喜欢不喜欢的问题。是可信性的问题。或者，就算这人物是可信的吧，但依我想，观众宁愿看到另外的更可信的形象，现在生活里多得很——他们的所谓原则性，其实剥开皮儿一看，露出来的全是私心私利……所以我看了本子以后，就更担心了，现在这么个时候提供给观众这么一个冷铁般的皮儿馅儿都是原则的人物，恐怕费力不讨好……

一个：你胡涂！可气的是导演偏死拽着你上这个戏演这个角儿！我跟他求好几次都让他给撅了回来，末了只答应我给你们配个只十来个镜头的扫边角色，其实就对角色的理解而言，我才是无可争议的第一人选！唉！说我形象气质不够，我就不服，咱俩站一处，亮出块儿比比，我哪点比你软？比你衰？……算了！事已如此，我不拆你台，我扶你当天子，当影帝！……打这儿说起吧，今天我在街上，看见个小伙子骑着自行车，打我身边蹭过去，他穿着个文化衫，就是带字画的圆领衫，你猜那上头画着什么写着什么？

另一个：画着户口本什么的，写着"拉家带口"？要不就是"烦着呢，别理我"？

一个：那是去年前年的行市！早没人穿了！昨天我看见的那位，他那圆领衫前头印的是毛主席像，背后写着三个字：再回首。

另一个：啊，那也不稀奇。大小汽车，那前窗里头如今不都挂着领袖像吗？一面是毛主席，一面是周总理，早有了，流行得很嘛……

一个：是呀！报上好像有过这样的文章，分析说，挂这个像并没有什么深刻的社会心理背景，因为问过一些司机，他们说不过是借伟人的福分，取个吉利，保佑行车安全而已！这当然算是一个心理层次，但哪里这么简单，依我说，是有着相当深刻的社会心理背景……

另一个：对现实困惑，甚至不满，因而回头看，缅怀以往的某种状态和秩序？

一个：倒也不一定那么去看。我只是从这儿引出我想说的一个意思，就是在这个世纪的末尾，人类回过头来看这个世纪里发生的大事，出现的大人物，那就不能不承认有过一个甚至连毕加索那样的艺术家也倾心投入的伟大社会运动，蓬勃地发生，形成过高潮，而且，也确实出现过一大批确实表里基本如一的钢铁般坚硬也钢铁般冷峻的革命信徒，《红蛙》里你要扮演的那条汉子，就是这样的一个人物，可以称之为"世纪英雄"。一个伟大的社会运动有高潮也有低潮，一种英雄人物有时髦期也有不时髦期，艺术作品比如电影不必去评价这样的运动和这样的人物，却可以从精彩的展现中唤起观众高层次的再回首思绪引出一种对整个世纪人类命运的慨叹……我觉得那真是非常有意义也非常有意思的！

另一个：嗬，老兄真行！我都听呆了！这一角真该让你来演！

一个：问题是九牛难换导演心，你去找他让贤也没用，他死活瞧不上我！

另一个：你还真给我开了点窍！……不过，我不明白，导演他这一回怎么把性给干净彻底地排除在外，他上一个片子、上上个片子，全把性搁到戏眼上，从性苦闷，性无能，性饥渴，性焦虑，一直表现到性放纵，性快乐，性癫狂，性倒错，性报复，性绝望，性消退，性罪感，性超脱……让观众看得死去活来，活来又死去，最后评论家们还都赞好，并不认为是宣淫导邪，倒都说是深刻地揭示了东方人特有的性文化内涵。可这回拍《红蛙》，故事里的这一男二女，个个都正在青春发动期，我这一角从剧本规定情境上看，应该也就二十七八岁，就以我本色而说吧，四十啷当岁，按那里头描写又雄狮般强壮，怎么会一点儿没有性心理性冲动性行为，或至少是性幻想呢？即便我在那严酷的斗争环境中只把那姑娘看成是一个画了大问号的阶级人而非肉体人，但那位女同志总该对我有吸引力吧？我为什么不可以爱她？甚至对她产生性爱，产生性冲动？再说她也该爱我呀，难道我这么个银幕造型，不该唤起银幕上的她和银幕下的无数女子，发狂地来爱吗？时下不是从观众到评论家都在呼唤银幕上中国汉子的出现吗？现在我给他们出现了，却是一个全然不仅无情而且也无性欲的家伙！搞不好有人看了会问：丫的是不是那玩意儿不灵，有他妈毛病啊……

一个：你跟导演讨论这个问题了吗？

另一个：还没逮着机会。他也还没给我导演阐述。现在光是看本子。我知道这本子这角色对我来说是个不能轻易错过的机会，可是实话实说，直到今天我也还没喜欢上这个本子这个角色！

一个：就因为没有性？你就那么喜欢演床上戏？对，这里头没什么床，你大概是喜欢演野合，更刺激，对吧？

另一个：你他妈的！我这正儿八经跟你讨教哩！你听说了吗？那女主角他又换了个人，因为人家不是像我这样要跟他讨论，而是直截了当地对他说，只能按被虐狂的路子演，就是那姑娘内心里爱他爱得发狂，所以他怎么审查、押解、处置那姑娘，那姑娘都当做一种痛苦的甜蜜，直到撕开衣服露出胸膛让他枪崩……

一个：那倒也挺好看，不过，落套了不是？整个儿一个翻了案的潘金莲，当年欧阳予倩写的那个话剧本子，就那么处理潘金莲跟武松的关系……看来导演是想奋力出新，别人嚼过的馍一口不吃，自己蒸过的馒头也一个不留，他要玩全新的花样，所以让你演成一个青铜汉子，什么都汉子，就那一箍节儿忽略不计……

另一个：这青铜汉子真不如你来演吧……

一个：你当真要让给我？咱们真一块儿去跟导演说去？——不过那也没有用，他死活看不上我，闹不好倒让第三者插足了！傻哥儿们，你演吧！你怎么还不明白，如今电影也有个寓言化的潮流，这《红蛙》整个儿就是一个大寓言，你演的就是个寓言人物，所以不必从生活中找细微的依据，而要从总体上把握寓言的内涵，这内涵可是覆盖着整个世纪的，在这世纪末，导演引着我们引着观众掠回首……就是这么回事儿！你多从大处品味吧！

两个女留学生在美国的通话，表姐是导演姑妈的女儿，
她称导演哥；表妹是导演姑妈妹妹的女儿，她称导演表哥

表妹：嗨！……说中国话中国话！哎呀好多天找不着个人痛痛快快地说说中国话了！

表姐：我这儿倒还有个说中国话的小圈子，不过说实话，洋人的中国话怪腔怪调也还罢了，几位台湾人的中国话……咬字比咱们还清楚，可就是对面交谈总像隔着一层什么似的……

表妹：我这儿总算还有几份中文报纸，中午喝咖啡的时候我就大声念，自己听着怪好听的！

表姐：你看见关于哥的消息了吗？他又拍个新片子《红蛙》……

表妹：我一看就知道他是拿什么当素材……

表姐：上星期我给妈打过一个电话，她为这事挺生气，弄得我也心烦意乱，你知道我没有超过一刻钟的付款能力，草草劝了几句只好挂掉……

表妹：真遗憾，不过，这是创作自由，艺术家往往是六亲不认的……

表姐：我理解哥，倒不一定像妈跟你想的那样，他是有意用妈跟爸的那段事情，出谁的丑……他喜欢残忍，他天性当中有这个东西，我知道，我早就朦朦胧胧觉得他一旦有了机会，早晚会肆无忌惮地表现这个……小时候，逮着一只蚂蚱，他总是先揪断它的前腿，再掰断它的后腿，再扭断它的头……逮着蜻蜓也是这样，他总要扯断它们的翅膀……要是遇见树上掉下的大青虫，那他就高兴了，他总是要把脚抬得高高的，再使劲跺下去，那让人恶心的绿汁子滋出老远，他就仰着脖子大笑……他好多次把我气哭了吓哭了……他说他插队的时候，没肉吃了，就逮田鼠，活活的田鼠，用稀泥糊上，搁野火上烤，烤得泥巴干了硬了，就掰开，肉还半生不熟的，他就吃，还说香得很……我飞来以前，他已经出名了，摆阔气，在一家别墅式的饭店里给我饯行，他让人家端上来一条鱼，中段已经炸焦了，还浇上了红红绿绿的东西，可尾巴还在拍盘子，鱼头更可怕，眼珠子凸着，嘴巴大开大合的，喘气儿……当时我就尖叫了起来，他却呵呵呵地乐，说那是那个饭店的绝活，很贵的，他让我下筷子，我捂着脸跑开了……

　　表妹：啊呜！亏得我不在，我在我会翻江倒海把胃里肠子里的东西全呕出来的！太可怕了！

　　表姐：所以我想他拍《红蛙》，主要是他喜欢红蛙那样的怪物，喜欢把一个美丽的姑娘枪毙给观众看，就像他喜欢那条端上餐桌的烧活鱼一样！

　　表妹：你说得太绝对了吧……

　　表姐：其实，妈妈说起当年那回事的时候，我也在场，她一共没有几句话，淡淡的……我想那以后妈妈也并没有再跟他详细讲过那回事，他好像也没有缠着妈妈再讲那回事，尤其是细节……他拍这《红蛙》一定全凭想象，他的想象力倒是一贯挺丰富的……

　　表妹：从报上介绍的梗概上，倒是看不出来他对姨父姨妈有什么丑化的意图批判的用意……

　　表姐：他从小就到了我们家，可他根本不了解爸爸妈妈……其实,我也不了解，比如说，我也问过妈妈：你跟爸爸究竟怎么回事儿?.在那件事情发生之前，你们是不是就是一对恋人？要不，你们就是在那一回的共同遭遇里，爱上的？她说在那之前，她就只知道学习、整风、清查、改造、大生产、扭秧歌、排节目……她说他们那时候队伍里也有乱搞的，可她跟好多人一样，看不起，恨，她绝不乱搞，也没想着要爱谁……后来就有那段遭遇，爸爸是她领导，他们一块儿押着那嫌疑犯，事情很单纯，也很干脆，完全是万不得已，又有更上级事先的明确指示，所以他们就把那姑娘枪毙了，当然是爸爸开的枪，因为他们统共只有那一把枪，而且一共也才只有二十多发子弹……当然搬动尸体的时候确实有一只红蛙，淋着热血，黏黏糊糊，不会蹦，只会爬，她当时没说什么，后来好多好多年里她都没说什么，只是从那以后她避开一切类似那红蛙的东西，尤其是不能吃像那红蛙的食物……她跟我们流露出这一点也就那么一回……她说她也弄不清她跟爸爸怎么有那个运气，他们竟突围成功，终于找到了大部队，他们汇报了所做的事，得到了认可，好像还受到了表扬……她说那几天里光想着怎么别让那姑娘跑了，别让敌人逮着那姑娘，开头也一直是希望能把那姑娘押回大部队，交给组织，也许最后能查清，是个冤案，可以平反，她巴不得那样，爸也巴不得那样，可当时条件不许可了，所以就……"砰"的一枪解决了问题。她说那时候只是更佩服爸了，却也还不是爱，后来回到大部队，后来改组文工团，后来全国解放，他们还在一起，就有首长出来给他们介绍，她说确实是有人出面介绍，我就很奇怪，你们出生入死地在一起摸爬滚打过，怎么还要人介绍？她说就是那样，有人出面介绍，他们才正式成为了对象，后来才结了婚……爸爸病故以后我问过她，他们常说起那个姑娘的事吗？她说结婚以后十几年里简直一个字没提过，她心头倒回想起来过，因为有那么只红蛙总梗在心里，可她说爸爸心里连那只红蛙也好像没了，爸爸从不提起，所以她也就从不提起……她说唯有一回提起来了，那是"文化大革命"初期，"造反派"来冲击他们，批斗了他们，开始他们挨完斗还能回家，有一晚爸爸就主动跟她提起来了，只是两句很简单的话："轮到我们挨一枪了吗？还是迎面吃一枪好啊！"妈妈没接他的话茬，但妈妈永远忘不了，事情都过去以后，爸爸病故以后，妈妈才告诉我……

表妹：表哥知道这个话吗？

表姐：我想他未必知道。那时候他已经学导演去了，一年回不了三趟家，跟妈跟我的共同语言越来越少。说实在的，他根本不理解妈，他更不理解爸……爸我也并不理解，真的，我从小到大，就从来没见爸跟妈亲热过，不仅他们从来没当着我亲过嘴挨过脸相互拥抱或抚摸，就连他们手拉手一块儿散步的镜头也没过，当然他们跳过交谊舞，可那完全是中规中矩的跳法，一点儿没有特殊的亲密姿态……可是爸为了买到一套那时候只供应部级以上干部的《金瓶梅》，倒是非常使劲，他打了好多电话，又托人，甚至托了哥，让哥找了文化界的一位大权威，最后总算弄到了一套，他锁在柜子里，不让我看，自己看的时候，连我从他肩膀后头探头也要把我轰开……可他看了又骂，骂那本子是个删节本，"此处删去一百二十三字"，"他妈的删个屄！"我觉得他心里头又实在是挺黄的，可我能保证他除了跟妈妈做爱，没跟别的女人上过床……

表妹：也许我们中国的男人和女人都是这么怪怪的……我周围的人眼睛里好像都有这么个评价……

表姐：是，我在这儿常常感到深深的寂寞，是那种又黑又浓又稠又厚的寂寞……

表妹：你还有个说中国话的小圈子！我这儿呢？

表姐：……忽然又想到了阿黄的死……

表妹：就是那个从上海来的硕士生？

表姐：不知道为什么让人想到红蛙。跟那个姑娘一样，他也是跟原来的一切彻底决裂，去投奔去拥抱他所向往的世界、所认同的群体，可这个世界和这个群体却并不溶解他，他拼命地想把自己化进去，却怎么也不成功，他遇到的情况，跟当年我爸我妈押解的那个姑娘惊人相似……

表妹：可这儿并没有人枪毙他啊！

表姐：是另一种死刑宣告。他万没有想到拒绝接受他当博士候选人的恰恰是他倾全身心崇拜和追随的那位教授！

表妹：是的，正是那位教授几年前在中国讲学的时候激赏了他，而他也正是因为全盘接受了那教授的观点，用那观点写了几篇文章在国内发表，才引来了对他的批判，在校园里引出了一场风波……

表姐：他刚飞抵这儿的时候，简直像个逃出囚笼的英雄……

表妹：我也还记得那一回的茶会，那教授跟他并肩站在一起，接受人们的举杯赞扬……

表姐：……可是那教授并没有做错什么事。这个世界就是这样，这地方有这地方的游戏规则。飞过来的英雄好像是多了一点。多了就要贬值。再说人们总是喜欢更新的，更富刺激性的……我想教授没有选中他作博士候选人对于教授来说实在不算是怎样严重的一件事，可他就不一样了，他认为那是天塌地陷！

表妹：可是这跟《红蛙》里的那个姑娘联系得上吗？

表姐：你怎么见得那姑娘心里就没有深深的寂寞，没有沉重的失落感？但她却不能后悔，没有后悔的余地，因为她退不回去了，我想她一定知道，她没有脸再回到原来的那个世界那个人生里去……

表妹：真的！是这样！阿黄一定是觉得不仅不能让国内的亲人知道教授淘汰了他，而且甚至都不愿意让我们这样的人知道这一点……

表姐：我们呢？我呢？说实在的，我在电话里怎么能跟妈说清楚，我在这儿住的虽然是拍出照片来相当漂亮的住宅，虽然开着辆汽车跑来跑去，可是在周围真正的美国人眼里，我却是个地地道道的穷鬼，而且说白了是一个东方来的难民！

表妹：我去年寒假飞回去神气活现的，那气派就好像我是这边一座古堡住宅的主人……可是他们谁又知道有两张债务传票正等着我去出庭呢？为了省钱我总是想方设法搜集超级市场的优待券……

表姐：我们可以在这儿这么样地亮出底儿，可我们谁也不愿意跟国内的亲友暴露……

表妹：我去年寒假回去，我们中学同学里哄传我在郊区华侨村买了房子了，我当然并不予以证实，但我也绝不辟谣，我若无其事地微笑着，跟他们解释美国住宅后院的游泳池里的电动除秽机是怎么一回事儿……

表姐：人真是怪物。到头来总往自己反面运动……你看爸，对把我送到美国这件事，比我妈还急……仔细想这事很怪，当年他为什么毫不犹豫地枪毙那姑娘？就是因为那姑娘有跟美国这种反动东西相联系的嫌疑……你知道我爸后来是跨过了鸭绿江的，再后来还是一个大型的反美的歌舞剧的编导组的头儿，他主要是负责政治思想工作，并不承担多少艺术上的事儿，他对美帝本是有刻骨仇恨的……可在他病故之前，他最大的心愿就是把我送往美国，我终于在他神志还清醒的时候飞来了这儿，还给他往病床边打去了长途，他的声音里充满了满足感，他是死而瞑目的！这不怪吗？

表妹：……是呀！红蛙！表哥拍这片子原来竟是非常高明的想法！一下子说不清，可我感觉到心跳加速了！

表姐：那可不是好事，你要小心！

表妹：啊呜——

表姐：别！你别这么惊惊乍乍的，行不行？

表妹：啊，惊惊乍乍，好久没听见这么地道的北京话了！

表姐：是呀！记得早先我们住的那条胡同吗？胡同有个小院，小院里住着几户典型的北京市民，那住在门洞边的一户，有个老大妈……

表妹：记得记得，一到夏天，天最热的时候，她就坐到院门口，光着上身，顶多只穿个兜兜，摇着把旧蒲扇……她吆喝儿子、孙子的时候，最爱说的一句就是："别那么惊惊乍乍的！"

表姐：胡同里的人都叫她祖奶奶，她是世纪同龄人，八国联军进北京那年生的，可她几十年一直住在那个胡同那个院子那个门洞旁边的屋子里，听说早年她丈夫是炸油饼的，她跟她丈夫一块儿摆过炸油饼的小摊儿，她丈夫炸，她用铁钩子捞炸得了的油饼，后来她丈夫死了，她大儿子炸油饼，还有一些儿子闺女后来有的离开家干了别的，后来她大儿子退休了，她孙子接班，也是在早点铺炸油饼，她就那么一直活到今天……听说她还活着，还能嚼得动油饼……她最后一次走出胡同走出好几条大街以外逛庙会，起码是半个世纪以前的事了，她一生的最大活动范围大概不超过五华里。记得我坐在她对面，大槐树底下，跟她聊过，她知道梅兰芳，可她一直没进过戏园子，她熟悉王府井、大栅栏的那些老字号，可是她一双粽子似的小脚，却从来没亲自去逛过，她没进过北海公园，更没游览过颐和园……她没革过别人的命，别人也没革过她的命，就连似乎把蚂蚁也卷进去了的"文化大革命"，对她也没什么大影响，没有人斗她，她也从不出席斗别人的会，最近十几年她家有了电视机、洗衣机，算是比较重大的变化吧，但她好像也并不喜欢看电视，晚上吃完饭，只要天不是特别冷，不是刮大风下大雨，你就总能看见她还是跟从前一样地坐在院门口的大槐树底下，如果不摇蒲扇，不纳鞋底，那她就眯着眼待着……我们搬走好久了，生活早发生不知道多少变化了，偶尔回那条胡同，一看见祖奶奶坐在那儿，我心里就"咯噔"一下，仿佛猛地被人从背后拍了一巴掌，感觉到这世界原来居然一点儿也没有变，感觉到自己一天忙忙碌碌、哭哭笑笑的也真不知道为了个什么……

表妹：哎呀！可不是，有时候我也有这种感觉！

表姐：所以，这么着一想，就觉得红蛙那类的事儿，也只是这世界这人生的一面，其实对于最大多数的俗人来说，是既没有枪毙别人也没被别人枪毙，没什么轰轰烈烈，没什么惊心动魄，根本用不着哥那么疯疯癫癫地拍什么电影，也根本犯不上像你那么样惊惊乍乍……当然，也许因为我们中国人太多了，历史太悠久了，所以才有连时间也消化不掉的祖奶奶……

表妹：NO！不不不，坚持说咱们的话——不，你细想想，美国就没有吗？也许少点儿，也许不那么明显，也许咱们毕竟是外来人看不大透，可至少我们镇子上有个老头就足能跟北京胡同里的那个祖奶奶媲美，我们谁也说不清他有多大岁数，在我们这儿住了多久，因为我们跟他一比，全是后搬来的，而且没有住满十年的……他那栋房子至少有四十年的历史了，起码有二十年再没大修过，他也早退休了，他每天一早就坐在廊子上一个人喝咖啡，看一份当地的报纸，可是他似乎没有亲戚朋友，也没有别的消遣，他似乎也从不旅游，记得有一回我偶然在食品店外面遇上他，因为避雨都待在廊檐下面，就说上了话，也不知怎么的我提到了纽约，他就说纽约那真是个奇妙的地方，我问他最后一次去纽约是什么时候，他说他从来没有去过，这真让我吃惊，更让我吃惊的是他跟我一样没有汽车，他说他不喜欢汽车，而且也用不着汽车……后来我听邻居说，他曾在镇里邮政局做过事，也曾结婚，也有子女，但妻子去世后便没有再娶，也没见过子女来看望他，他的活动范围似乎一直只在我们那个镇子一带，他总是步行，偶尔乘"灰狗"长途汽车去趟城里，办点非办不可的事……也许他跟咱们北京胡同里的那个祖奶奶的区别，只是他养得一条狗，看得出他特别喜欢他那只狗罢了……我敢打赌他就从来没参加过游行示威一类的活动，也没遭受过偷窃抢劫，也没有桃色事件，他就那么平淡到极点地度过他的一生……对于他来说，红蛙一类的事只是电视上胡乱演出来的罢了，与他全无关系……

表姐：是呀，你更不必为红蛙惊惊乍乍了，这世界上，人类的生存里，有时候细想起来，什么事也没发生，什么事也没挨上，整个儿没有一只红蛙，可能比有一只红蛙更让人恐怖！记得前两年我们紧紧张张地往家里打电话吗？谁死了？谁伤了？谁被抓起来了？谁失踪了？商店里还买不买得到东西？家里还有没有吃的用的？……结果亲戚朋友里并没有死的伤的被抓的失踪的……

表妹：我一回去就更吃惊了，到处是卡拉OK歌厅，肯德基炸鸡照卖不误，这个亲戚到桂林看甲天下的山水去了，那个朋友租下了商场的柜台卖皮鞋发了财，人们照样过着标准的世俗生活……

表姐：是这样，一个再惊天动地的大事件，其实也并不能覆盖所有人的生活……洛杉矶大骚乱刚平息，我就接到了妈妈电话，问我好不好的话都带着哭音，哥也万年难得地用"大哥大"给我挂了个电话，说从电视上看见了那些个场面，真怕我怎么样了，可是我这个小区确实并没有怎么骚乱，我没有被打被抢，我住的屋子没有被烧我也没有被迫向别人开枪。我当然紧张过害怕过，从电视上看见那些场景那些画面我确实惊惊乍乍，也应该惊惊乍乍，就像我们担心他们的时候，他们也必然惊惊乍乍一样……可是并没有到处出现红蛙，我这儿就没有。所以回答完他们的问候以后我忽然又有一种失落感，觉得我不该安全，不该一点儿事也没有似的……

表妹：是这样，有时我们其实是希望别人成为烈士，我们好竭诚地哀悼，有时别人其实又是暗中希望我们成为烈士，他们好诚挚地奉献一份哀思……

表姐：太尖刻，也不合乎事实，难道妈妈是希望我成为烈士？

表妹：但表哥他那心理就难说没有至少一分两分……

表姐：你怎么可以——

表妹：我还可以反过来说，你打听他的安危的时候，心理上也总至少有一分两分是希望他被抓进去了，当然不是幸灾乐祸，而是你就有了一分可营救可挂念的充实，至少你会觉得一个大的社会事件和你有了一种切近感，然而结果却非常令人失落：表哥他虽然明明有所卷入，却没有多久又拍他的片子去了！

表姐：我们呢？我呢？我没有在洛杉矶骚乱中成为种族主义的牺牲品，今后几年我也不会像国内一些报纸杂志登的警世文章里所描写的那样，在这异邦异国堕落成比如说暗娼、吸毒者、艾滋病患者……或者一天到晚只是想着嫁个有钱的洋人，国内关心我的人将会发现，我没有堕落，没有自杀，没有暴发，也没有杀人，我读完硕士读博士，读完博士读博士后，我慢慢得到绿卡，我有比较像样的住宅，我有新的私家车，我混到一份不错的职业，我成为一个这里的白领丽人，我终于嫁了人，然而并非金发碧眼，我那丈夫也许完全说不来中国话，他也许是个第三代、第四代的华裔移民，但我们在一起过的中西合璧的生活，详细描述出来将并不会令国内亲友惊奇，是的，将并没有红蛙出现，平淡，平庸，平凡……

表妹：下一个世纪的人类很可能大体上就是这么一种状况。再没有激动人心的东西，没有伟大的人物，没有崇高，没有牺牲，是的，没有红蛙……

表姐：我们，人类，真的就这么堕落吗？

表妹：人类没有堕落，我们呢？至少你，我，姨妈，还有表哥，也都没有堕落。人类就是这么回事儿。我们都是正常人。

表姐：哦，你升华了……

表妹：多好呀！咱们聊得这么痛快！好久没这么泼洒地痛聊过了！

表姐：这笔电话费够你再挣一气的！

表妹：下一回你给我打过来！

表姐：给哥打一个吧！看起来，给现在的人类拍一部《红蛙》并不多余！祝他的《红蛙》成功！

表妹：好，我们分别给他打一个，祝——我们的《红蛙》成功！

1992 年 6 月 12 日于北京绿叶居

刘心武文学活动大事记

1942 年

6 月 4 日生于四川省成都市育婴堂街。

后在重庆度过童年。

父母兄姊均热爱文学艺术，深受家庭熏陶。

1950 年

随父母迁居北京，从此定居北京。

在隆福寺小学上小学，在北京 21 中上初中。

1958 年

在北京 65 中上高中。

给若干报刊投稿，屡被退稿。

8 月，在《读书》杂志发表《谈〈第四十一〉》一文，是投稿第一次成功。

1959 年

在《北京晚报》"五色土"副刊陆续发表一些儿童诗、小小说。

为中央人民广播电台少儿部《小喇叭》（对学龄前儿童广播）编写若干节目；其中快板剧《咕咚》经编辑加工、录制后大受欢迎；"文革"中录音带被销毁；1991 年重新录制播出。

1961 年

毕业于北京师范专科学校，分配到北京 13 中任教。

至"文革"前，在《北京晚报》《中国青年报》《人民日报》《光明日报》《大公报》《北京日报》《体育报》《儿童时代》《大众电影》等报刊上发表了约 70 篇小小说、散文、杂文、评论等文章。

1966—1976 年

"文革"中，因 1964 年曾发表过一篇关于京剧的文章，以"反江青"罪名被冲击。

1974 年后再试写作，曾写一关于"教育革命"的长篇小说，由出版社联系获准脱产修改，但终未达到当时出版要求。

1976 年

写出一个大院里孩子们同坏蛋斗争的中篇小说《睁大你的眼睛》并得以出版（北京人民出版社）。

又按照当时政治要求写出一些短篇小说、散文，有的到次年才收入多人合集中出版。

调到北京人民出版社（后恢复"文革"前社名：北京出版社）文艺编辑室当编辑。

1977 年

11 月，在《人民文学》杂志发表短篇小说《班主任》，产生重大影响——被认为是"伤痕文学"的开山作，也是"新时期文学"的发端；从此成名。

从《班主任》后，写作冲破懵懂，沿着认定的方向跋涉，穿越风云，锲而不舍。

1978 年

参加《十月》杂志（开始以丛书名义出版）创刊工作，在创刊号上发表短篇小说《爱情的位置》，经转载和广播，影响巨大。

在《中国青年》杂志上发表短篇小说《醒来吧，弟弟》，反应亦极强烈。

《班主任》《爱情的位置》《醒来吧，弟弟》均被改编为广播剧，由中央人民广播电台多次广播，《醒来吧，弟弟》被搬上话剧舞台；此年发表的短篇小说《穿米黄色大衣的青年》亦由电台播出。

1979 年

在首届全国优秀短篇小说评奖中《班主任》获第一名。颁奖会上，从茅盾先生手中接过奖状。

参加中国作家协会第三次全国代表大会，被选为中国作家协会理事。

成为中华全国青年联合会常务委员，至 1993 年卸任。

9 月，参加中国作家代表团访问罗马尼亚，此系"文革"后第一个作家出访团。

在《人民文学》杂志发表短篇小说《我爱每一片绿叶》，写作技巧有长足进步。

1980 年

调至北京市文联当专业作家。

《我爱每一片绿叶》获 1979 年全国优秀短篇小说奖。

《看不见的朋友》获 1954—1979 年第二届全国少年儿童文学创作奖。

在《十月》杂志发表中篇小说《如意》，其弘扬人道主义的追求引起争议。

出版《刘心武短篇小说选》（北京出版社）。

1981 年

在《十月》杂志发表中篇小说《立体交叉桥》，引出更大争议，一些评论家认为"调子低沉"是步入了写作上的歧途，另有评论家则认为此作标志着刘心武的小说创作在反映现实、探索人性及艺术工力上均达到了新的水平。

5 月，应日本文艺春秋社邀请访问日本。

1982 年

应导演黄健中之请，改编《如意》；北京电影制片厂拍成彩色艺术片《如意》。

1983 年

11 月，参加中国电影代表团赴法国，在南特"三大洲电影节"上，《如意》在开幕式上放映，获好评；后陆续在法国、西德电视台播出。

1984 年

冬，应邀访问西德，参加"中德大学生会见活动"，并在波恩大学、波鸿大学与威尔兹堡大学介绍中国当代文学。

年底，参加中国作家协会第四次全国代表大会，再次当选为理事。

在《当代》文学双月刊第5、6期连载长篇小说《钟鼓楼》。

1985 年

出版长篇小说《钟鼓楼》(人民文学出版社)，并获第二届茅盾文学奖。

因《钟鼓楼》获北京市政府嘉奖。

7月，在《人民文学》杂志发表纪实小说《5·19长镜头》，反响强烈。

11月，又在《人民文学》杂志发表纪实小说《公共汽车咏叹调》，引起轰动。

1986 年

年初，应当代文艺出版社邀请访问香港。

6月，调中国作家协会人民文学杂志社，任常务副主编。

在《收获》杂志设《私人照相簿》专栏，进行图文交融的文本尝试。

散文集《垂柳集》出版，冰心为之作序。

1987 年

1月，被任命为《人民文学》杂志主编。

2月，《人民文学》杂志1、2期合刊发表马建写的小说《亮出你的舌苔或空空荡荡》违反民族政策，承担责任，停职检查。

9月，复职。

冬，应邀赴美国访问。参观美洲华侨日报；在哥伦比亚大学、三一学院、哈佛大学、麻省理工学院、康奈尔大学、芝加哥大学、旧金山大学、斯坦福大学、伯克利加州大学、洛杉矶加州大学、圣迭戈加州大学等处演讲，介绍中国当代文学，并参观耶鲁大学；参加爱荷华大学"作家写作中心"的纪念活动；游览华盛顿等地。

1988 年

3月，应香港《大公报》邀请，赴香港参加五十周年报庆活动；在《大公报》安排的大型报告会上作关于改革开放与文学创作的报告。

5月，应法国文化部邀请，参加中国作家代表团访问法国，除在巴黎活动外，还访问了西部港口城市圣·拉扎尔。

《私人照相簿》在香港出版(南粤出版社)。

《我可不怕十三岁》获 1980—1985 年全国优秀儿童文学奖。

以上数年中，若干小说、散文还分别获得过《当代》《十月》《小说月报》《小说选刊》《中篇小说选刊》《儿童文学》《北方文学》等杂志,《人民日报》《文汇报》等报纸副刊的奖；拍成电视剧播出的有《没工夫叹息》《熄灭》(电视剧名《火苗》)《今夏流行明黄色》《到远处去发信》《非重点》《公共汽车咏叹调》和八集连续剧《钟鼓楼》；若干作品被英国、美国、西德、苏联、日本、瑞士、瑞典、法国、意大利等国翻译为英、德、俄、日、法、意、瑞典等文字出版；自 1987 年起被世界上有威望的英国欧罗巴出版社《世界名人录》收入词条。

1989 年

春，应香港中文大学翻译中心邀请，与妻子吕晓歌赴香港访问。

1990 年

3 月，以任届期满，免去《人民文学》杂志主编职务。

香港中文大学翻译中心编译的英文小说集《黑墙与其他故事》出版。

秋，以"鱼山"笔名在《钟山》杂志发表中篇小说《曹叔》。

1991 年

出版小说集《一窗灯火》。

除小说外，开始发表大量散文、随笔。

1992 年

长篇小说《风过耳》在内地(中国青年出版社)、香港(勤＋缘出版社)分别出版，反响颇为强烈。

长篇小说《四牌楼》完稿，交上海文艺出版社出版。

《献给命运的紫罗兰——刘心武谈生存智慧》由上海人民出版社出版，受到读者欢迎。

在《收获》杂志发表中篇小说《小墩子》，后由中国电视剧制作中心改编拍摄为电视连续剧。

至该年，在海内外出版的个人专著按不同版本计已达 43 种。

在《红楼梦学刊》1992 年第二辑上发表论文《秦可卿出身未必寒微》,在"红学"界和读者中均引起注意;另有若干《红楼梦》人物论和《红楼边角》专栏文章发表。

冬,应瑞典学院邀请(斯堪的纳维亚航空公司赞助)赴北欧访问;在挪威奥斯陆大学、瑞典斯德哥尔摩大学和隆德大学、丹麦哥本哈根大学和奥胡斯大学的东亚系汉学专业以《九十年代初的中国小说》为题作学术报告;12 月 7 日,参加诺贝尔文学奖有关活动,听 1992 年得主德里克·沃尔科特发表受奖演说。

1993 年

华艺出版社出版《刘心武文集》(1—8 卷)。

出版长篇小说《四牌楼》。

1994 年

1 月,应台湾《中国时报》邀请赴台参加"两岸三地文学研讨会"。

《四牌楼》获上海优秀长篇小说大奖,到沪领奖。

1995 年

出版随笔集《人生非梦总难醒》(上海人民出版社)。

出版小说集《仙人承露盘》(华艺出版社)。

1996 年

出版长篇小说《栖凤楼》(人民文学出版社)。至此,由《钟鼓楼》《四牌楼》《栖凤楼》构成的"三楼"长篇小说系列竣工。

应《南洋商报》邀请赴马来西亚访问并顺访新加坡。

1997 年

应日本文化交流基金会邀请,与妻子吕晓歌访问日本。其长篇小说《钟鼓楼》、儿童文学作品《我是你的朋友》、短篇小说《王府井万花筒》等此前已相继译为日文在日本出版。

1998 年

建筑评论集《我眼中的建筑与环境》由中国建筑工业出版社出版,在建筑界产生影响。

应美国科罗拉多大学邀请，赴美参加金庸作品国际研讨会，在会上提交关于《鹿鼎记》的论文《失父：一种生存困境》。

1999 年

出版纪实性长篇小说《树与林同在》（山东画报出版社）。

出版《红楼三钗之谜》（华艺出版社）。

赴新加坡出席国际环境文学研讨会。

2000 年

应邀访问法国，并应英中协会和伦敦大学邀请，从巴黎赴伦敦讲《红楼梦》。

至此年底在海内外出版的个人专著（不含文集）按不同版本计达 101 种。

2001 年

出版包含建筑评论的随笔集《在忧郁中升华》（文汇出版社）。

在北京电视台录制播出《刘心武谈建筑》系列节目。

2002 年

出版小说集《京漂女》（中国文联出版社），自绘插图。

应澳大利亚雪梨华文写作协会邀请赴澳大利亚访问。

2003 年

以马来西亚《星洲日报》世界华人文学"花踪奖"评委身份赴吉隆坡参加相关活动。

台湾联经出版社出版小说集《人面鱼》。此前台湾已出版过刘心武多种作品，如皇冠出版社出版了《钟鼓楼》，幼狮文化事业公司出版了《四牌楼》《为他人默默许愿》（散文集）。

2004 年

赴法参加巴黎书展活动。书展上展出了译为法文的著作有小说《树与林同在》《护城河边的灰姑娘》《尘与汗》《人面鱼》《如意》与歌剧剧本《老舍之死》。

建筑评论集《材质之美》由中国建材工业出版社出版。

小说集《站冰》出版（人民文学出版社），自绘封面插图。

2005 年

出版集历年研红成果的《红楼望月》(书海出版社)。

应 CCTV-10(中央电视台科学教育频道)《百家讲坛》邀请,录制播出《刘心武揭秘〈红楼梦〉》系列节目 23 集,反响强烈,引出争议。

《刘心武揭秘〈红楼梦〉》第一、二部相继出版(东方出版社),畅销。

2006 年

应美国华美协会邀请,赴纽约在哥伦比亚大学讲《红楼梦》。

应邀参加香港书展。

出版《刘心武揭秘古本〈红楼梦〉》(人民出版社)。

2007 年

继续应邀到 CCTV-10《百家讲坛》录制节目,并出版《刘心武揭秘〈红楼梦〉》第三部、第四部(东方出版社)。

访问俄罗斯。

2008 年

出版随笔集《健康携梦人》(中国海关出版社)。

自 1986 年出版《垂柳集》,至此所出版的散文随笔集已逾 30 种。

2009 年

在《上海文学》杂志开《十二幅画》专栏,每期发表一篇写人物命运的大散文,并配发自己的画作。

4 月,妻子吕晓歌病逝,著长文《那边多美呀!》悼念。

2010 年

再应 CCTV-10《百家讲坛》邀请,录制播出《〈红楼梦〉的真故事》系列节目。至此在《百家讲坛》录制播出关于《红楼梦》的个人系列讲座累计达 61 集。

出版《〈红楼梦〉的真故事》(凤凰联动·江苏人民出版社),在争议声中畅销。

4 月,应台湾新地文学社邀请赴台参加"21 世纪世界华文文学高峰会议"。

出版《命中相遇——刘心武话里有画》(上海文艺出版社)。

　　加快《刘心武续〈红楼梦〉》的写作,次年完成推出。

　　至本年底,在海内外出版的个人专著,文集不算在内,重印亦不算,按不同版本计达 182 种 (按不同书名计则为 141 种)。

　　年底,筹备编辑《刘心武文存》。

附录二 刘心武著作书目

只包括在中国大陆、台湾、香港和海外出版的书（同一著作每种版本单列）；不包括散发于报刊尚未出书的篇目，亦不包括多人合集中的篇目。第一个数字表示不同版本的排序；[ ] 中的数字表示剔除同一书名的版本后的排序；注意：文集8卷不参加排序。

1976 年

1.[1]《睁大你的眼睛》[儿童文学·中篇小说]

北京人民出版社 1976 年 1 月第一版

1978 年

2.[2]《母校留念》[儿童文学·小说集]

中国少年儿童出版社 1978 年 7 月第一版

1979 年

3.[3]《小猴吃瓜果》[低幼读物·画册]

少年儿童出版社 1979 年 4 月第一版

1980 年 6 月第二次印刷

4.[4]《班主任》[短篇小说集]

中国青年出版社 1979 年 6 月第一版

1980 年

5.[5]《我是你的朋友》[儿童文学·中篇小说]

北京出版社 1980 年 7 月第一版

6.[6]《绿叶与黄金》[中短篇小说集]

广东人民出版社 1980 年 8 月第一版

7.[7]《刘心武短篇小说集》

北京出版社 1980 年 9 月第一版

1981 年

8.《这里有黄金》[中短篇小说集]

广东人民出版社 1981 年 4 月第二次印刷

有平装、软精装两种

9.[8]《大眼猫》[中短篇小说集]

浙江人民出版社 1981 年 8 月第一版

1982 年

10.[9]《如意》[中篇小说集]

北京出版社 1982 年 5 月第一版

1983 年

11.[10]《中国现代作家选 (Ⅲ) 刘心武〈我爱每一片绿叶〉〈深谷小溪默默流〉》

[日本] 东方书店 1983 年第一版

12.[11]《同文学青年对话》

文化艺术出版社 1983 年 10 月第一版

1984 年

13.[12]《到远处去发信》[中短篇小说集]

四川人民出版社 1984 年 4 月第一版

有平装、软精装两种

14.[13]《如意》[电影文学剧本](与戴宗安联合署名)

中国电影出版社 1984 年 6 月第一版

1985 年

15.[14]《嘉陵江流进血管》[中篇小说集]

陕西人民出版社 1985 年 2 月第一版

16.[15]《日程紧迫》[中短篇小说集]

群众出版社 1985 年 5 月第一版

17.[16]《我可不怕十三岁》[儿童文学集]

新世纪出版社 1985 年 8 月第一版

18.[17]《钟鼓楼》[长篇小说]

人民文学出版社 1985 年 11 月第一版

有平装、软精装两种

1986 年 5 月第二次印刷

1986 年

19.[18]《公共汽车咏叹调》[纪实小说]

湖南文艺出版社 1986 年 1 月第一版

20.[19]《都会咏叹调》[小说集]

作家出版社 1986 年 3 月第一版

21.[20]《垂柳集》[散文集]

陕西人民出版社 1986 年 4 月第一版

22.[21]《立体交叉桥》[中短篇小说集]

人民文学出版社 1986 年 6 月第一版

有平装、软精装两种

23.[22]《巴黎郁金香》[访法散文集]

群众出版社 1986 年 11 月第一版

24.[23]《木变石戒指》[中短篇小说集]

青海人民出版社 1986 年 12 月第一版

1987 年

25. *Little Monkey Triesto Eat Fruit* [科学童话·英文]

海豚出版社 1987 年第一版

有平装、精装两种

26.[24]《斜坡文谈》[文学理论]

上海文艺出版社 1987 年 4 月第一版

27.[25]《王府井万花筒》[中篇小说集]

湖南文艺出版社 1987 年 9 月第一版

有平装、精装两种

28.[26]《5·19 长镜头》[小说自选集]

四川文艺出版社 1987 年 11 月第一版

29.げくけきの友たちだ [《我是你的朋友》日译本]

[日本] 福武书店 1987 年 12 月第一版

1989 年 3 月第二版

1991 年 2 月第三版

1988 年

30.[27]《她有一头披肩发》[中短篇小说集]

台湾林白出版社 1988 年 4 月第一版

31.《钟鼓楼》[长篇小说]

香港天地图书有限公司 1988 年第一版

1993 年第二版

32.[28]《私人照相簿》[纪实文学]

香港南粤出版社 1988 年 11 月第一版

33.[29]《刘心武代表作》

黄河文艺出版社 1988 年 12 月第一版

1989 年

34.《小猴吃瓜果》[科学童话]

开明出版社、海豚出版社 1989 年 3 月第一版

35.《钟鼓楼》[长篇小说]

台湾皇冠出版社 1989 年 4 月第一版

36.[30]《一片绿叶对你说》[文艺随笔集]

河北教育出版社 1989 年 12 月第一版

1990 年

37.[31]*BLACK WALLS AND OTHER STORIES*[小说集·英译本]

香港中文大学翻译中心出版社 1990 年第一版

38.[32]《王府井万花镜》[小说集·日译本]

[日本] 德间书店 1990 年 9 月第一版

1991 年

39.《母校留念》[小说]

[日本] 骏河台出版社 1991 年 4 月第一版

40.[33]《一窗灯火》[中短篇小说集]

华艺出版社 1991 年 10 月第一版
1993 年第二次印刷

1992 年

41.[34]《列奥纳多·达·芬奇》[传记]

江苏教育出版社 1992 年 5 月第一版

42.[35]《有家可归》[散文随笔集]

广东旅游出版社 1992 年 5 月第一版

43.[36]《风过耳》[长篇小说]

中国青年出版社 1992 年 6 月第一版
1992 年 12 月第二次印刷
1993 年 3 月第三次印刷
1995 年 8 月第五次印刷
1996 年 3 月第六次印刷

44.《风过耳》[长篇小说]

香港勤＋缘出版社 1992 年 6 月第一版

45.[37]《献给命运的紫罗兰——刘心武谈生存智慧》

上海人民出版社 1992 年 6 月第一版

1992 年 11 月第二次印刷

1995 年第三次印刷

1996 年 12 月第五次印刷

46.《刘心武代表作》

河南人民出版社 1992 年 6 月第二次印刷·精装本

47.[38]《蓝夜叉》[中篇小说集]

香港勤＋缘出版社 1992 年 9 月第一版

1993 年

48.《北京下町物语》[长篇小说·《钟鼓楼》日译本]

[日本] 东京恒文社 1993 年 2 月第一版

1994 年第二版

49.[39]《为你自己高兴》[随笔集]

内蒙古人民出版社 1993 年 3 月第一版

50.[40]《杀星》[小说集]

香港勤＋缘出版社 1993 年 6 月第一版

51.《我是你的朋友》[儿童文学·中篇小说·增订本]

希望出版社 1993 年 6 月第一版

52.[41]《四牌楼》[长篇小说]

上海文艺出版社 1993 年 6 月第一版

1994 年 4 月第二次印刷

1996 年 11 月第三次印刷

53.[42]《我是怎样的一个瓶子》[随笔集]

成都出版社 1993 年 9 月第一版

54.[43]《沉默交流》[随笔集]

中国华侨出版社 1993 年 11 月第一版

55.[44]《富心有术》[随笔集]

群众出版社 1993 年 12 月第一版

1995 年第二次印刷

56.[45]《中国当代名人随笔·刘心武卷》

陕西人民出版社 1993 年 12 月第一版

☆《刘心武文集》[1—8 卷]

华艺出版社 1993 年 12 月第一版

☆《刘心武文集·〈钟鼓楼〉〈风过耳〉》(简装本)

☆《刘心武文集·〈四牌楼〉〈无尽的长廊〉》(简装本)

华艺出版社 1997 年 5 月第一版

1994 年

57.[46]《仰望苍天》[随笔集]

知识出版社 1994 年 1 月第一版

1995 年第二次印刷

东方出版中心 1996 年 7 月第三次印刷

58.[47]《男扮女妆与女扮男妆》[随笔集]

中原农民出版社 1994 年 2 月第一版

59.[48]《相对一笑》[小小说集]

中共中央党校出版社 1994 年 2 月第一版

60.[49]《秦可卿之死》[专著]

华艺出版社 1994 年 5 月第一版

61.《四牌楼》[长篇小说]

台湾幼狮文化事业公司 1994 年 8 月第一版

62.[50]《为他人默默许愿》[散文集]

台湾幼狮文化事业公司 1994 年 10 月第一版

63.[51]《中国小说名家新作丛书·刘心武卷》

> 海峡文艺出版社 1994 年 11 月第一版

64.[52]《红楼梦（缩写本）》

> 接力出版社 1994 年 12 月第一版
>
> 1995 年第二次印刷
>
> 1997 年 9 月第三次印刷

1995 年

65.[53]《人生非梦总难醒》[名人日记·随笔集]

> 上海人民出版社 1995 年 1 月第一版
>
> 1995 年 3 月第二次印刷

66.[54]《仙人承露盘》[中短篇小说集]

> 华艺出版社 1995 年 3 月第一版

67.[55]《女性与城市》[杂文集]

> 中国城市出版社 1995 年 6 月第一版

68.《我是你的朋友》[增订版·"小学生成才书架"系列之一]

> 希望出版社 1995 年 10 月第一版

69.《在胡同里转悠》[随笔集]

> 陕西人民出版社 1995 年 11 月第二次印刷

70.[56]《刘心武海外游记》

> 华文出版社 1995 年 12 月第一版

1996 年

71.[57]《刘心武小说精选》

> 太白文艺出版社 1996 年 2 月第一版

72.[58]《开发心大陆》[随笔集]

> 吉林人民出版社 1996 年 3 月第一版
>
> 1997 年 3 月第二次印刷

73.[59]《你哼的什么歌》[散文集]

        湖南文艺出版社 1996 年 6 月第一版

74.[60]《刘心武张颐武对话录——"后世纪"的文化了望》

        漓江出版社 1996 年 7 月第一版

75.[61]《边缘有光》[随笔集]

        汉语大辞典出版社 1996 年 8 月第一版

76.[62]《刘心武怪诞小说自选集》

        漓江出版社 1996 年 8 月第一版

        有平装、精装两种

77.[63]《我是刘心武》

        团结出版社 1996 年 9 月第一版

78.[64]《刘心武》[中国当代作家选集丛书]

        人民文学出版社 1996 年 10 月第一版

79.[65]《刘心武杂文自选集》

        百花文艺出版社 1996 年 11 月第一版

80.《秦可卿之死》[修订本]

        华艺出版社 1996 年 11 月第二版

81.[66]《栖凤楼》[长篇小说]

        人民文学出版社 1996 年 12 月第一版

        1998 年 3 月第二次印刷

1997 年

82.[67]《封神演义（缩写本）》

        接力出版社 1997 年 1 月第一版

        1997 年 9 月第二次印刷

83.[68]《胡同串子》[中短篇小说集]

        北京燕山出版社 1997 年 8 月第一版

84.《私人照相簿》

上海远东出版社 1997 年 9 月第一版

1998 年 2 月第二次印刷

2000 年换封面版权页称 2000 年 6 月第二次印刷

85.[69]《中国儿童文学名家作品精选丛书·刘心武作品精选》

河北少年儿童出版社 1997 年 8 月第一版

86.[70]《把嘴张圆》[随笔集]

上海远东出版社 1997 年 12 月第一版

1998 年

87.[71]《我眼中的建筑与环境》[建筑评论随笔集]

中国建筑工业出版 1998 年 5 月第一版

1999 年 5 月第二次印刷

2000 年 6 月第三次印刷

2001 年 6 月第四次印刷

88.《钟鼓楼》[茅盾文学奖获奖书系]

人民文学出版社 1998 年 3 月第一次印刷

1998 年 7 月第二次印刷

1998 年 8 月第三次印刷

1999 年 3 月第四次印刷

2000 年 1 月第五次印刷

2001 年 1 月第六次印刷

2001 年 8 月第七次印刷

2002 年 8 月第八次印刷

2003 年 1 月第九次印刷

1999 年

89.[72]《树与林同在》[非虚构长篇小说]

山东画报出版社 1999 年 3 月第一版

2006 年 7 月第二次印刷

90.[73]《八十六颗星星》(*The Eighty-Six Stars*)[儿童文学小说·汉英对照]

希望出版社 1999 年 6 月第一版

91.[74]《红楼三钗之谜》[刘心武红学探佚精品]

华艺出版社 1999 年 9 月第一版

92.[75]《蓝玫瑰》[中短篇小说集]

中国华侨出版社 1999 年 10 月第一版

93.[76]《过隧道的心情》[随笔集]

华东师范大学出版社 1999 年 12 月第一版

2000 年

94.[77]《一切都还来得及》[随笔集]

中国青年出版社 2000 年 1 月第一版

95.[78]《善的教育》[儿童文学]

辽宁少年儿童出版社 2000 年 2 月第一版

96.[79] Le Talisman (version bilingue)[《如意》中、法文对照版]

Librarie You Feng 2000 年 4 月第一版

97.[80]《作家刘心武〈班主任〉手迹》

线装书局 2000 年 5 月第一版

98.[81]《楼前白玉兰》[小小说集]

中国广播电视出版社 2000 年 7 月第一版

99.[82]《刘心武侃北京》

上海文艺出版社 2000 年 10 月第一版

100.[83]《我爱吃苦瓜》[茅盾文学奖获奖作家散文精品]

广州出版社 2000 年 10 月第一版

2002 年 10 月第二次印刷

101.[84]《了解高行健》

香港开益出版社 2000 年 12 月第一版

2001 年

102.[85]《亲近苍莽》

中国旅游出版社 2001 年 1 月第一版

103.[86]《在忧郁中升华》

文汇出版社 2001 年 2 月第一版

《刘心武谈建筑——在忧郁中升华》2007 年 8 月第二次印刷

104.[87]《人在风中》

作家出版社 2001 年 8 月第一版

105.《风过耳》

时代文艺出版社 2001 年 10 月第一版

有平装、精装两种

2002 年

106.[88]《京漂女》(自绘插图)

中国文联出版社 2002 年 1 月第一版

107.[89]《深夜月当花》

中国工人出版社 2002 年 1 月第一版

108.[90]《春梦随云散》

人民文学出版社 2002 年 4 月第一版

109.[91]《藤萝花饼》

台湾二鱼文化事业有限公司 2002 年 4 月第一版

110.[92]《刘心武自述》

大象出版社 2002 年 10 月第一版

2003 年

111.[93] L'arbre et la forêt [《树与林同在》法译本]

Bleu de Chine 2003 年 1 月第一版

112.[94]《人面鱼》

台湾联经出版事业股份有限公司 2003 年 2 月初版

113.[94] La Cendrillon Du Canal [《护城河边的灰姑娘》法译本]

Bleu de Chine 2003 年 4 月第一版

114.[95]《画梁春尽落香尘》["红学"专著]

中国广播电视出版社 2003 年 6 月第一版

2003 年 9 月第二次印刷

2004 年 1 月第三次印刷

2005 年 6 月第四次印刷

115.[96]《眼角眉梢》

新华出版社 2003 年 8 月第一版

116.[97]《钟鼓楼》[初中生语文新课标必读]

人民日报出版社 2003 年 9 月第一版

117.[98]《天梯之声》

中国青年出版社 2003 年 10 月第一版

2004 年

118.[99] Poussiêre et sueur [《尘与汗》法译本]

Bleu de Chine 2004 年 1 月第一版

119.[100] La mort de Lao SHe [《老舍之死》歌剧剧本法译本]

Bleu de Chine 2004 年 3 月第一版

120.[101] Poisson à face humaine [《人面鱼》法译本]

Bleu de Chine 2004 年 3 月第一版

121.《如意》[电影伴读中国文学文库·附电影光盘]

中国青年出版社 2004 年 1 月第一版

122.[102]《泼妇鸡丁》

台湾二鱼文化事业有限公司 2004 年 4 月第一版

123.[103]《在柳树臂弯里——刘心武随笔》

光明日报出版社 2004 年 5 月第一版

124.[104]《材质之美——刘心武城市文化酷评》

中国建材工业出版社 2004 年 5 月第一版

125.[105]《站冰——刘心武小说新作集》(自绘插图)

人民文学出版社 2004 年 6 月第一版

126.《四牌楼》

上海文艺出版社 2004 年 8 月第二版

127.[106]《大家文丛：刘心武》

古吴轩出版社 2004 年 8 月第一版

2005 年

128.《钟鼓楼》(中国文库·文学类)

人民文学出版社 2005 年 1 月第一版第一次印刷（平装）

2005 年 1 月第一版第一次印刷（精装）

129.《钟鼓楼》(茅盾文学奖获奖作品全集之一)

人民文学出版社 1985 年 11 月第一版、2005 年 1 月第一次印刷

2005 年 5 月第二次印刷

2005 年 7 月第三次印刷

2006 年 3 月第四次印刷

2008 年 4 月第七次印刷

2009 年 8 月第八次印刷

2010 年 1 月第九次印刷

2011 年 7 月第 15 次印刷

2011 年 9 月第 16 次印刷

2011 年 11 月第 17 次印刷

130.[107]《心灵体操》

时代文艺出版社 2005 年 1 月第一版

131.[108]《刘心武作文示范》

少年儿童出版社 2005 年 1 月第一版

132.[109] La Démone bleue (《蓝夜叉》法译本)

Bleu de Chine 2005 年第一版

133.[110]《红楼望月》

　　　　　　　　　　　　书海出版社 2005 年 4 月第一版

　　　　　　　　　　　　2005 年 6 月第二次印刷

　　　　　　　　　　　　2005 年 7 月第三次印刷

　　　　　　　　　　　　2005 年 8 月第四次印刷

　　　　　　　　　　　　2005 年 9 月第五次印刷

　　　　　　　　　　　　2005 年 9 月第六次印刷

134.[111]《刘心武揭秘〈红楼梦〉》

　　　　　　　　　　　　东方出版社 2005 年 8 月第一版

　　　　　　　　　　　　至 2005 年 19 月共十三次印刷

　　　　　　　　　　　　2005 年 11 月第二版

　　　　　　　　　　　　至 2005 年 12 月已第十八次印刷

　　　　　　　　　　　　至 2007 年 7 月已第二十八次印刷

　　　　　　　　　　　　2007 年 12 月第三十次印刷

　　　　　　　　　　　　2008 年 4 月第三十二次印刷

135.《红楼解梦——画梁春尽落香尘》

　　　　　　中国广播电视出版社 2005 年 9 月第二版第五次印刷

136.《楼前白玉兰——刘心武最新小小说集》

　　　　　　中国广播电视出版社 2005 年 9 月第二版第二次印刷

137.[112]《刘心武揭秘〈红楼梦〉》[第二部]

　　　　　　　　　　　　东方出版社 2005 年 12 月第一版

　　　　　　　　　　　　至 2007 年 7 月已第十五次印刷

　　　　　　　　　　　　2007 年 12 月第十七次印刷

　　　　　　　　　　　　2008 年 4 月第十九次印刷

138.[113]《刘心武解读人世情》

　　　　　　　　　　　　时代文艺出版社 2005 年 12 月第一版

139.[114]《刘心武感悟平常心》

　　　　　　　　　　　　时代文艺出版社 2005 年 12 月第一版

2006 年

140.[115]《刘心武自选集》

云南人民出版社 2006 年 1 月第一版

141.[116]《刘心武点评〈红楼梦〉》

团结出版社 2006 年 1 月第一版

142,《刘心武精品集·第一卷·钟鼓楼》

东方出版社 2006 年 1 月第一版

143.《刘心武精品集·第二卷·四牌楼》

东方出版社 2006 年 1 月第一版

144.《刘心武精品集·第三卷·栖凤楼》

东方出版社 2006 年 1 月第一版

145.《刘心武精品集·第四卷·献给命运的紫罗兰》

东方出版社 2006 年 1 月第一版

146.[117]《戴敦邦绘刘心武评〈金瓶梅〉人物谱》

作家出版社 2006 年 4 月第一版

147.[118]《红楼拾珠》

云南人民出版社 2006 年 5 月第一版

148.[119]《藤萝花饼》

云南人民出版社 2006 年 5 月第一版

149.《刘心武揭秘〈红楼梦〉》[第一部]

台湾好读出版有限公司 2006 年 6 月初版

150.《刘心武揭秘〈红楼梦〉》[第二部]

台湾好读出版有限公司 2006 年 6 月初版

151.《我是刘心武》

天津人民出版社 2006 年 8 月第一版

152.[120]《刘心武揭秘古本〈红楼梦〉》

人民出版社 2006 年 12 月第一版

同月第二次印刷

2007 年

153.[121]《四棵树》

二十一世纪出版社 2007 年第一版

154.[122]《用心去游》

上海三联书店 2006 年 12 月第一版

2007 年 1 月第一次印刷

155.[123] Dés de poulet façon mégère [《泼妇鸡丁》法译本]

Bleu de Chine 2007 年 4 月第一版

156.《一切都还来得及》

中国青年出版社 2005 年 5 月第一版

157.[124]《刘心武揭秘〈红楼梦〉》[第三部·黛玉之谜及古本之秘]

东方出版社 2007 年 7 月第一版

至 2007 年 8 月已第四次印刷

2007 年 12 月第六次印刷

2008 年 3 月第七次印刷

158.[125]《刘心武说世道人心》

中国青年出版社 2007 年 7 月第一版

159.[126]《刘心武说寻美感悟》

中国青年出版社 2007 年 7 月第一版

160.[127]《刘心武说草根情怀》

中国青年出版社 2007 年 7 月第一版

161.[128]《长吻蜂》

上海人民出版社 2007 年 8 月第一版

162.《私人照相簿》

华龄出版社 2007 年 10 月第一版

163.《善的教育》

华龄出版社 2007 年 10 月第一版

164.[129]《刘心武揭秘〈红楼梦〉》[第四部·宝钗湘云之谜暨红楼心语]

东方出版社 2007 年 11 月第一版

2008 年 3 月第三次印刷

2008 年

165.[130]《健康携梦人》

中国海关出版社 2008 年 4 月第一版

166.[131]《刘心武小说》

吉林文史出版社 2008 年 5 月第一版

167.[132]《刘心武散文》

吉林文史出版社 2008 年 5 月第一版

2009 年

168.《钟鼓楼》(共和国作家文库)

作家出版社 2009 年 4 月第一版

169.《四牌楼》(共和国作家文库)

作家出版社 2009 年 4 月第一版

170.[133]《人在胡同第几槐》

中国文联出版社 2009 年 6 月第一版

171.《钟鼓楼》(新中国 60 年长篇小说典藏)

人民文学出版社 2009 年 7 月第一版

172.[134]《刘心武短篇小说》

现代教育出版社 2009 年 8 月第一版

173.[135]《刘心武中篇小说》

现代教育出版社 2009 年 8 月第一版

174.[136]《刘心武散文随笔》

现代教育出版社 2009 年 8 月第一版

175.《刘心武揭秘〈红楼梦〉》上卷 (共和国作家文库)

作家出版社 2009 年 8 月第一版

176.《刘心武揭秘〈红楼梦〉》下卷（共和国作家文库）

作家出版社 2009 年 8 月第一版

2010 年

177.[137]《人情似纸》

江苏文艺出版社 2010 年 1 月第一版

178.[138]《红楼梦八十回后真故事》

江苏人民出版社 2010 年 3 月第一版

179.[139]《刘心武小说精选集》

[台湾] 新地文化艺术有限公司 2010 年 4 月第一版

180.《红楼望月》

江苏人民出版社 2010 年 6 月第一版

2010 年 9 月第二次印刷

181.[140]《命中相遇——刘心武话里有画》

上海文艺出版社 2010 年 7 月第一版

182.[141]《红楼眼神》

重庆出版社 2010 年 9 月第一版

2011 年

183.[142]《刘心武续红楼梦》

江苏人民出版社 2011 年 3 月第一版

江苏人民出版社 2011 年 4 月第 4 次印刷

184.[143]《红楼梦》（曹雪芹著刘心武续）

江苏人民出版社 2011 年 3 月第一版

185.《刘心武续红楼梦》[繁体字竖排本]

香港明报出版社有限公司 2011 年 3 月初版

186.《刘心武揭秘〈红楼梦〉》精华本（一）

江苏人民出版社 2011 年 4 月第一版

187.《刘心武揭秘〈红楼梦〉》精华本（二）

江苏人民出版社 2011 年 4 月第一版

188.《刘心武揭秘〈红楼梦〉》精华本（三）

江苏人民出版社 2011 年 4 月第一版

189.《刘心武揭秘〈红楼梦〉》精华本（四）

江苏人民出版社 2011 年 4 月第一版

190.《刘心武续红楼梦》[繁体字竖排本]

台湾城邦文化事业股份有限公司商周出版 2011 年 4 月第一版

191.《〈红楼梦〉的真故事》

台湾人类智库数位科技股份有限公司 2011 年 6 月第一版

192.[144]《听刘心武说房子的事儿》

中国商业出版社 2011 年 8 月第一版

193.[145]《刘心武心灵随感》

时代文艺出版社 2011 年 11 月第一版

2012 年

194.[146]《刘心武种四棵树》

漓江出版社 2012 年 1 月第一版

195.[147]《风雪夜归正逢时——我是刘心武》

漓江出版社 2012 年 1 月第一版

196.《献给命运的紫罗兰》

漓江出版社 2012 年 1 月第一版

197.[148]《人生有信》

江苏人民出版社 2012 年 3 月第一版

198.Poussière et sueur [《尘与汗》法译本 folio 袖珍版]

Gallimard 2012 年 8 月出版

199.La Cendrillon du canal [《护城河边的灰姑娘》法译本 folio 袖珍版]

Gallimard 2012 年 8 月出版